以下、無用のことながら

司馬遼太郎

文藝春秋

以下、無用のことながら◉目次

装丁　大久保明子

以下、無用のことながら

新春漫語

私は職業柄、朝何時に起きよ、ということもない。上司や下僚という年齢秩序にも属していない。

山中暦日なしという言葉があるが、市井にいながらそれに似ている。

「もうお前も古稀だよ」

といわれて、おどろいた。それも大分県に住んでいる同年の友人に長距離電話で知らされた。そういえば、ながく生きた。たとえば、〝昭和恐慌〟（一九三〇年代の日本のパニック）のころも、私は小学校低学年ながら、おびえの籠《こ》もった記憶として体にのこっている。後年調べてみると、身の毛のよだつような時代だった。倒産や夜逃げはざらで、失業した人は故郷に帰ろうにも旅費がなく、野宿をしながら歩いたりした。

十五世紀の〝応仁の乱〟と同様、日本史上の大事態だった。不況は世界を覆い、震源地のアメリカをはじめどの国もなかなか出口が見出せなかった。

こんにちに似ていなくもない。

決定的にちがう点もある。たとえば、私の家であずかっていた娘さんが、去年、いかにも幸せそうな男の児《と》を生んだ。その赤ちゃんの福耳をみて、私が、

「この児は、きっと食いっぱぐれが無さそうだよ」

とほめると、その若い母親が、怒りはじめた。そんなばかなほめ方はありませんよ、と笑い喋《しゃべ》りにしゃべるのである。

「赤ちゃんには、賢いとか、東大に入りそうだとか、そんなふうにほめるもんですよう、ひとの児をみて、食いっぱぐれがないなんて言うもんじゃありませんよ。人間ならたれでも食べるものぐらい、食べるじゃありませんか」

おなじ不況でも、〝昭和恐慌〟の時代にくらべると、これだけ国民経済の底があがっているのである。

「じゃ、この児は着っぱぐれがないよ」

「だれだって、衣類ぐらいは着てますよう」

江戸時代に、着るものが一枚しかない人が、それを洗濯しているあいだ、蚊帳をまとっていた、という話がある。

昭和恐慌のとしに二十五歳だった『放浪記』の林芙美子は、「年譜」によると、その夏、

着るものをすべて賣《う》りつくして海水着を着ていたという。

こんにち、大不況下ながら、そんなことはありえない。

高齢者らしくタガのゆるんだ言い方をすると、不況などといっても、〝泡経済《バブル》〟という異常な世がおわったというだけではないか。

かえすがえす、バカな世だった。

はじまりは一九六〇年代からだったろう、土地投機の盛行からだった。本来、人間社会のすべての基盤である土地を国民が総がかりでアズキか株のようにあつかうという前代未聞の事態だった。

銀行までが巻きこまれて、騒ぎのスケールが大きくなり、かつ深刻になった。

物件としての土地が地価高騰して商品性が減ってくると、投機マネーが絵画にむかい、価値のひくい絵がとほうもない値で賣買され、あげくのはては韓国のみやげものまで〝骨とう品〟として商社があつかうまでに悪性化した。この異常さに対し、政治家も経済学者も、何の警告も発しなかった。

あの時代があと何年かつづいたら、国民精神は再起できないまでに腐蝕したかもしれなかった。

それがおわったあと、日本経済は、食べものを詰めこまれたガチョウのように、胃腸が停止し、肝臓も腫《は》れあがったまま、身動きもできずにいる。

「この不況を、政策でなんとかしろ」

と、政策に多くを期待するのはむりである。じっと清く貧しく耐え、天才的な創意をこらして、個々に活路を見出すか、それともバブルの再来だけを漠然とねがって時をすごすか、もし後者ならどうしようもない。やがて肝臓だけがフォアグラになって、他の経済圏の食卓にのぼる〈産業の空洞化〉だけかもしれない。

昭和恐慌は左翼をつくり、次いで反作用として右翼をつくり、右翼的部分がひろがって満洲事変（一九三一年）という冒険をやらせ、うわべだけの解決を見た。が、十四年後には日本そのものをほろぼした。

昭和恐慌がそこまでのおそろしい結果をまねいたという歴史は、私どもにとって負の歴史ながら、思いようによっては、世界や民族や国家とは何かということを考える契機をつくってくれている。マイナスとはいえ、資産である。

物は思いようである。好況はかえって人を盲目にさせ、不況は人を思索させるようになる。

昭和恐慌では、ひとびとは考えるゆとりもないほどの地獄だったし、それに詐略のようにして戦争（満洲事変）がおこった。たれもが、目をまどわされた。その十数年後の終末期には、たとえば私の場合、生家は空襲で焼かれ、身は兵士で、友人の多くが死んだ。

そんな世代の者としての私は、こんどこそ日本人は賢くふるまうはずだと期待するほかないのである。

それに、昭和恐慌のあとの不況期にはひとびとは左右のイデオロギーのために思慮分別をふりまわされたが、こんどはそういうばけものは出っこない。これはとびきりの利点である。

ばけものが出ないかわり、自分で考えねばならない。もしたれもがそのような気概を持つなら、景気の回復をとやかく期待する以上に、この時代が後世のためのプラスの資産になるかもしれないのである。


（「中日新聞」一九九四年一月一日付）

綿菓子

祭礼の境内で、綿菓子が賣《う》られている。

綿菓子のもとは、ザラメ糖を煮詰めたものである。

それを足踏み機械のなかに垂らしこみ、冷たい空気を送ることで無数の繊維をつくる。

やがて霧のかたまりのようにふくらむ。

こどもは、顔ほどに大きくなったその〝霧〟を買う。一人が買えば、その連れも買う。

雑踏のなかを、つらなってなめ歩きすることで、いかにも祭りのなかにいる気分になる。

＊

アメリカではバブル経済のことを、綿菓子（コットン　キャンディ）というそうである。
経済社会が、調子づき、カネがあまる。使いみちにこまって、あるモノを買う。それが
騰《あが》る。投機が加熱する。

日本の場合、そのモノが土地だったことが、不幸だった。

土地は、本来、投機の対象にすべきものではない。自他がそこで暮らし、立ち、住み、耕やし、商う地面を投機の対象として賣買《ばいばい》するのは、自他が呼吸するための空気を投機的に賣買するにちかい。しかし、バブルの当時、

「土地をいたぶると、国も社会もほろびる」

とは、政治家も経済人もいわなかった。

ついに最盛期には、地上げ屋のために棲家《すみか》を半ば暴力で追われる人達まで出た。取引という経済の一現象であるといえばそうだが、倫理としてみれば、これほど深刻なことはない。そういう目に遭わされる国民に、愛国的感情をもとめたり、社会への義務を説いたりすることは、むりなのではないか。

あの当時は、たれもが、潜在的に、土地に対する投機屋であった。冷静なはずの金融機関までその先登に立った。

＊

バブル経済は、歴史のなかにもある。

八世紀の唐の長安でもそうだったような気がする。

元来、唐王朝は、その始祖がどうやら非漢族だったせいか、異文化に対する許容量が大きかった。

長安は中国史上最大の国際都市で、西胡とよばれるペルシャ人の貿易商人でひしめいていた。長安は王侯貴族が住むだけに、購買力が高かった。とくに当時、ペルシャ文化が異常に流行した。

モノが動き、カネが走りまわるうちに、投機の方向が、牡丹《ぼたん》に集中した。

牡丹は、中国の西北が原産地である。牡丹そのものはペルシャと無縁であるにせよ、二字名前であることが外来語くさく、なにやらハイカラめいていたのかもしれない。ときに玄宗皇帝が楊貴妃を後宮に入れて熱愛した。そのことと長安人の牡丹熱とは無縁ながら、同時代の空気のなかで共に進行した。

牡丹は、陰暦三月にひらく。開花してしぼみ落ちるまで二十日ほどのあいだながら、当時の詩人は、

「花開キ花落ツ二十日、一城ノ人皆狂フガ如シ」

と、不快と驚嘆をまじえてうたった。貴族や有力寺院は、その庭にあらそって牡丹を植えた。

牡丹はシャクヤクの根を台木にして毎年接木するものらしい。そのつど改良され、いい

牡丹は一本数万銭というふうに高騰した。

＊

十七世紀のオランダの話である。

当時この国は人口百五十万、国がそのまま貿易会社のようだった。アジア貿易によって大利を得つづけ、国民所得はヨーロッパ一といわれた。

ついにカネ余りがおこった。

ついでながら、オランダの国土の三分ノ二は干拓によってできたために、公有だった。だから、投機の目標はチューリップの球根に集中した。

一六三四年から三年間、〝チューリップ狂騒時代〟といわれるほどに、変種の球根に対し、狂ったように投機が行われた。ただし、政府は冷静で、断固として禁じたために終息した。

日本は、バブル経済が、行きつくところまで行って崩壊した。

いまも、終息したとは、いいにくい。どの金融機関も、債権の額に見合わない土地という綿菓子を大量にかかえているのである。

＊

十七世紀のオランダ人も、政府の禁止が出たあと、一個ひと財産という球根をいくつもかかえて、わが身をのろったに相違ない。

しかしこの場合、国家から借りている自分の敷地のすみに埋めさえすれば、来年は花をひらいてくれるのである。むろん綿菓子のように花がふくらむことはない。当然なことである。

（「東京新聞」一九九五年一月一日付）

普天の下

『平家物語』に、

「普天《ふてん》ノ下《もと》、王土ニ非ザルナク、率土《そつど》ノ浜《ひん》、王臣ニ非ザルナキナリ」

ということばがあり、よく国土観があらわれている。この一句を読んで、いまは主権在民なんです。よほど古い概念ですな、などというばかはない。

国土というのは具体的概念でありつつも、同時に高度の抽象性をもった概念であることは、古今かわりがない。

このかねあいを誤まると、戦後日本の土地所有のありかたのように、私権に無限性があるかのようなさわぎをひきおこす。

いうまでもなくわが国は主権在民の憲法をもっている。法が最高にあって、その下に人民があり、さらには右の語法を藉《か》りると、普天の下、法によらざるはなく、率土の浜どころか、一木一草も法によらざるはない。

現行の香港の土地については、むかしから、

「女王陛下の土地」

と言う表現がつかわれてきた。だからといって現実の女王陛下が、香港における一坪の土地も自由にできるわけではない。

いわば法的修辞というべきものなのである。いうまでもなく女王陛下も法の下《した》にあり、法の一機関である。それが、法治国家というべきものであり、この思想のもとで、香港はあんな狭い所でありつつも、戦後日本のような放恣《ほうし》で乱雑な土地投機の現象はおこらなかった。

フランス憲法下のフランス国土も同様で、土地所有については日本と似たような法をもちつつ、しかもパリに戦後東京のような土地投機の混雑はなく、また世界の財宝というべきフランスの田園の美しさも、十分にまもられてきた。フランスの普天も率土の浜も、フランス人民という永遠の法的抽象概念のものであるという、法論議以前の慣習と思想（公の思想といっていい）が、それらを守ってきたのである。

むろん、ロンドンの落ちつきもイギリスの田園の美しさについても、右と事情はかわらない。

首都機能移転ということが立法化されたいま、あたり前のことを考えなおす好機という

べきである。

「国土の美しさを守ろう。それが、先祖からひきつぎ子孫に伝えるわれわれの高貴な慣習である」

この精神的合意がなければ、たとえ移転しても、新機能の所在地は、いまの病死寸前の東京の二の舞になる。

（「人と国土」一九九三年一月号）

答えない理由

〃好きやねん〃という言葉が流行っていたころ、見聞きするたびにぞっとしました。ふつう、大のオトナが、女子中学生のようなことばをつかうでしょうか。〃きらいやねん〃というのも、おなじことで、好き・きらい、という感覚語をできるだけ抑えて表現するのが、一人前の人間だと思うのです。（むろん、人間には好き嫌いがあって、それを抑制するほうがいいということではありません。コトバの問題としてのみ考えてのことです）。

また〃大阪がどうこう〃という「概括的好悪」もしくは「概括的論議」というのも、知的ではないとおもいます。

たとえば、

「淀川の水をのんでるやつに、ろくなやつはおらん」

といわれても、とまどうばかりです。

地域・民族・職業・国家を一つとりあげて、〃好きやねん〃〃きらいやねん〃とやっていても仕様がないのではないでしょうか。第一、そんな議論がなりたつでしょうか。〝あいつは医者やから（あるいは土木作業員やから）わしは〝好かん〟というのは、意味をなさないばかりか、全世界の医者と土木作業員に不愉快を感じさせるだけです。

地域・民族・職業・国家を、概念化して好悪をきめるということから、どのようにして抜けだすかというのが、古来、知性というものの第一歩の作業でした。

それにひきかえ、

「隣のおっさん、大きらいや」というのは、具体的で個別的で、じつにいいとおもいます。たまたまそのおじさんが新潟県人だったとして、「せやから、新潟県人はきらいや」という概念態度は、へんなものです。

ちょっと申しそえておきますが、一人前の知性にして、しかも〝好き〟ということがあります。中世ではこの精神にわざわざ〝数奇・数寄〟というえたいの知れぬ文字をあて、〝身をほろぼすのも覚悟した精神の傾斜〟ということで、讃美しました。

室町のころの数奇は、商人ならば身代《しんだい》をうしない、武士ならば領地をうしなうことを覚悟したものなのです。（大正・昭和の文学青年という存在をそのころの親たちが心配したのも、数奇がたかまって身をほろぼすことをおそれたからです）。

こんなのは、ときにすばらしく、ときに評価すべきだと思います。

（「関西文学」一九八八年八月号）

心のための機関

人間は生物として、自然に大人になる。あるいは社会的に、大人にならねばならぬ。古来、そのように要求されてきたし、将来も、そうだろう。経験と知識と判断力と調和の感覚、それに責任感。それらが、大人の属性である。

この属性は、生涯みがかれねばならない。

ところが、ふつう、大人になるにつれて剝げおちるか、衰弱してゆく心（あるいは機能）がある。想像力、空想力、さらにはそれを基礎として創造力への間断なき衝動である。この三つは、もともと、天が平等にこどもたちにそなえさせている。だが、電池が減るように減ってゆくだけなのである。

その三つが大人になっても減ることなく保たれている人達がいる。むろん、科学や芸術の天才たちはすべてそうである。天才でなくても、芸術の鑑賞や世界観察、あるいは対人感覚に、右の三つのみずみずしい心をもちつづけているひとびとは、干魚のような大人たちより百倍も日常をゆたかに送れる幸せをもっている。

こどもは大人の小型ではない。

この機関（編集部注＝著者が理事長だった財団法人・大阪国際児童文学館）は、そのことが前提となっている。その上で、こどもたちのゆたかな心をさらにふくらませるとともに、大人たちにそれをとりもどさせるための機関でもある。


（「大阪国際児童文学館ニュース」第六号一九八七年三月三十一日刊）

古本の街のいまむかし

私は大阪でうまれて最終学校もそこだったから、若いころの古本屋歩きといえば、大阪だった。大阪にも日本橋という地名があって、ニッポンバシとよむ。戦前はその筋の両側がながながと古本屋の筋で、そこを半日かけて歩く楽しみや思い出は、青春とともにあった。

戦災でそのあたりが焼けて、古本屋さんが疎開さきからもどって来ず、このため街の相《そう》が一変し、いまは値びき電気器具を売る筋になってしまっている。

東京よりも、はるかに大阪は変りやすい。江戸時代の古本屋の街筋というのは、心斎橋筋だった。灯火の貴重な時代だったのに、心斎橋筋の両側の露店もふくめた古本屋さんは、夜もあかあかと灯火をつけて営業していて、そぞろ歩きのひとびとをよろこばせつづけた。

京都は、河原町通りである。ここはいまでもさかんで、店の内容も充実している。

そこへゆくと東京の神田の古本の街は江戸時代からのものだが、その後、いよいよ充実した。

江戸時代の神田は塾が多く、とくに江戸末期の東條一堂《いつどう》の塾は、剣術の千葉道場とならんで有名で、江戸の旗本の子弟だけでなく、諸藩の定府《じょうふ》、勤番の侍たちもこれらの塾にあつまった。自然、本屋さんの存在が必要だった。

本屋というのは本来、古書籍商のことだった。江戸時代は出版業もさかんだったが、新本を買う習慣は一般的に無く、本というのは貨幣と同様、社会を循環するものとおもわれていた。読書人や蔵書家がなくなればその書庫の本はふたたび市《いち》に出、好む人によって買われるのである。

神田の古本屋街は、要するに神田に集中していた塾とともに興り、栄えた。明治後、神田に法律学校がたくさんできて、それが、明治大学などのもとになったことはいうまでもない。

「古本は、男子一代の業ですよ」

と、大学を出ようとしている青年に、その道に入ることをすすめたことがある。この道の達人の商品知識の広さと深さは、ときに若い学者もおよばない。

だからあなたは、神田の古本屋さんの丁稚《でっち》になりませんか、と、ある青年にすすめたことがある。もし五年して本好きにならないようだったらもう一度相談にのりましょう、といって、神田の高山本店さんの世話になったことがあるが、ざんねんなことにこの青年は本の通《つう》になってくれずに、結局は有名出版社の営業に行ってしまった。

世が、変った。三十年ほど前までは、地方にゆくとまっさきに古本屋さんにゆくのが楽しみだったが、どうやらそのころをさかいとして、古本の流通が変ってしまったらしい。すくなくとも昭和四十年代ぐらいからは、地方に行っても雑本ばかりで、どうしてこうなったのだろうと、すわりこみたい思いだった。

ところが、地方の古本屋でいい本が出たとなると、本屋さん自身か、他の人が東京の神田に送ってしまう、ときいた。東京へ売るほうが、店頭に店曝《たなざらし》しておくよりも、いい値になるのである。

このときほど、東京の情報収集能力のすごさを感じたことはなく、さらには日本の構造が変ったことについても身にしみて感じた。

ともかくも、神田はいまや世界の古本の街なのである。

（「古本」第十五号一九八九年十月二十七日刊）

駅前の書店

私は、近鉄奈良線の沿線に住んでいる。

その電車は、上町《うえまち》台地の通称、〝上六《うえろく》〟（大阪市天王寺区上本町六丁目）から出ていて、発車して十分もすると、低湿な河内平野に入る。

河内小阪という駅がある。

おそらく近鉄の前身の大阪電気軌道が明治四十三年に開通して早々にこの小さな駅ができて、その後、徐々にこの郊外の駅の前がひらけたのにちがいない。

といっても昭和初年ぐらいはまだ十分には市街地になっていなかったはずで、駅の東は生駒山《いこまやま》にいたるまで一望の水田だったときいている。

私は三十年前にこの地にきて小阪駅のつぎの八戸《やえ》ノ里駅近辺に住んだ。そのころはまだ八戸ノ里駅のまわりは水田が見られ、無計画に東にひろがった大阪の都市地面の東限という感じだった。文字どおりの場末である。

しかし場末のなかでも、小阪駅前は都市化の先輩格だけに、駅前も多少は整頓され、商店の姿もいい。散歩のついでに小阪駅前までゆくと、一格高い都市にきた思いがする。

栗林書房は、その小阪駅前にある。ふるくからの本店が駅の南側にあり、おなじならびで文庫専門の支店ができている。

近鉄が高架になったとき、もう一つの栗林支店がガード下にできた。そのほうが書店としての面積がひろい。だから小阪駅前は、〝栗林さん〟を中心にすれば、書店街ともいえる。

文庫専門の栗林のならびに「みふく」という飾りっ気のない古風なコーヒー店があって、中年の婦人ふたりがコーヒーを煎れたり、運んだりしてくれる。創業の老人は七十代の無口な隠者のような感じのひとで、店には出ず、隣の小さなカメラ屋を庵《いおり》のようにして一日をすごしている。顔をあわしても、黙礼するだけで、言葉はない。

元陸軍衛生兵だったそうで、店の中年婦人が、そっと「むかしの衛生兵さんというのは賢いですね」といったことがある。たしかに、むかしは小学校の学業優等といったひとが兵隊にとられると、衛生兵とか通信兵になった。

この「みふく」で、栗林の若主人とよく出あう。

アーケードのある商店街には、「日本堂」という古い時計屋さんがあって、街の信用のささえの一つになっている。創業者は昭和初年、まだ東京が都《と》でなく市《し》であった頃、市立第一商業を出て大阪にきたというから、当時の新開地の小阪は、大阪で新規に店を持とうというひとにとってのフロンティアだったにちがいない。

私は一時期そばを食うことに凝っていて、うどんの地である大阪にうまいそばやがないのをなげいていた。日本堂の隠居は東京人だからきっといい店を知っているにちがいないと思い、きいてみると、

「駅の北にある浪花そばがうまいですよ」

と、地図まで描いてくれた。なるほど推薦のことばに違《たが》わない味だった。「浪花そば」の主人は、そばの本場の東京でなく九州の博多で修業した、という。

さて、栗林書房のはなしにもどる。

私は、三十年来の得意客のつもりでいる。

しかし、創業の老主人とはじかに接触はなく、注文や聞きあわせはつねに番頭さんの大和君が相手であった。

大和君はすっかり中年になってしまったが、知りあったころは、長崎県大村から出てきたばかりで、本が大好きという青年だった。

「大村の商業高校にいるときから、将来は本屋さんにつとめたいと思っていたんです」

と、きいたことがある。骨の髄から誠実な人で、なにもかも若いころと変わらない。ありがたいのは、私が好みそうな本を、「これは見はからいでございますが」という独特の用語をつかってとどけてくれることである。気味わるいほど、はずれることがない。

栗林書房の得意になって二十年ほどして、創業者である隠居さんにはじめて会った。前記の浪花そばのとなりの席に腰をかけておられた。気持がよかったのは、なが年の得意に対してありがとうございますなどというあいさつはなく、例えば母校の小学校を退職した校長さんに接しているような気分になったことだった。

「栗林さんのおうまれは、どちらですか」

「仙台です」

大阪には、東北出身者がめずらしい。

小阪には、女専が一つあった。戦後の学制改革で女専が女子大になった。新学制早々にそのまま四年制大学になった女子の私学は、関西では、神戸の神戸女学院と京都の同志社女専と小阪の大阪樟蔭女専だけだったことは、私は戦後の学制改革当時の大学担当記者だったから、よくおぼえている。三校とも図書館が充実していたからである。

その樟蔭女子大の国文科に、藤原定家の研究で学位をとった歌人の故安田章生《あやお》氏が教授をしておられて、私がこのあたりに住んだころ、

「ああその町なら栗林書房の近くですね。あそこの主人は、志があって立派ですね」

といわれたことがある。当時、安田章生氏は大学の図書館長を兼ねておられたから、栗林さんとは接触が深かった。

「あの人は若いころ理想主義者で、救世軍に参加して大阪に来られたそうです」

という話も、氏からきいた。

以上は、散歩者の無責任な略地図である。

陸軍衛生兵、関東大震災、救世軍といったことから連想されるように、散歩者の目にも、商売を興すのは、結局、気骨と志らしいということがわかる。


（「つきじ」第十一巻第三号一九九三年七月刊）

学生時代の私の読書

若いころですから、手あたりしだいに読んでいたようですね。新聞の折込みのチラシまでです。文字とか言葉というのが好きだったのかもしれません。

とりたてていえば、中学生のころは徳富蘆花が好きでした。父親の書架にあった『蘆花全集』はぜんぶ読んで、何冊かはくりかえし読みました。蘆花のもっている異常な精気が自分にないように思えて、どの編も、高貴な野蛮人の風貌に接するような畏怖の思いをまじえた気持で読みました。蘆花にすれば、いやな読まれ方だったかもしれません。このあと、漱石、鷗外を読み、さらには正岡子規の『墨汁一滴』などを読むことで、小説・随筆を読むたのしみ以上に、明治人の心というものが身近になりました。

ここまで書いてきて、諸兄にぜひこれだけはお伝えしたいと思うことがあります。明治文学をぜひお読みなさいということです。江戸中期から明治時代というのは、世界史のなかでも、めずらしい精神がぎっしり詰まった時代です。江戸期というういわば教養時代が、酒でいえば蒸溜されて、度数の高い蒸溜酒になったのが、明治の心というべきものです。諸君は、異国の文学でも読むような気持で読んでゆくとよいと思います。きっと、発見があります。それを生涯の伴侶になさるとよいとおもいます。

私は、いま大阪外国語大学とよばれている学校に入りました。そこで、蒙古語を学びました。第二外国語は中国語で、第三外国語はロシア語でした。一クラスの学生の数は十人前後ですから、私のような怠け好きの学生にとって、ついてゆくだけで大変でした。

私ども日本語は、テニヲハという助詞をニカワのように使って、単語を接着してゆくことばです。言語学では、膠着語《こうちゃくご》といいます。語族としては、ウラル・アルタイ語族に入ります。何万年か前、北アジアや中央アジアで発生したことばです。

世界じゅうに、仲間は多くありません。ヨーロッパでは、フィンランド語、ハンガリー語、近東ではトルコ語、東アジアでは蒙古語、死語となった固有満州語、韓国・朝鮮語、それに日本語だけです。マザー・タングとおなじ語族の言葉をやるというのは、自分の言語を考える上で、たえず脳細胞を刺激されることになります。私が多少、日本語について考えるようになったのは、モンゴル語をやったからだと思っています。(その点、ヨーロッパ人の青年はしあわせですね。同じ語族の外国語を勉強するのですから)。そういうわけで、語学をやることにいそがしくて、余暇の読書の時間が、じつにすくなかったのです。この時期、つとめて、ヨーロッパの小説と、純粋哲学の本を読むことにつとめていました。

しかし、一年生をすぎたころに、考えがかわりました。アジアの哲学を身につけようと思ったのです。インドのウパニシャッド（Upanisad）や中国の老荘哲学の本を、できるだけさがしてきては読みました。また、思想書とは言いにくいのですが、しかし中国の智恵の宝庫ともいうべき司馬遷の『史記』それに『孟子』は、ほぼ全巻読んだように思います。

やがて、学業途中で、兵営に入らざるをえませんでした。にわかに死についての覚悟をつくらねばならないため、岩波文庫のなかの『歎異抄』（親鸞・述）を買ってきて、音読しました。ついでながら、日本の古典や中国の古典は、黙読はいけません。音読すると、行間のひびきがつたわってきます。それに、自分の日本語の文章力をきたえる上でも、じつによい方法です。

『歎異抄』の行間のひびきに、信とは何かということを、黙示されたような思いがしました。むろん、信には至りませんでしたが、いざとなって狼狽することがないような自分をつくろうとする作業に、多少の役に立ったような気がしています。

みじかい青春でした。あとは、軍服の生活でしたから。ただ軍服時代二年間のあいだに、岩波文庫の『万葉集』をくりかえし読みました。「いわばしる　たるみのうへの　さわらびの　もえいづるはるに　なりにけるかも」この原初のあかるさをうたいあげたみごとなリズムは、死に直面したその時期に、心をつねに拭きとる役目をしてくれました。

（「読書のいずみ」第三十号一九八七年三月刊）

つたなき五官

わたしはもともと耳が精密でなくて、相手の発音（むろん日本語です）のKとTがときどき抜けおちます。

抜けるだけでなく、Kの場合、Mに代わったりするのです。たとえば、

「お紅茶でございます」

と、通路（飛行機の）向うのほうからスチュワーデスがいちいち乗客に言ってはくばって参ります。むろん目で見てそれが紅茶であることはわかるのですが、私の耳には、どう澄ましても、

「オモチでございます」

としか聴こえなかったのです。十年ほど前のことでした。

むろん私の耳におけるK・Tの欠落は、自覚的には一ト月に一度ぐらいの現象です。家内は、ほとんど毎日だというのですが。

さらには、老いてすりへってそうなったわけではなく、どうやら若年のころからそのようでありました。こんな耳で外国語学校に入ったのですから、笑止千万というべきでありましょう。

舌もろくなものではありません。はじめての外国（タイでしたか）のホテルで、〝私にコップ一杯の水をもってきてください〟と初等英語どおりのことをいいますと、なんとハンバーグ・ステーキがやってきました。構文のどこかで、音が、ハンバーグときこえたのでしょう。

いまもそうだろうと思いますがモンゴル語科というのは、一時にたくさんの外国語を教わります。私どものころは、中国語とロシア語を、モンゴル語と同時に教わって、私の貧弱な五官は破裂しそうでした。

いまから十年ばかり前、シルクロードから北京に帰ってきたときのことです。

当時北京のＮＨＫ支局長だった塩島氏（東京外大）から馳走をうけました。塩島氏は現在、ＮＨＫ解説委員で、その中国語は内外に定評があります。同行の家内が、私とのあまりのちがいにあきれたあまり、そのことを私にからかいますと、私はいつものように、

〃ボクはモンゴル語だから〃と変わりばえせぬ遁辞を用いました。ところがまずいことに、塩島氏が、モンゴル語の出身だったのです。立つ瀬がないというのは、このことでありましたろう。

十七年前、ウランバートルにゆきました。五階建の国営ホテルがあり、日本大使館がひらかれたばかりで、モンゴル語の先輩の崎山さんが、代理大使として開設早々の辛酸を舐めておられました。崎山さんは、半生英語圏をまわって来られたにもかかわらず、そのモンゴル語は、ホテルの従業員を集めて三十分説諭できるほどにすばらしいものでした。

家内は、枕頭に水入れを置いて寝るくせがあります。彼女は就寝前、水を貰いにゆくべく、いったんドアからでてから戻ってきました。

「水というのは、どういう？」

と、ききました。

私とすれば、〃ウス〃とさえ言えばよかったのですが、このときわたしは無用の思案をしました。ちかごろモンゴルもロシア風になって、炭酸水を好んでいる、炭酸というのは、ホジルだったという記憶がありましたから、〃ホジル・ウスといえばいいのではないか〃

と言いますと、不幸な彼女はそれを信じて階下におりてゆきました。

大騒ぎがおこったそうです。ご存じのように、ゴビ沙漠には、ところどころ、クッキーにクリームをぬりつけたように、白い炭酸の結晶が露出しています。そういう場所のことをむかしから、遊牧民たちは、ホジルト（炭酸のある処）とよんでいます。

ひょっとすると、ホテルの従業員たちは、日本の女性が、ゴビ沙漠のそういう土地を買い占めにきたと思ったかもしれません。五、六人もあつまってきたところで、彼女はたまりかねて、日本語で、

「ミズ！」

と叫びますと、いっぺんで通じました。

周知のことと思いますが、水という生命にかかわる言葉は、せっぱ詰まると、何国語であれ、世界的に通じるといわれています。彼女は、偶然私のおかげで（！）そういう言語心理上の（あるいは言語生理上の）理論を実証してくれました。

戦後四十年という『英語時代』のおかげで、読むだけの英語はさほどに目減りはせず、むしろ単語がふえているような気もします。国語の単語がトシをとるにつれて自然増をするというのと、おなじりくつです。

でありながら、先般スコットランドの首都のエジンバラの、それもホテルの中で、部屋にものを運んできてくれたきれいな娘さんが、どうみてもアイルランド人めかしいので、「あなたはエジンバラのうまれか」という話しかけをしてみましたところ、こっけいなことに、そのエジンバラという地名そのものが通じなかったのです。このときばかりはばかばかしくなって、卓上の印刷物にあるエジンバラという綴りを指してさらに言いますと、彼女は、

「オー、エンバラア！」

と、大笑いしました。

すこし自慢をしてもいいですか。

数年前、ケンブリッジ大学で講演をしたとき、英国人に対してはユーモアやウイットが大切だとおもい、草稿を用意するときに、十分配慮しました。

信じがたいことに、数分ごとに、聴衆が笑ってくれたのです。

「明治期は江戸文化の瓦解のあとを承けたために、文章においても社会が共有するスタイルはなく、一人一人の手作りでした。たとえば泉鏡花と徳富蘇峰の文章は、たがいに外国語のようにちがいました。………泉鏡花の文章は」

といったあと、その特質を形容する適当なことばが見つからず、禁物であるべき擬態語《オノマトピア》を用いてしまいました。

「なよっとして」

そんなあいまい語でさえ、みなさん的確に反応して笑ってくれたのです。

ただし、私のことばは日本語で、むこう様は老若とりまぜ、日本学者ばかりでした。むこう様の語学力を、ひたすらに借用しつづけたわけであります。

以上、五官貧しき者の失敗例ばかりで、母校のハジといえば、これ以上のことはありませんが、ただ、私のほうが母校からうけた恩のほうは、ひそかに感じつづけております。どうも、言葉についての感受性（能力にあらず）が、他の学校の出身者よりやや繊細なのではないかと、みずからかえりみて思ったりすることです。

もはや頽齢でありますので、努力などは致しません。ひたすらに母校に対して感謝のみを。


（「咲耶」第十六号一九九〇年十月三十日刊）

昇降機

名田君《みょうでん》は、お行儀がいい。

学生時代、虚無僧《こむそう》の修行をして、門付《かどづ》けなどもしたそうである。お辞儀は、二つ折れになるほどに深い。

そのくせ気分の運動神経のいい人で、酒席で卑猥《ひわい》な踊りもやる。不意に、謹直な先輩に飛びつき、ロシア式の抱擁をした名田君を見たことがある。


敗戦早々、その市は一望の瓦礫の原で、むかし去来という俳人が有名な納涼の句を残したという橋から、はるかに海が光ってみえた。

その界隈に、小さな博物館だけが焼け残った。

電気の原理や装置を観覧させる施設で、とくに丸天井に天体を映しだすプラネタリウムが自慢の装置であった。昭和初年にこの市で小学生時代をすごしたひとなら、見学につれてゆかれた覚えがあるはずである。
「レンズは、かのドイツのカール・ツァイス社のものです」
と、戦前、説明をする市役所吏員は、おごそかにいったのを、私もおぼえている。名田君も、そんな記憶の破片をもっていて、建物が残っているのをみて、肉親に出遭ったようなよろこびをおぼえた。

そのころの名田君は、いつもぼろな飛行隊の服を着ていたのだが、この日、結婚式の帰りで、義兄から借りたモーニングを着用していたから、敗戦直後の風俗としてはまことに奇異であった。大げさでなく、西洋の舞踏会に出た若い貴族のように見えたそうである。

館内は荒れていて、人影がなかった。

二階、三階と登ってゆき、ひび割れた壁などを眺めていると、どなたでございましょう、と初老の館員が出てきた。

このひとも偶然ながらモーニング姿だったという。「着るものが無くなりまして」と、身を揉むようなしぐさで詫びた。

ただ、自分の服装《なり》を恥じつつも、その人はおなじ姿の名田君の装束には威儀を感じたらしく、貴顕を迎えたようにして館内を案内した。

「戦争の終りごろから見学者がすくなくなりまして、ちかごろは、一人もございませんで」

空襲のときは、大変だった。身を挺して焼夷弾からこの館を守ったと言い、さらにには、はい、兵隊にはとられませんでした、齢も齢ですし、それにこのとおりの体でございますから、とその人はいった。齢は五十年配にみえた。

ついにはプラネタリウムまで操作してきてくれた。ただ、電気事情がわるく、かんじんの星影が映らなかった。

「レンズは、よく磨いているのでございますけれどもね」

戦時中、技術者がみな応召した。だからこの人がひとりでレンズを磨きつづけたというのである。

話しながら、切れ目ごとにお辞儀をするという物腰のひとで、戦争も、ひょっとするとこの人がお辞儀をしているうちに頭上を通過したのかもしれなかった。

昇降機《エレベーター》の前にきた。

当時、電気を食うこんな装置は、ほぼとまって錆《さび》ついているはずだったのだが、その人は得意そうに、いえいえ復興の魁《さきがけ》でございます、きのう、市から技術者がきてくれて、みなで何度も上下して楽しんだのでございます、と言い、真鍮製《しんちゅうせい》の矢来《やらい》の扉をがちゃがちゃとひらいた。

「どうぞ」

その人は名田君を促《うなが》したが、名田君はひとより先立ったことのないひとで、たがいに譲りあい、もみあった。そのうち、館員のほうが根くたびれしたのか、お辞儀を二つばかりして、

「それでは、おさきに」

と、乗った。

なかは、空虚だった。

いまも、その建物はある。名田君はそのあたりを通るたびに、むかしの一等巡洋艦の艦橋のようなその建物に、黙礼をする。

名田君は、戦争で死んだ仲間以上にその人を悼み、当然ながら、その建物をその人の墓石だとおもっているそうである。

（雑誌「ＹＭＡ」一九九一年十二月二十日刊）

裾野の水――三島一泊二日の記

以下、一日を伊豆の三島ですごし、そのあともう一泊すべく箱根にのぼった、というだけのことを書こうとしている。

ただし、ここ数日、旅の疲れで呆《ほう》けたようになっていて、こういうときには、庭のカシの葉が黄ばんでいるのを見るだけでも、大げさに寂光《じゃっこう》を感じてしまう。

ともかくもこの秋は、酔狂なほどあちこちへ旅をした。たとえばにわかに済州島（韓国南端の大島）へゆきたくなり、時をおかず行ってしまった。ゆくと、山中の落葉樹がことごとく黄や赤、それもさまざまな色ぐあいに黄葉《こうよう》していて、こういう山をもつ国に嫉妬を感じたほどだった。山は、現在は死火山という漢拏《ハンナ》山である。熔岩が大いに流れてついには一島をなしてしまったという地形で、つい日本の富士山とその広大な裾野をおもいだした。

ところで、富士の裾野の南東のはしにあるのが、三島という、かつては東海道の重要な宿場だったまちである。まちには、ゆたかに水が湧き出る。

この湧水《ゆうすい》というのが、なんともいえずおかしみがある。むかし富士が噴火してせりあってゆくとき、あるいはそのこぶの宝永山が噴火したとき、熔岩流が奔《はし》って、いまの三島の市域にまできて止まり、冷えて岩盤になった。

その後、岩盤が、ちょうど人体の血管のようにそのすきまに多くの水脈をつくった。富士のいただきは積雪と融雪をくりかえしている。融《と》けた雪は山体に滲《し》み入り、水脈に入り、はるかに地下をながれて、熔岩台地の最後の縁辺《はし》である三島にきて、その砂地に入ったときに顔を出して湧くのである。

富士の白雪、朝日に融ける、融けて流れて三島にそそぐ

という、かつて日本式の寄合酒《よりあいざけ》の場でさかんにうたわれた唄（農兵節）は、要するに富士の地下水脈のゆたかさをことほいだ歌らしい。そんなあたりまえのことが、こんどの旅で腑に落ちた。

三島は、詩人の大岡信氏の故郷でもある。幸い、この旅で会うことができたので、湧き

水についての思い出をきくと、氏の少年のころは市中のあちこちに水が盛りあがっていて、道路を濡らしていたほどだったという。まことにさかんな感じで、きいているだけでも、目の前にきらきらと水がみちてくるような思いがした。

ただし、いまは富士山麓にできた工場が、ボーリングして地下水脈から水をじか取りしているために、こんこんと湧いて町を濡らすというふうではなくなっている。

「海岸や海中にさかんに湧き水が出ています」

ときいたのは、済州島でのことである。漢拏山の熔岩でもって島じゅうが岩のふたをされたようになっていて、多少の川筋があっても水はない。漢拏山そのものが巨大な水甕《みずがめ》のようになっていて、一見、水とは無縁のようにみえる。が、熔岩のすそが尽きる海岸にいたって湧水しているのである。もっともこの島も、いまはいたるところでボーリングをし、地下水をポンプ・アップし、水道として分配しているために、海岸の湧水は、むかしほどではないそうである。

古代人にとって三島の湧き水は、神秘にうつったにちがいない。

ここに伊豆一ノ宮の三嶋大社が成立したのは当然だったにちがいない。三嶋の神はもともと伊豆の下田の白浜という海浜に鎮まっていたものをいまの地に勧請《かんじょう》したというのが定説だが、逆だという説がある。私もはるかな古代このかた、この地にあったとおもいたい。

朝食前に宿を出て、タクシーをひろった。私は三島に何度かきたが、一度もとまったことがない。泊まると自分のまちになるようで、まちに親しみを覚えてしまう。三嶋大社は、昨夜はくろぐろとしていかにもゆゆしげな杜《もり》だったが、朝の社頭は浅草の仲見世のように庶民的で、七五三の参詣客をあてこむ露店でにぎわっている。

「お客さんは、クーシューということばをご存じですか」

と、ふたたび走りだした車の中で、若い運転手さんがきいてきた。とっさのことで、字が思いあたらず、つい知らない、というと、運転手さんは残念そうで、

「このへんの年寄りは、みなそんな話をしますよ。小田原も沼津も焼けたが、三島は焼けなかったんだそうです」

「ああ、空襲のこと。――」

車が、雑多なカンバンの列の間に鼻を突っこむようにして、古い商店街の中に入りはじめた。

「ええ、空襲のことです。ですから、この商店街も戦前の建物です。たいしたねうちです」

運転手さんは、古物《こぶつ》保存の風潮の中で成人したひとらしく、感動的にいった。私はふと

おもいだして、

「浪漫亭というバーを知っていますか」

「あ、それならここです」

偶然、曲がったところにある古ぼけたビルの前に車をとめた。車の窓からのぞくと、軒下にゴミ箱が出されており、トレパン姿の老人が、義歯を外しては口の中に入れていた。カンバンには浪漫亭とあった。これはキツネにつままれたなと思いつつ、昨夜のことを思いだした。たしかに浪漫亭のはずだった。

ただ、場所は高燥な台上にあって、眼下に三島の灯のむれが見おろせた。他に人家のないところに店があり、夜だからよく見えなかったが、道は狭く、道ばたにススキの穂が光っていて、そばに野菜畑があった。畑には豚のこやしでつくった堆肥が施されているらしく、むかしの田舎のにおいがしてなつかしかった。店の中はふんいきがよくて、できれば昼の光の下でもう一度このあたりを眺めてみたいと思ったのである。

「じつは、私のいう浪漫亭は、箱根への登り口で、わずかに旧街道が残っているあたりだったと思うんだけど」

「ああ」

さすがにプロで、そこにも同名の店があることを知っていた。しかしこの三島というまちなかはたえず交通渋滞していて、この日、日曜日だったから、どの街路も、車が一メートルきざみで前進していた。だから、ずいぶんかかる、という。かれは、私には三十分ほどしか時間のゆとりがないことをおぼえていてくれたのである。

「じゃ、予定どおり、このまま柿田川の湧水場所まで連れて行ってください」

車は、機嫌よく動きだした。

昨夜、私は風船のようで、自分のアタマで三島を歩かなかった。桜屋という有名なうなぎ屋へ行って、やや遅目の晩めしをとったのも、土地の人が、私という風船の糸を持ってくれたおかげなのである。古風な二階にあがって、うな重が来るのを待つ間《ま》、欄間やふすまを見まわしたとき、このまちが焼けなかったことを感謝した。

「ここは、太宰治の西限のまちですね」

と、ふと思いだして土地のひとにきいた。太宰というひとは東京というまちが好きだったようで、戦時中、故郷の津軽に疎開するとき、東京への訣別のことばをどこかに書いている。自分を育ててくれたのは東京というまちだというふうにである。箱根にも来、また富士の裏側の御坂峠にもきたりしたが、箱根を越えたのは、西麓の三島までだった。三島はなお東国に属する。津軽から三島までが自分の自己同一性《アイデンティティ》にかかわりのある同質の東方文化圏であるとどこかで思っていたふしがないでもない。

「箱根のむこう（西むこう）はオバケが出る」

などという江戸っ子のせりふがある。京や大坂、備前や備後、長州や薩摩という、それぞれ一筋縄で尺《しゃく》を測れない地方があることは、江戸っ子の不愉快とするところだった。漱石の『坊っちゃん』も、主人公が赴任した伊予の松山という土地がいかにオバケのくにだったかということを、東京で待っている「ばあやの清《きよ》」に語ってきかせる気分で書いたものにちがいない。清は坊っちゃんを可愛がってくれていて、なにをしてもほめてくれる。物理学校を卒業して地方の中学校の教師の口がみつかり、赴任することにした。清にとって坊っちゃんが東京を離れるということは想像もできない。

田舎へ行くんだと云ったら、非常に失望した容子《ようす》で、胡麻塩《ごましお》の鬢《びん》の乱れを頻《しき》りに撫でた。

とある。多少のやりとりがあって、清が、田舎といっても「どっちの見当です」と聞き返す。

「西の方だよ」と云うと「箱根のさきですか手前ですか」と問う。随分持てあました。

というあたりで『坊っちゃん』を書こうとした漱石の気分がよく出ているのである。江戸気分の持続の中にいる清のイメージの「西」とは、遠くて小田原かぎりで、たとえ箱根を越えても三島ぐらいまでだったろう。

三島は、いうまでもなく静岡県である。ご一新で徳川が瓦解《がかい》して七十万石の一大名になり、徳川慶喜も駿府《すんぷ》（静岡市）に住み、藩校を沼津にひらいて沼津兵学校とした。万をかぞえる旗本・御家人《ごけにん》とその家族が静岡に住んだとき、かれらのくらしはじつに悲惨だったらしい。住むに家がなく、農家の小屋を借りておおぜいが住んだりした。

日本の標準語は、文字表記としては明治初年以来、小学校の国定教科書を中心に官製で出来て行ったものだが、発音は、大正末年、東京の愛宕山からラジオ放送がはじまるまでなおざりにされていた。放送開始の前後、文部省が標準アクセントをきめるにあたり、かつて旗本屋敷でつかわれていたことばを大ざっぱな基準とした。さらには旗本が大挙移住した静岡県のアクセントも参考にしたといわれる。

だから――というのもなんだが――たとえ箱根を西へ越えても、静岡県あたりはなお江戸文化圏だという気分を、清《きよ》なら清を代表とする明治の東京の庶民がもっていたとしてもおかしくはない。

さらには、太宰治が、漠然と自分の繭殻《まゆがら》の中であるとして感じられた人文地理は、西方も三島までだったのにちがいない。かれの場合、三島文化のなかにある西方的要素の中から、遠く京都あたりまでを類推することもあったのではないか。たとえば、三嶋大社の社殿が関東の多くの大型社寺の建て方であるのに対し、このうなぎ屋の桜屋の普請には、上《かみ》方《がた》で修業した大工のにおいがしないでもない。

太宰は、腕力沙汰がにがてだったはずだのに、三島の武郎という、多少近在で顔のきいた兄サンから変に大切にされていた気色《けしき》があり、この消息を井伏鱒二氏がおかしがっておられる。そういう文章をむかし読んで、太宰に透きとおった滑稽感を感じたことがあるが、いま典拠を捜すゆとりがなく、怠けさせてもらう。太宰についての井伏さんの文章でたやすく取り出せるのは『太宰治全集』(筑摩書房)のなかの『太宰治研究』にふくまれた井伏さんの『解説』である。太宰の『思ひ出』についてのくだりのなかに、

「思ひ出」の第三章は、大体いま云つたやうに、天沼三丁目に移つてから一部分を書き、残りは三島にちよつと転地して帰つてから、次に移った天沼一丁目の家で書きあ

げた。その前年の夏、三光町時代にも太宰君は暫く三島に住んでゐた。どんな関係でさうなつたか、太宰君は三島の武郎といふ親分と親しかつた。そのころ、太宰君は朱麟堂と号して俳句をつくり、保さんにも俳句をつくれと強制して、無理やり朱蕾といふ俳号を保さんに与へた。三島の武郎親分も俳句が大好きで、太宰を宗匠として崇め「朱麟堂先生」と呼んでゐた。それは絶対に尊敬してゐたといつても過言でない。(以下、略)……

というふうにある。また『ロマネスク』という作品も「武郎親分のうちの裏二階で書いた作品である」という。さらに井伏さんによると、武郎氏の家は酒の小売屋で、食事のときには、妙齢の娘がお膳を裏二階まで運んできて、夏などは団扇《うちわ》であおぎながら、お給仕のためにひかえていてくれたというのである。

年譜では『ロマネスク』の執筆が昭和九年(一九三四)で、太宰の二十六歳のときである。まだ無名といっていい脾弱《ひじゃく》な青年に、三島ではどの程度の顔役にせよ、男気《おとこぎ》を売る人物が鄭重《ていちょう》に仕えていたというあたりに、滑稽味がある。

「武郎さんの家は、どの辺だったんでしょう」

と、うな重を食べながらきくと、唐突な話題だっただけに、一座がわずかに混乱した。

ついでながら私は、作家研究の場合、その足跡を調査することにどれほどの意味があるかとつねづね疑問におもっている。まして三島人にとって、太宰がこのまちに来《こ》ようが来《こ》まいが、市民的教養とは関係がない。当然、どなたもご存じなかったし、そのことがむしろ健康な知性だとおもった。

要するに、私としては、三島というまちが日本全体の人文地理の上からみて、おもしろい位置にあるということを言いたかっただけで、武郎親分の酒類販売店がどこにあったかということは、座興にすぎない。

三島も、伊豆半島全体もおもしろい。

伊豆国は関東八カ国に属さないが、「関八州《かんはっしゅう》」とよばれる広大な地に対して、屏風(箱根がそうだといってもいい)のかげを構成しているという面白さがある。

源頼朝は伊豆で挙兵することによって関東を得た。

また、北条早雲も、室町の混乱期に京都からきた。かれは町内の世話役のような小まめさで、伊豆の国人《こくじん》や地侍《じざむらい》、あるいはただの農民たちの面倒をよく見、やがてかれらの心を攬《と》って、関八州を征服した。早雲は戦国大名のハシリをなした男だったし、また〝領国大名〟という、人民の面倒を見る形態としての大名の型を最初につくった人物でもあった。

早雲の民政ははるかなのちの江戸期の大名たちでもそれを越す例がないといわれている。

伊豆は面積が小さい上に、山多く、川すくなく、農耕面積もせまくて、人口が多くない。そういう土地が、史上、二度にわたって関東独立の跳躍台をなしたのである。その跳躍のための脚のばねをつくったのは、頼朝のときも早雲の場合も、伊豆のひとびとだった。このおだやかな伊豆の地に格別な反骨の土壌があるとはおもえないが、ともかくもこの地は二度にわたって日本史を変えるはたらきをした。そのことをおもうと、地理的なものに玄妙さを感じてしまう。

さらに、伊豆は、受け皿としておかしみがある。頼朝も早雲も、京からきた。頼朝は兵衛佐《ひょうえのすけ》という低い官位ながらも無官でない流人《るにん》としてここに来、伊勢新九郎（北条早雲の初期の名）は牢人《ろうにん》ながらもかつて室町将軍家でささやかな事務職についていた者としてきた。伊豆という国には、これらの漂泊者たちの京都文化に共鳴できる素地がもともとあったにちがいない。

三島における太宰の場合も、右と似ていなくもないところが可笑《おか》しいのである。

太宰の年譜によると、『思ひ出』の大部分を三島で書いたのは、昭和八年、二十五歳のことで、東京帝大仏文科に籍をおきつつも卒業できる見込みのない時期である。事実上、退学の状態にあることについて、その年の十二月、東京にやってきた長兄文治からはげしく叱責されてもいる。

このあたり、なにやら京から流れてきた牢浪《ろうろう》の伊勢新九郎に似ていなくもない。太宰が新九郎に似ていないとしても、この帝大生によく仕えて(?)「太宰を宗匠として崇め……絶対に尊敬してゐた」という武郎親分のほうが、新九郎をうけいれた当時の伊豆の国人や地侍に似ているともいえる。

俳句というのは、ふつう、いちずにやる必要のあるもので、当時の太宰のように年若い散文家が片手間でやってできるものではない。我鬼という俳号をもっていた芥川龍之介の先例にならったものかもしれない。芥川は別号を「澄江堂主人《ちょうこうどう》」といったが、この別号は俳句にはつかわなかった。太宰の俳号の朱麟堂はなにやら澄江堂に似ている気配があるものの、この号は俳句的境地からは遠そうである。もっとも、太宰は、朱麟堂として三島の武郎親分の二階にいた。このたたずまいばかりは、俳味というか、ちょっとした滑稽さと可愛気《かわいげ》がある。

この稿の時間のなかでは、私は、朝の三島のまちをいま湧水地にむかっている。その前夜、うなぎの桜屋を出たあと、台上の酒場に行ったことはすでにのべた。以下は、前夜の台上の店でのことである。

客のいい店だった。しばらくすると新顔の紳士がやってきた。家でのふだんの和服のまきた、というかっこうだが、着流しではなく、ていねいにハカマをつけていた。三島というのは、中年の人の風儀のいいまちなのである。きくと、大岡信氏とは中学の同窓だという。さきほどの桜屋では武郎親分の家の所在がよくわからぬまま話がとぎれていた。それを気にしたたれかが、この人に電話をしたらしく、その件でわざわざ来てくださったらしい。

残念なことに武郎親分の店のあったあたりは道路がひろげられてしまって旧観が消滅してしまっているという。

ほぼどこかという点については、私は三島の市街地図をもっていなかったので、きいても頭に入らなかった。場所は広小路だという。

こう書いてくると、なにやら文学散歩めいてくるが、私の本意ではない。旅というのは、話の継穂《つぎほ》に似ていて自分がその土地についてかすかにでも知っていることをよすがにして実感を深めたい衝動に駆られる。それだけのことである。

その紳士は『満願』について話してくださった。わずか四百字四枚の掌編ながら、ひとびとの記憶にのこっている。

太宰は三島滞留中、近所の開業医と親しくなった。そこで見聞した若妻の話で、太宰の作品の特徴である清らかなものへの憧憬《しょうけい》が、ほのかなエロティシズムのかたちをとってあらわれている。

「医院は代《だい》がかわりましたが、まだもとの場所にあります」

と、紳士はくわしく語ってくれた。ただ、酒の酔いと、紳士の話し方の楽しさに気をとられて、私のほうは記憶する能力を欠いていた。ついでながら紳士から名刺をもらいそびれたが、学校の先生ではなく、なにか政治に関するしごとをしている人のようだった。

三島は、そういうまちらしい。稼業とはべつに、それでめしを食うわけではない専門をもったひとたちがわりあいいるようで、このあたり、さすがに伊豆の国府の所在地というか風韻がある。たとえば私がとまっているホテルの一階でグワッシュの風景画の個展がひらかれていた。思いきりのいい線はどうみても玄人のものだったが、きくと、売る絵ではなく、まちの小児科医の長老格のひとの作品だという。

まちの本屋で、幾冊かの本を買った。朝、早目に目がさめてしまったので、とりだして眺めるうち、つい読んでしまった本がある。

かつてこのまちは、桐材を大量に買い入れて下駄を製造するまちでもあった。いまは、一軒も見あたらない。日本のくらしから、下駄が消えたのである。

右の本の著者は、当時それでもなおしばらく下駄をつくっていた。著者は昭和六年うまれで、著書によると「戦争が終ってまもなくの昭和二十四年十一月のこと、父親が急病で亡くな」り、そのあとすぐ下駄製造の家業をついだ、という。

このとき著者は十八歳で、旧制静岡高校に在学していた。厳父の急死とともにあわただしく退学し、三島にかえった。ところで、戦後の数年というものは、下駄はふしぎなほど好況だった。

その好況の最中に厳父が死ぬのだが、しかし著者がついだころから、様子がかわった。ビニールが出まわりはじめるとともに、日本人は下駄をサンダルにはきかえた。それでも職人たちは〝日本人の暮らしから下駄がなくなることはありません〟と若旦那をなぐさめつづけた。〝いつかは下駄がもどってきます。それまでの辛抱です〟――こういう心根《こころね》が、人間の志操というものであろう。志操というのはつねに悲壮なものだし、また下駄とともに半生を送った職人たちにすれば、志操をもつ以外にわが身をなぐさめるすべがなかったにちがいない。

しかし下駄をいくらつくっても下駄の山ができるだけで、売れなかった。それを静岡市にもって行って売ると半値以下に買いたたかれるというしまつだった。

著者の前に、大村さんというひとがあらわれる。当時まだ小さな存在だった信用金庫の支店長さんで、支店の場所は、かつて朱麟堂の門弟である武郎親分の店もそこにあった町——広小路である。支店長さんは「あなたの商売はもうかっていますか」と若かった著者にきいたらしい。

「もうかっていません。毎月赤字です」

将来の見込みは？　とも支店長さんはきいた。

「ありません」

いい若者ではないか。が、支店長さんは、冷静だった。「現在もうかっていない、将来も見込みのないものを、つづけてゆく必要はまったくありません。商売をおやめなさい」といってくれたという。著者はなさけなかったが、その忠告に従った。

著者は、いまはべつな事業をしている。

ところで、その著書というのは、自伝や随筆ではなく、都市構想についての本で、自費出版で刷られている『あしたに生きる「三島」の構図』（発行著者・静岡県三島市西本町3～27）という本なのである。

著者の思いは、三島のまちそのものが、著者の体験の中の下駄の運命に似ているということであろうか。

三島は、奈良・平安朝のころ、伊豆の国府であったのに、江戸時代はその治所である地位を韮山《にらやま》（代官所所在地）にとられた。

そのかわり、三島は東海道でもっともにぎわう宿場としてさかえた。箱根八里はここから発って相模《さがみ》の小田原に達する嶮路で、むろん東からきた者はここへくだってきて宿をとる。大名や旗本がとまる本陣、脇《わき》本陣や、一般の者がとまる旅籠《はたご》でこのまちは大いににぎわった。

要するに三島は宿屋のまちだった。その繁華からこのまちを決定的に退場させたのは明治期の鉄道で、人は徒歩旅行をしなくなった。

「人から徒歩の習慣がなくなることはありません。辛抱していればかならず三島の時代がもどってきます」

と、いったふうに、前述の下駄職人のようにけなげなことをいったひとが、当時、三島にいたのではあるまいか。

十九世紀は、先進の欧州においては圧倒的に鉄道文明の時代だった。欧州における主要都市の古い駅舎が宮殿のように壮麗であるのも、当時、鉄道がその機能以上に、国家や都市の自己表現の場だったことをあらわしている。

そういう文明時代がきていることに、三島の人はあるいは鈍感だったのかもしれない。

というよりも、鋭敏すぎた面もある。

三島市郷土館の館長である長谷福太郎氏が、『三島小誌』というものを書かれている。未刊だが、原稿でみせてもらう機会をえた。

鋭敏すぎた、というのは、『三島小誌』によると、三島は宿屋のまちだっただけに、鉄道駅ができることによって、

「旅客がふえるのか、へるのか」

ということが、心配の焦点になったらしい。

三島は徒歩時代の東海道において名だたる宿駅であり、明治後もそれがつづいていただけに、思考の基盤がつい狭く専門的になった。客がへるのかふえるのか、という一点で鉄道問題を考えたまちは、おそらく当時の三島ぐらいのものであったろう。結論は、

「ふえない」

ということになった。なぜなら「汽車は旅客を遠くへ連れ去る」(『三島小誌』)。

うそのような話である。すこしくわしくいうと、鉄道は明治初年にはすでに大都市を中心にみじかい距離のものが敷設され、稼動していた。

明治十七年、政府は東海道全線を通すことにきめ、翌年から測量を開始した。この間、政府は三島にも打診にきている。政府案では、レールは、小田原から御殿場まわりで沼津

へ出ることになっていて、三島は通らない。しかし三島に熱意があれば再考する。その場合、三島駅舎建設のために三千円を地元負担してほしい、というものだった。

当時、三島の代表者は宿屋の旦那衆が多かったはずで、都市についての価値意識も宿屋としてのそれだったにちがいない。

かれらは「大忠」という料理屋で会合し、結局、官の申し出を蹴った。以後、三島は〝陸の孤島〟(『小誌』)になり、宿屋という宿屋がつぶれることになる。むろんつぶれることをみこして蹴ったわけではなかった。ただ蹴っただけのことであった。蹴ったのは『小誌』によると、明治十九年のことだという。

『小誌』には、これについておもしろいことが書かれている。

その前年の明治十八年には、三島じゅうが鉄道誘致でもちきりだったのである。ただし、

「箱根山にレールを敷いてくれ」

というとほうもない要請をした。これが絶対条件だというもので、『小誌』は「三島停車場由来記」というふるい文献を引いている。以下、それを引用し、このいきさつを、古格な文章もろとも、読者に味わってもらうことにする。

……三島町民及郡民ハ挙《こぞ》リテ箱根山通過ヲ希望シ、時ノ鉄道当局ニ運動シ、原口技師

長ノ案内ヲナシ、箱根山、野馬カ池、其他ノ地勢ヲ視察セラレシモ、翌一九年ニ至リ、箱根山工事ハ容易ナラザルノ故ヲ以テ、終《つい》ニ御殿場迂回ヲ採用スルニ確定シ、茲《ここ》ニ箱根山通過ノ望《のぞみ》ハ全ク絶エタリ。

箱根山に汽車を持ちあげろという三島人の要求はまことに雄大というほかない。技術的にも経済的にも当時の日本の国力を傾ければ何分ノ一かの実現可能性があるかもしれないが、しかし汽車を箱根の嶮にのぼらせるというだけで日本国がつぶれてしまえばどうにもならない。

それにしても、三島人がそこまで箱根に固執した、という心理が、人間の課題として興味がある。明治以前の三島は、箱根山に依存することによってうるおってきた。西からきた旅人はあすは箱根八里だということで三島に泊まり、東からくるひとも、箱根から降りてくると、精根《せいこん》尽きはてて三島に泊まった。

「箱根を越えられないような汽車なら要らない」

と、こどものおねだりのようなことをいって、三島の宿屋の旦那衆は自滅したのである。

昭和六年うまれの大岡信氏に、少年時代のこのまちの印象をきくと、隠居のまちというか、しずかというよりも、退嬰《たいえい》的なまちでした、ということだった。鉄道から離れているために旧制県立中学もここに置かれず、沼津に置かれた。大岡さんたちは、沼津まで通った。

車は、柿田川の湧水地に近づこうとしている。

ところで、この日の午後、前記の本の著者である川村博一氏に出会うはめになった。風貌から体つきまでが温容という感じの人柄だったが、著書はまことにはげしい。三島という都市を、今後、どういう構想のもとで再生させ、飛躍させるべきかという多分に都市工学的な内容をもつ本なのである。

このひとは市長でも市の吏員でもなく、在野のひとでありながら、あたらしい三島を考えるために、倉敷など各地の都市を見学に行って、ついにロサンゼルスにまで足をのばし、その都市設計に致命的な欠陥があることに気づいて、幻滅したりしている。三島は、明治期には鉄道文明から見放され、戦後は下駄製造業などの潰滅といったふうな辛酸をへて、ついにこういう知性を育てる結果になったらしい。ついでながら、川村氏も、大岡信氏とは小学校と中学校の同窓だった。この世代はどうも八年上の私どものように、大戦末期に兵隊にとられて毒気を抜かれてしまったのとはちがい、たとえば文壇の人達をながめても、ガス圧が高そうなひと達が多い。

せまい市街地域で、相変らず渋滞がつづいている。

「これはみな、他府県から入りこんでくるクルマですか」

そうだといよいよ三島は立つ瀬がないと思ってきくと、運転手さんは、静かに答えた。

「いえ、これはみな三島のクルマです」

バイパスが三島の市街地とは離れた場所に通っている。他府県のクルマはそれを流れてゆくから、ほとんど三島のクルマだというのである。それだと自家中毒のようなものだが、しかし三島ではクルマがないと不便にちがいない。三島が関連している空間は広大な富士の裾野台地と箱根山塊で、そこに清水町、沼津市、韮山町、函南町、御殿場市、箱根町、さらには箱根のむこうの小田原市といったぐあいに、小型都市が、ひもの切れたじゅず玉のように点在している。

「君たち……」

と、川村さんの本の中で、東京の友人がいったという。

「……田舎に住んでいる連中は、どこへ行くにもクルマばかり乗っているから足が弱くなるんだ」

その点、東京人は長時間の通勤で足腰をつかっている、という。私など、世間はそういうふうに変ってしまっているのか、と蒙《もう》をひらかれる思いがした。むかしなら、むろん田舎のほうが足が達者だったはずである。

ついに柿田川の湧水地にたどりついた。

「ここです」

運転手さんが私をおろした。

(こんなところだったのか)

と、つい悔いたのは、市にいくつかの湧水地があり、公園にもなっているのに、わざわざここを選んだのは軽率だったということである。

深く掘り割られた川に、清らかな水がながれている。取り水から洩れた水が、護岸河川に誘導されて他の川へ流れてゆくのである。そのわずかな距離の河道に釣りびとがむらがっていて、なかにはゴム衣を着て流れの中に入っている人もいる。どの人も第一級の釣り装具を身につけているから、安っぽい魚をつっているわけではあるまい。

「アユでしょうか」

「さあ、アユかもわかりません」

運転手さんも、あやふやだった。

堤防道が行きどまるところに素通しの門があって、門柱に、

「静岡県柿田川水道事務所」

という表札がはめこまれている。構内は、ポンプ施設などが詰まっていそうな四角い建物があり、それっきりの景色で、とりつくしまもない。

ここにはかつて〝柿田湧水〟とよばれる盛大な湧き水が盛りあがっていたが、さらにボーリングして昭和四十年代にこの設備ができ、いまではここの水を沼津市などに送っているという。湧水量一日一三〇万トンというすごい量で、これをいまでは工業用水や生活用水につかっている。

ただし、市中の多くの場所（楽寿園小浜池、水泉園、菰池《こもいけ》など）で湧きあがっていた湧水は、昭和三十七年ごろから大いにおとろえて、いまでは泉のまちなどとは言いにくくなっているらしい。

「三島の水は、沼津だけでなく、熱海や箱根のふもとの地域にもポンプ・アップしてあげているんですが、ふしぎなことに水道代は三島はうんと高いんだそうです」

このことも、川村さんの本にある。

一立方メートルあたりで三島の水道代は七八・四円、沼津市は五二・六円だそうである。行政というものは、ややこしいものらしい。

「それでも、三島の水はうまいですよ」

運転手さんは、いった。私も一泊したからそのことはよくわかった。

帰路、富士の話になった。

「三島では年に八十何日も見えるんです」

ぜいたくなまちです、と運転手さんはいった。私などこのとしになるまで通計十五日間も富士を見たろうか。

かつて『箱根の坂』という作品を書いたとき、地理的なことは、山や野を歩いたり、細かい地図を自分で色わけして塗りつぶしたりすることによって十分腹に入ったつもりでいた。しかし富士の描写については自分の臆病さがつらくなるほどで、できるだけそれに触れることを避けた。

じつをいうと、西にいる者にとっては、富士ほどわかりにくい山はない。

翌日も、富士を見なかった。


（「小説新潮」一九八六年二月号）

私の播州

播磨は、私にとってほのかながら家の伝承の地である。

父からきいた話によると、祖父の代まで、江戸時代を通じ、いまの姫路市域の広《ひろ》という地に、代々住んできた。

「広は千軒」

と、言い誇ったそうである。千軒とは、備後に〃草戸千軒〃（現・福山市）という集落遺跡があるように、タウンをあらわす呼称の一つであったようである。話が外《そ》れるが、『浮世草子』によると、江戸時代、戸数が千軒もあれば〃友過《ともす》ぎ〃ができたという。友過ぎ（共過ぎ）とは、その人口にたがいに依《よ》りあって商工業もなりたつという地理学的な謂《い》いである。

広という呼称は、いまはない。夢前《ゆめさき》川下流の右岸のひろやかな野で、昭和十六年には広畑町の一つの字《あざ》になった。角川の『日本地名大辞典』によると、「英賀《あが》城落城後、三木家の落人たちが土着して集落をなした」という。

夢前川の対岸が、奈良朝から記録に残る英賀《あが》郷である。戦国のころ、三木氏という小さな大名が英賀城という小城を築き、付近一帯をおさめていた。

織田信長の代官の羽柴秀吉の軍勢が播州に攻め入ったとき、英賀の三木氏という小勢力は、東播の大勢力である三木の別所氏と同盟し、ともに敵対した。つまりは、秀吉方についた黒田官兵衛にとっての地元における敵だった。

その時期、織田氏は、いまの大阪にあって、石山本願寺と長期戦をつづけていた。当然ながら、英賀の三木氏も、みずからの微力を補うために、土地の門徒衆と連合した。門徒衆は、本願寺の西播における根拠地として、英賀に大きな御堂をつくっていた。のちに亀山に移され、亀山の本徳寺となる大寺である。

秀吉の軍勢と戦ったとはいえ、はなばなしいものではなかった。

秀吉にとって、播州の敵の主力はあくまでも東播の三木城に拠る別所氏であって、西播の英賀城など、枝葉にすぎなかった。

やがて東播の三木城も陥ち、英賀城は立ち枯れるように孤立した。秀吉は残敵を掃蕩するつもりで弟の秀長に三千の兵をあたえて英賀城をかこませた。物の本に、「城兵こらへがたくや有《あり》けん、大將掃部介《かもんのすけ》をはじめ一族の輩、甲《かぶと》を脱《ぬぎ》、皆降人《こうにん》にぞ出《いで》ける」と、なにやら気のぬけたようなぐあいのものだったらしい。籠城当時の私の先祖というのは、三木姓であったともいい、宇野姓だったともいう。落城後、前掲のように、対岸の広に移って農になった。落城は、天正八年（一五八〇）一月である。

私の父親の是定《しじょう》は、幼いころ母をうしない、また十歳で父をうしなったから、伝承を多くきいていない。孤児になった父親は、家業を相続して養子をとったその長姉に養われるという淋しい境涯を味わった。

祖父のことに、話をもどす。

明治維新を広で迎えたこの人は、すでに父がなく、母親と二人ぐらしだったという。惣右衛門といったが、太政官令に憚《はば》かって、名を変えた。当時の太政官令によって、本来、衛門とか兵衛という名は御所の官職だったから、そういう名はつつしめ、という。祖父は、惣八と称した。

江戸時代、農民は苗字を公称できなかったが、たいていの家には、家紋と苗字を私的に伝承してきていた。

惣八は当時、三木にしようと思ったが、気持を変えて福田にした。福田《ふくでん》というのは浄土真宗の特有の用語である。この宗旨は領地をもたず、信徒の寄進のみに頼ってきた。つまりは檀信徒をもって福田《ふくでん》となす、という考え方があったところから、熱心な真宗門徒だった惣八は、そういう気構えからそう名乗ったという。もっとも惣八の母の名がフクだったから、語呂がおもしろいとも思ったのかもしれない。

それにしてもみずからつけた惣八という名などは、職人の追いまわし弟子のような名で、それが気に入っていたとすれば、五十にしてはじめて得た男の児に、是定《しじよう》という、僧のような名をつける感覚とは、ずいぶんちがっている。しかも是はゼでなくシという、いわゆる宋元音なのである。ジョウは呉音で、どうもまとまりがない。

惣八が少年のころ——江戸の最末期——宮本という土地の先生から江戸中期の数学者の関孝和《せきたかかず》流の和算を習った。

当時、西播の地は和算がさかんで、剣術かなにかのように、試合もあった。師匠が問題を出してそれを正解すると、神社に奉納額をあげるという風習があった。

算額といった。

惣八が解いたのは、京都の三条大橋の彎曲からその円の直径を出せといったたぐいの問題で、広天満宮に算額をあげた。

惣八におけるこの数学好きと、米相場好きとは、無縁でなかったかもしれない。江戸時代、大坂の堂島で立つ米相場に、独特の通信手段によって姫路にいても参加することができた。惣八は、損ばかりしていた。

田畑を売り、また親戚から金を借りたりして、迷惑をかけたらしい。

それらの借金を屋敷を売るなどして整理し、飾磨《しかま》の港から明治初年の大阪へ出てゆくとき、梯橋《さんばし》まで見送りにきてくれたのは万やんとよんで可愛がっていた近所の子供一人だったという。よほど迷惑をかけたらしい。

ついでながら、惣八の嫁（私にとっての祖母）は、広に近い高浜の人で、私の父親を生んでほどなく亡くなったから、どういう人だったかは聞いていない。娘時代から芝居が好きで、江戸の最末期、大坂までよく芝居を見に行ったという。当時の飾磨の津の活況を想像するのに格好な挿話といっていい。大坂を基点に上下する瀬戸内海航路の、あるいは北《きた》前《まえ》の五百石船や千石船がひっきりなしに飾磨に発着していたから、いわば環状線の電車にでも乗るように、娘一人が大坂に芝居見物にゆくことができたらしいのである。

大阪へ出た惣八は、米を材料とする菓子製造をして、小さな成功をした。その工場は千日前にあり、のちに楽天地とか大劇とよばれる建物（当時はない）のすぐそばにあった。ここが、難波《なんば》焼けという大火で焼けたあと、いまの難波の高島屋のそばの土橋《じばし》という橋を南にわたったあたりに移った。

惣八の米相場好きは生涯やまず、堂島に通っては負けつづけていたが、六十のとしにはじめて大当りし、よろこびのあまり、その場で死んだというのである。

この人は固陋《ころう》だった。

大変な攘夷家で、時計のほかは西洋のものは身につけていないというのが、自慢だった。時計だけはさかんに収集した。

惣八にとっての攘夷のしるしが、頭の髷《まげ》だった。明治初年の断髪令にも屈せず、明治三十八年、日露戦争に勝ったとき、攘夷は終ったと称して、はじめてチョン髷を切った。

この人物が死に、私の父が分家して所帯を持ったとき、大正八年ごろだったかと思うが、亡父惣八が生涯語っていたその故郷の広をはじめて訪ねたらしい。

屋敷も、見た。

意外にも町地《まちじ》で、近隣に大きな百姓屋敷が相接しており、そのなかに土塀をめぐらした家が、そうだった。

むかいの三木姓の家二軒も大屋敷で、そのなかから老人が出てきて、道に佇んでいる父親になにかと話してくれたらしい。

「あんたの家は、元禄のころに、いっぺんに三軒も分家させて、小さくなった」

と、老人はいったという。

それだけの話である。

それから半世紀ほど経って、私も見た。

昭和五十年ごろ、父親もそうしたように、その家の前にはじめて立った。土塀の一部をこわして写真屋さんが店を出していた。

惣八がここを出て行ってから、百年以上経っているはずで、土塀の土も廃《すた》れ、一部に穴があいて、トタン板でふさがれていた。

最近きいた話では、もはや屋敷そのものが毀《こぼ》たれてないという。惣八をしのぶものがすべてなくなったわけだが、いやなことに、亡父の話では、私の声が、惣八に似ているという。音痴で、しかも千切って投げるような声色《こわいろ》は、私自身、自分について一番好まないものの一つだが、そんなものが播州の惣八さんの名残りであるといわれても、うれしくもかゆくもない。

（「播磨の風土と文化　姫路文学館への招待」一九九六年五月二十四日刊）

活字の妖精

もし山中を歩いていて、活字のオバケに出あったとする。

「ここに白い紙の束がある」

と、オバケがいう。紙の束をパンとたたいて、

「なんでも思ったとおり書いてもいい。駄作でもいいし、悪作ならなおいい。へのへのもへじ、と書いてもいい」

といってくれるような夢想を、作家ならだれでも持つにちがいない。

私にとって「別册文藝春秋」はそういうものだった。

小説を書きましょうと思いたって早々は、どんな作家でも、十九世紀以来、名作の累積によってできあがった小説の概念や価値意識の重圧からのがれられるものではない。自分の中のそういう〝文学論〟の概念化したものが、たえず机のうしろからのぞきこみ、冷笑し、いちいち口やかましく点検する。それをこけにして、自分の自由をわずかでもひろげ

られるほど――そうせねば小説など書けないが――人間はずうずうしくなりにくい。

私が、いわゆる文学専門雑誌に書くことをおびえてきたのは、自分の中の右の監視者が居丈高になることがこわかったからである。

また、商品としての完成度の高い雑誌もまた、書きにくい。自分にとっての〝へのへのもへじ〟の自由など、雑誌の商業性におしつぶされて、萎えてしまう。

――いいえ、おもしろい小説なら、なんでもご自由なんです。

などといわれても、自分がおもしろいと思っていることが、その雑誌が精密に吸いあげて組織している読者たちにとっておもしろいはずがないと思ってしまうのである。

その点「別册文藝春秋」はなんともひろやかで、ありがたかった。

はじめて書いたのが『外法仏《げぼうとけ》』という短編で、昭和三十五年三月号である。遠い昔で、発売日にうまれたひとはもう一児二児の母になっているにちがいない。

私はかねがね〝外法《げぼう》〟というものにおかしみをもっていた。外法というおそらくインドで発生した呪術は、仏教の導入とともに非公式に日本に入ってきたかと思える。

外見は仏教に似、内容はジプシーのうらないよりも怪奇である。とくに、平安末期、卑しまれながらも隠微に流行した。

その一派は、呪具として人間の頭蓋骨をもってあるくのである。ただし、ただの頭では、いい呪具にならない。

「外法頭《げぼうあたま》」

ということばが、当時あった。

両眼の線が、顔の横半分より下についていなければならない。また頭が大きく張って、顔が下すぼみのように小さいという条件がそなわらねばならない。

外法の呪術師は、そういう頭を物色して歩くのである。結構なものがみつかると、当人と生前に約束し、まだ息のある臨終《いまわ》のときあわただしく切りとって（臓器移植に似ている）道路にうずめておく。道路は往来のはげしいほうがいい。人の足で踏まれることが、験《げん》を増すことになる。一年後にそれを掘りだしてはじめて呪具としてつかう。

以下の噺は後嵯峨院（一二二〇〜七二）の世というから、もう鎌倉の世になっている。しかし公卿たちが位階に執着することについては平安の世とかわらない。『増鏡』によると、大政大臣《おおいのおとど》という位《くらい》人臣をきわめた公卿に藤原公相《きんすけ》というひとがいて、政治家としてはなんの能もなかったが、ほれぼれとするほどの外法頭のもちぬしだった。

ある日、宮廷の雑談の場で、自分はすでに官位ともに極《きわ》まり侍《はべ》って、なにひとつ思うことのない身です、とつぶやきつつも、ただひとつ気がかりがある、と言い、はためにもめだつほどに打ちしおれた。

「いかなる憂《うれ》へにか」

後嵯峨院が問うと、公相は、この場にいる父（常盤井《ときわい》の入道）にさきだって死ぬような気がしてなりません、という。

そう言いつつも公相に病いがあるわけではなく、ひとびとはまさかと思ってうちすてているうちに、ほどなく死んだ。

公相のこのふしぎな予感と、その外法頭とがむすびつけられて、おそらく外法の者どもに、わるい修法《すほう》をかけられたのだろうとひとびとは囁きあった。

つまり、その道の者がその早死をねがい、ついに験《げん》あってみまかると、さっそく遺骸を掘りだして頭を盗んで行ったというのである。

当時、天皇・公卿以下、火葬の時代だったから、この話の実否はうたがわしいが、もし本当とすれば、これほどばかばかしく滑稽なはなしもない。公相は生前なんの業績があったわけではないが、死後、しゃれこうべになって山野を持ち歩かれ、修法の験をあらわしてまわるのである。

これが拙作『外法仏』のたねである。

以上のように、たねだけを書けばいかにもおもしろそうだが、当の『外法仏』は無用の化粧《けはい》などがあって、いま読みかえしてみる気にもなれない。なにぶん直木賞をもらってい

きなりの作品で、気分の重心があがっていたし、先人の亡霊が肩ごしにのしかかっている
ようで、悲鳴をあげたかった時期である。

それでも多少のゆとりをあたえてくれたのは、場がこの雑誌だったことによる。

その後、ずいぶんこの雑誌には書いた。『酔って候』『王城の護衛者』『最後の将軍』『殉死』（原題は「要塞」「腹を切ること」）あるいは『故郷忘《ぼう》じがたく候』など、いわばなんの拘束も意識せずに書くことができたのは、冒頭の山中の活字オバケのおかげだった。私にとってこの雑誌は妖精だったような気がする。

むろん、へのへのもへじに類することも書いたような気もするが、ありがたいことに、この妖精はいちども苦情をいわなかった。

今後も、多くの作家や読者にとって、うれしい妖精であってほしい。

（「別冊文藝春秋」第一八〇号一九八七年七月一日刊）

自作再見『竜馬がゆく』

幕末、勝海舟という人物は、異様な存在だった。幕臣でありながら、その立場から自分を無重力にすることができた上に、いわば最初の〝日本人〟だったといえる。

こんにち〝人類〟というのがなお多分に観念であるように、江戸体制のなかでは〝日本人〟であることがそうだったろう。たとえば、武士はそれぞれが所属する幕藩制のなかで生き、立場立場が限界だったし、庶民も、身分制から足をぬいて考えることができなかった。

海舟だけが脱けえた。海舟がそのように海舟たりえたのは素質だけでなく、封建門閥制に対する憎悪もあったかと思える。

海舟におけるその感情は性悪《しょうわる》というべきもので、しばしば精神の平衡をうしなわせるほどに深刻だった。たとえば、かれが咸臨丸で渡米することになったとき、勝は当然総指揮官になるつもりでいたところ、にわかに門閥出身の木村摂津守が船将として上にすわり、海舟は次席になってしまった。よほど不満だったのか、航海中も艦長室にとじこもり、ついには太平洋の真ん中で〝ボートをおろせ、おれは江戸へ帰る〟と言いだしたりした。

しかしながら、海舟のえらさは、そういうえぐさをいわば糖化し、かれの中で〝日本人〟として醸造し、それ以上に蒸留酒にまで仕上げたことである。

さらにいえば、かれはそのもっとも澄んだ分を門人である浪人坂本龍馬《りょうま》にうけわたした。

そのことについては『竜馬《りょうま》がゆく』で十分書いたつもりでいる。

ただ海舟における思想以前の前掲の生ぐささについては、主題とは無縁なためにふれなかった。

が、書きおえて二十余年経ってもなお海舟のことが気になっている。昨年末も、ただそれだけの目的で、咸臨丸が造られたオランダの造船所を見に行ったりした。

その咸臨丸を操艦しつつ日本にきたカッテンディーケ少佐こそ海舟思想の成立にとって重要な触媒をなしたのではないかと思うようになった。

オランダは王を戴いているが、世界でもっともふるく国民国家をつくった国である。

同少佐は長崎に到着後、幕府に招かれた海軍教師団長として、勝らを教えた。このとき勝は生徒でもあり、教務主任をも兼ねていたから、この人物に深く接触した。少佐が〝日本の独立は国民国家を成立させる以外に道はない〃と私《ひそ》かに勝に語ったらしい形跡が、その回想録からうかがえそうなのである。

もっとも、海舟は幕臣だったため〃国民国家の樹立〃というかれの秘めた理想について、かれ自身が動くことはできなかった。しかし、すでに分身をえた。あとは龍馬に期待したのだろうというのが、私の想像である。

その後の龍馬における自在な発想と行動は、勝の期待よりもはるかにきらびやかだった。おそらくその発想は、当時かれと海舟以外に存在しなかった〃国民〃という宙空の光芒のような場所から出たものにちがいなく、そういう数行を『竜馬がゆく』で書き足したいようにも思うし、あるいは、それは説明にすぎず、無用だとも思ったりしている。


（「朝日新聞」一九八九年二月五日付朝刊）

火のぐあい——成瀬書房版『故郷忘じがたく候』後記

いまはこの作品を書いた家から二百メートルばかり離れたところに越している。その旧居には坪庭《つぼにわ》とも言いかねる雑な五坪ほどの中庭があって、建った早々は五、六本の孟宗竹が植わっているだけの造りだった。

笹が落ちかさなるままに捨てていると、鳥が運んだのか実生《みしょう》のクスノキが二、三本育ちはじめ、いつ生えたかシュロ竹がひともと、さらには山土に根がのこっていたらしく、黄色い花をつけるエビネ蘭までが生いしげって、なにやら山ふもとの一角切りとったような風情になってきた。

(五、六年でこうなるのか)

と感心し、日本というのは実が落ちれば育って、禿山をつくることのほうが困難だと思ったりした。人の立ち入りをゆるさぬ古代築造の仁徳陵はもとより、近代につくられた伏見桃山陵でさえ、いまは人の足の踏みわけの叶わぬ密林になりはてているという話をきいたことがある。

宵っぱりの私はたまに早起きすると、血が酢《す》になったようで、じつに気分がわるい。そういう朝、陽が低くななめにこの小坪《こつぼ》に横射しに射して、竹も木も草も片側ばかりが光を溜め、他の片側は、寝呆けた目にはまだ夜の色が黒々と残っていた。見つめているうちにすぐ陽が高くなって、さきに見た光のおもしろさは消えてしまったが、感動だけは残った。

その感動をなにかのかたちに残したいと思い、その日のうちに書きはじめたのが、この作品である。

それより前に、私は薩摩の苗代川《なえしろがわ》をたずねている。土地のひとたちから、

「寿官どん」

とよばれている沈家の当主にも会った。私は歴史小説を書いてきたから、作品のモデルに会うということはなかった。遠い昔の人達だから、会うべくもないのである。当然、そんな体験はそのときぎりで、その後もない。

が、会ったからといって小説ができるものではなく、あの朝の寂光としか言いようない光を見なければ、この作品はべつのものになっていたはずである。

小説においても、焼物同然、窯の中の火ぐあいという偶然に左右されることがまれにある。なにやら自分を超えたものが作用してくれたと思っているせいなのか、格別、私はこ

の作品に愛着がある。

（限定版『故郷忘じがたく候』別冊後記一九八六年七月二十一日成瀬書房刊）

『翔ぶが如く』について

小説『翔ぶが如く』は、太政官《だじようかん》の時代という、私どもが暮しているこの國（あるいは社会）の足もとともいうべき時代に触れたくて書いた。うかつだったのは、当初対象を切るつもりで書いていたのに、流れているのは自分の血であるのに気づいたことである。革命が幸福をもたらすというのは、ひょっとすると二十世紀の迷信かもしれない。

それはともかく、江戸時代が終焉する瞬間まで、日本という文明は特異すぎた。その体制が、一朝、爆《はじ》けるような唐突さで崩壊し、国際社会に入るという、いわば〝普遍化〟を遂げるべく太政官が誕生した。明治維新から同十年までの変化は、文明の　変という震度の大きさにおいて、フランス革命やロシア革命よりもはるかに大きかったのではないか。

新政権は、東京におかれた。名称までが、風変りだった。八世紀以来の極度に古めかしい名（太政官）を呼称しつつ、およそその呼称とは正反対の、西欧文明を盛大に吸入して國内に分配するという装置だったのである。

しかもその権力は、日本史上、もっとも強かった。周知のように、明治維新（一八六八）は、士族（当時、日本の人口は約三千万で、そのうち七％ほどが士族）によっておこなわれたのだが、そのくせ、太政官に拠《よ》る士族（官員）たちは、明治四年、彼等の旧主である大名を廃止（廃藩置県）してしまっただけでなく、自分たちの仲間である全国数百万の士族を失業させたのである。

おかげで、四民は平等になった。だが農民に対しては、租税を米でなく現金でおさめよ、と命じた（米で國家予算を組むことができなかったためである）。農民史上、かれらをもっとも苦しめたのは、この金納制だったのだが、ともかくも四民それぞれの苦しみのなかで、まがりなりにも國民國家が成立した。

明治維新についてひとびとが堪えたのは、そのようにしなければ西欧の植民地になるという危機意識が津々浦々にいたるまで共有されていたからであったろう。太政官は、その危機意識の上に乗っていた。しかし明治四年以後、全国規模で不満がくすぶりはじめ、東京政府は不平の海の中の孤島になってゆくのである。

〃孤島〃の頂点に、薩摩出身の大久保利通がいた。大久保は経綸家《けいりんか》として不世出だったし、かれとその配下の官員たちは有能だったということもあって、かれらが明治十年までにつくりあげた新國家は、その後の日本國の原形をなしたといっていい。

当初、その政権に西郷隆盛もいた。という以上にかれは倒幕の総帥《そうすい》ともいうべき存在だったから、本来、東京政府はかれの政府といってもよかった。口うるさい英國公使パークスさえ驚歎した明治四年の廃藩置県も、西郷が〃よろしかろう〃と承諾したことによって、さらには個人的威望によって可能だったともいえる。

その後のかれのふしぎさは政権からつねに一歩退き、やがて世捨てびとのようになったことである。

かれは、稀有なほどに巨大な感情の量を蔵していた。かれは、威張ったり、栄華を誇ったりする官員たちに対して激しい嫌悪を感じ、たとえば詩の中でかれらを「虎狼《ころう》」とののしり、秘かに人面獣心とつぶやいたりした。鬱屈のあまり、ついには、「何のために徳川家を倒したのか」とまで言い、自分がやった明治維新への疑問をさえもつのである。

やがて単身、逃げるようにして東京を離れ、帰山した。その後、鹿児島で狩猟の日々を送っていた西郷は、すでに反政府という磁性を帯びた全国の不平士族にとって、大いなる磁石のようになった。

さらには、当人はいっさいの政見を口にしないのに、救世主のような存在として印象されるようになった。百人が百通りの幻想を西郷に託し、やがて幻の西郷像が日本國をおおういきおいになるのである。

『翔ぶが如く』は、そういう情況の中で進行する。孤島になった東京政府と、巨大な西郷幻像との対決を主題としたつもりでいる。

副主題は、読む（観る）人の受けとり方さまざまにまかせたい。

たとえば、十三世紀以来の武士の終焉をロマンティシズムとしてとらえてもよく、また、東京に成立した日本史上最強の権力と、それに対する在野、という図式でみてもいい。あるいは、単に経綸家である大久保と道義的感情が豊富すぎた西郷との私闘とうけとるのも、自由である。

主役は、時代である。あるいは、薩摩隼人である。かれらは革命をおこしながら、大挙してそれをこわそうとした。

薩摩藩士は、江戸時代、もっとも武士らしいひとびととして世間から見られていたし、実際もそうだった。本居宣長は、古代語としての隼人の語源を身動きの迅《はや》さでとらえたのだが、『翔ぶが如く』という題名は、薩摩隼人へのそういうイメージから得ている。同時に幕末から明治十年までの時勢の流れの早さをもかさねたつもりでいる。

私は、どちらが善とも悪とも書かなかった。農民をふくめて、維新から明治十年までを、ひとびとがよく堪えたことに、大きな感動をもちつづけている。

（「ＮＨＫ視聴者広報室『翔ぶが如く』発表資料」一九八九年三月二十三日刊）

官兵衛と英賀《あが》城

小さなことから書きはじめる。私の先祖は、黒田官兵衛孝高の敵だったはずである。

官兵衛は、姫山の城（当時の姫路城）にいた。

そのころ、私の先祖は播州英賀ノ浦の英賀城に籠っている衆のひとりだった。双方、六キロをへだてているが、思想的にはずいぶんへだたりがあったろう。英賀は、当時、小さからぬ城下町で、英賀衆とよばれるひとびとが、城主の三木氏を擁していた。落城後、城下の町人は姫路城に移され、英賀は一空に帰した。

いま英賀城趾にのこるのは、英賀神社だけである。社家の三木氏は、戦国以来の名家である。

以下、『播磨灘物語』では英賀のことをほとんど書かなかったから、すこしふれておく。

当時の英賀を理解するには、戦国時代が、一面において一向《いっこう》宗（浄土真宗）の時代であったことを知っておかねばならない。英賀は、小勢力にすぎなかったが、城郭のなかに英《あ》賀御堂《がみどう》を擁していることで、播州門徒の中心点になっていた。

三木氏は、防衛上、英賀御堂と表裏一体になっていた。この英賀御堂を通して亀山の本徳寺とつながり、本徳寺を通して大坂の石山本願寺と連繫し、さらにいえば中国の毛利氏との小さな同盟者でもあった。

石山本願寺の側からこの存在をみれば、「英賀衆」という最前線の武装集団になる。英賀衆の立場からいえば、城主の三木氏への忠誠心と、弥陀の本願への随順とがひとつになっていた。このあたり、西洋の中世カトリックの信仰が小領主への忠誠心と不離であった事情と似ている。

姫路城の官兵衛からみれば、英賀衆の右のようなありかたが、美的にも思想的にも適《あ》わなかったのにちがいない。

かれは、若いころキリスト教に入信していた。おそらく時代の先端に生きたいという若いかれの気分から入信したのにちがいないが、ひとつには土着の一向宗的なありかたがきらいだったことにもよるかもしれない。

かれはシメオン（Simeon）という洗礼名をもらい、後年、如水と号するようになってからも、ローマ字でこの洗礼名を彫った印形をつかっていた。（黒田家文書）

織田信長もこのあたらしい宗旨に寛容であった。信長は、永禄十一年（一五六八）、将軍義昭を奉じて京を支配したときからほどなく、フロイスらの布教を保護した。

このとし、官兵衛は二十二、三歳で、まだ部屋住みの身であった。おそらく永禄十一年ごろに京にのぼり、羽柴秀吉と親しくなる一方、京の南蛮寺を訪ねて入信したかと思える。信長の麾下《きか》の将で、この時期、入信する者が多かった。

ついでながら、織田家の麾下の将で、この時期クリスチャンになる者が多かった。たとえば前田利家のように、晩年、そのけも見られない人でさえ、オーギュスチンという洗礼名をもらって南蛮寺に通っていたようである。蒲生氏郷《がもううじさと》もジャンという洗礼名で入信していたし、羽柴秀吉の弟の秀長でさえも入信したといわれる。

官兵衛は、織田勢力からいえば、圏外《けんがい》の人である。織田家の諸将と親しくなるにはクリスチャンになるほうが手っとり早い、という社交上の理由もあったかもしれない。

さらにいえば、織田家の諸将に浄土真宗の徒がいそうになかったということも、目と鼻のさきに英賀衆という気にくわぬ〝敵〟をもつ身としては、織田家に親しみを感ずる小さな理由であったにちがいない。

官兵衛の家は、播州御着《ごちやく》の小寺《おでら》家という主家につかえていた。

つまり地方大名の一家老にすぎなかった。官兵衛はその程度の小さな分際《ぶんざい》でありながら、織田勢力を播州にひき入れて播州と天下の形勢を変えようという大構想をたてた。そのあたりにこの男のおかしさがある。

かれが秀吉を通じてその構想を信長に申しのべたのは、いつであったかよくわからない。永禄十一年の翌々年の元亀元年には、信長は石山本願寺と事を構える。官兵衛の構想どおりに事が運んだことになる。

以後、信長と石山本願寺とのながい対決がはじまるのだが、この場合、信長のほうが孤立した勢力で、やがて本願寺を軸として連合する勢力のほうが、大きかった。

この時期の信長は苦しかった。かれは包囲網のなかで敵を一つづつ片づけてゆき、天正五年、ついに秀吉を代官にして大軍を播州に送りこんだ。

このときの官兵衛のおもしろさは、自分の姫路城を空《から》にして秀吉にくれてやったことである。

戦国の争乱が城と土地への執着をエネルギーにして旋回したことを思うと、おそるべき無欲さといっていい。別な言い方をすれば、物にとらわれるよりも、画家が絵を描くように、構図のほうに熱中したともいえる。

秀吉をはじめ、だれもが官兵衛に無欲を感じ、いよいよかれの説くところに耳を傾けた。

秀吉の播州攻めはじつに困難だった。二年あまりをかけて、ようやく播州東部における代表的な勢力であった別所氏の三木城を陥《お》とした。別所氏と連合していた大坂の石山本願寺が、やがて信長に和を乞うた。

これで、官兵衛の構想の〝播州編〟は、完結した。目の前の小勢力の英賀城は、どうでもよかった。げんに、石山本願寺の降伏の直後、葉が散るようにして、ほとんど自動的に落城した。はなばなしい攻城戦もなしにである。

なんだか情けないような感じがないでもないが、そのおかげで（？）我が先祖も生きて広《ひろ》村に土着した。

以上、華厳経《けごんきよう》の世界のようなものである。すべて因縁でむすばれている。

（「播磨灘物語展」パンフレット一九九二年四月三日刊）

『この国のかたち』について

六部《ろくぶ》が三十余年、山や川、海などを経めぐって、思わぬ異郷にたどりついたとき、浜辺で土地の者が取りかこみ、それぞれに口をきく。いづかたより参られしか。……そんな狂言があったと仮定されたい。

「日本。――」

と、六部がいっても、一向に通ぜず、ついにはさまざまに手まね身ぶりまで入れて説明し、あげくのはて、砂地に杖で大小の円を描く。さらには三角を描き、雲形を描き、山の如きもの、目の如きもの、心《しん》の臓《ぞう》に似たるもの、胃の腑かと思われるものを描くが、ひとびと了解《りょうげ》せず、

「そのような国、いまもありや」

と、きく。すでに日落ち、海山を闇がひたすなかで、六部悲しみのあまり、

「あったればこそ、某《それがし》はそこから来まいた」

しかしながら、あらためて問われてみればかえっておぼつかなく、さらに考えてみれば、日本がなくても十九世紀までの世界史が成立するように思えてきた。

となりの中国史でさえ、成立する。大きな接触といえば十三世紀に元寇というものがあったきりで、それも中国にとってはかすり傷程度であった。もし日本がなければ、中国に扇子だけは存在しない。が、存在の証明が、日本が発明したとされる扇子一本だけというこどではかぼそすぎる。

ともかく、十九世紀までの日本がもしなくても、ヨーロッパ史は成立し、アメリカ合衆国史も成立する。

ひねくれていえば、日本などなかったほうがよかったと、アメリカも中国も、夜半、ひそかに思ったりすることがあるのではないか。

しかしながら今後、日本のありようによっては、世界に日本が存在してよかったと思う時代がくるかもしれず、その未来の世のひとたちの参考のために、とりあえず、六部が浜辺に描いたさまざまな形を書きとめておいた。それが、『この国のかたち』とおもってくだされば、ありがたい。

(「新刊ニュース」一九九〇年五月号)

文化と文明について

どうも、物食いがよくない。

食べものについての冒険心がなく、十五、六歳までに食べた食体系のなかで暮らしていて、永遠に自分のマユから出ることのないサナギのようなものだとおもったりする。

「そんな人間には、異文化は語れません」

と、私のなかの別の者が言いつづけているし、そのとおりでもある。

「だからこそ異文化につよい関心があるんじゃないか」

私のなかの他の者は、かばってくれる。

別の者と他の者の統合体である私は、一種の架空の人物だった。

たとえば、二十歳まではいたいたしいほど外国にあこがれていて、日本で、しかもうまれた街の大阪で——東京にさえ住まずに——六十余年を送ってしまうなどといういまの姿は、夢にもおもっていなかった。私の外国は欧米ではなく、モンゴルのように、草原と朔風の吹く大地だった。

その準備もしていた。そのあたりの小さな街の領事館かなにかにつとめて、中年以後は小説を書こうとおもっていた。なんだかいま思うと、大ボラ吹きだったような気がする。

そのくせ、滑稽なことに、いまなお私は観念の上で、かつての中国文明の周辺の国々（日本をむろんふくめる）の上をさまよっている。

私は、四十代まで海外旅行というものをしなかった。すすめられても、

——行かないことに、理由があるのです。

と、もっともらしいことをいった。空想のなかで海外をおもうというのはじつにたのしい。それは三角定規をそっと立ててみるようなきわどさで、むろん現実には立ちはしない。しかし立ててみようとするたのしみは無上のものです、となかばうろんくさい。

以上は、前置きである。以下、文明と文化についてのべたい。

現実にモンゴル人民共和国という高原の国をたずねたとき、ゴビ砂漠南辺の草原で、数日、包《ゲル》のくらしをした。

物食いのわるい私も、私にとって少年の夢であるここにきた以上は、さすがに土地の食

べものを食べねばならぬと自分に言いきかせ、毎日、わきがくさい羊の肉も食べた。また馬乳酒とよばれる無糖のカルピスといった、しかし生臭みのある飲みものを、ドンブリ一杯ずつ、日に四杯も飲んだ。

馬の乳は、ナマで飲むと下痢をするのである。

遊牧民の智恵は、それをかるく醱酵させて二%ばかりの酒精分をふくませると無害になることを知っている。かれらは野菜を摂ることのないくらしのなかで、これによってある程度のビタミンをとってきたし、また乾燥地帯ではたえず水分を摂っていないと、体が脱水症状をおこす。それやこれやを思うと、これほど賢い飲みものはない。


遊牧の歴史はあたらしく、せいぜい紀元前八、七世紀ぐらいからである。

この文明の発明者は、黒海北方の草原《ステップ》(いまはソ連領)にいたスキタイという西洋顔《アーリアン》の民族で、なによりもめざましいのは、馬の背に革鞍をおいてじかに騎《の》るということをやってみせたことである。

「かっこいいだろう」

と、当時、農業者を馬上から見おろす遊牧民もいたにちがいない。げんに〝新文明〟の徒は年じゅう土をひっかいている農民をバカにしていた。

おもしろいのは、観察者がいたことだった。

ギリシアに歴史家ヘロドトス（前五世紀）が、はるか黒海のかなたのステップに跳ねとんでいるスキタイという異風な生活者たちを遠望しては、記録した。

遊牧というのは、ただの牧畜とはちがい、野生の動物で群居するものたちのなかに、人間がそっと入りこむというものである。さらにはともに移動してゆく。まことに画期的なもので、このためじかに馬の背にのるということが必要だった。

家屋は本来定置されたものだったが、遊牧文明では概念の転換がおこなわれた。羊群とともにうごかねばならないため、移動式のテントがつくられた。ヘロドトスは、遊牧生活を成立させる諸要素をこまかく観察した。そのなかに、馬乳酒がすでにあった。

人間は、新文明にかぶれやすいものである。農業という古い文明のなかにある農民はかぶれなかったが、山野に散居して文明という暮らしのシステムをもたなかった狩猟採集の生活者たちは争ってこれに参加した。この文明はたちまち中央アジアを東へ走り、紀元前五世紀前後には、匈奴《きょうど》としてモンゴル高原にすがたをあらわし、やがて世界最強の遊牧国家を形成する。おどろくべき伝播のスピードだった。

東方にも、観察者がいた。司馬遷（紀元前一四五年？～八六年？）がこの異俗の文明を観察して「史記」に書きのこしたのである。おもしろいことに、人類が東西の古代にもった二大歴史家の〝新文明〟についての記述が酷似している。

匈奴はまさしく東方のスキタイというべきものだった。その遊牧の方法や服装、騎射の法、道具にいたるまでその〝文明材〟は一つのものだった。出土品のなかの匈奴の青銅文化が中国型ではなく、スキタイ型であることは感動的なほどである。

文明とはなにかを考える場合、ローマや中国文明などより、遊牧という単純な文明のほうがわかりやすい。

文明はまず民族（文化）を超えていなければならない。

遊牧文明の場合、そのやり方と道具をそろえさえすれば、だれでも参加できる（普遍化する）のである。簡単なとりきめだけで、万人が参加できて、しかも便利であるものを文明と考えたい。

前掲の馬乳酒もまた、その文明に欠かせないという点で、普遍性の高い文明材であった。

しかし、文明はかならず衰える。

いったんうらぶれてしまえば、普遍性をうしない、後退して特異なもの（文化のこと）

になってしまう。いま馬乳酒は世界の普遍性からみれば特異《ユニーク》であり、いまこれをニューヨークや東京のホテルで出すわけにはいかない。異民族趣味《エスニック》の催しでもあればべつだが。

異文化《エスニック》もまた文明材になるときがある。たとえばジーンズは二十世紀のはじめ、デトロイトの自動車工の労働服だったという点で特異かつ少数者のものであったのが、アメリカ内部の普遍化作用のなかで吸いあげられ、世界にひろまったとき、あたらしい文明材になった。

「かっこいい！」

と、ソ連の若者でさえそう思う。ジーンズは普遍性のレベルにのぼったのである。

モンゴルの高原で、

「うちのおふくろがつくる馬乳酒はうまいですよ」

という青年がいて、そのゲル（フェルト幕舎）に招じられて飲んだときの味は、なにやら飲みにくいながらも、こくがあるようにもおもわれた。

文明は精度を追求するが、文化はこくを追求する。馬乳酒もそうなっていて、家々（動く家だが）によって味がちがうというまでに、文化になっている。同時に、近江の鮒ずしを思いだした。大津あたりでは、家々によって味がちがい、どの家でもそのちがいが誇りになっているのである。

人間は、冒頭のたとえのように、文化という（他からみれば不合理な）マユにくるまれて生きている。

頭上に文明（たとえば交通文明とか、法の文明）があるにせよ、民族や個々の家々では、普遍性に相反する特異さで生き、特異であることを誇りとしている。そういう誇りのなかに人間の安らぎがあり、他者からみれば威厳を感じさせる。

異文化との接触は、人間というこの偉大なものを、他者において感ずる行為といっていい。


（「シグネチャー」一九八七年十月号）

概念！　この激烈な

私には、物事を悲観的に見たがる傾向はない。

しかし、朝鮮・韓国人と日本人の、集団対集団の間柄については、楽観的気分を持ちかねている。隣人として、たがいの文化と歴史を理解し、尊敬しあえるときがくるのは、百年以内ではとてもという気持がある。

「三十六年やヶか（三十六年じゃないの）」

と、拙宅の玄関先で、それ以外なんの前後もなく、善良そうな笑顔で、それだけ言った在日朝鮮人の初老の婦人がいる。

奇妙なことに、それだけで話が私に通じた。用件は、彼女が属する組織が発行している雑誌を購読せよ、ということだった。言外の意味は、日本はかつて三十六年間、朝鮮を植民地にしていた、あなたにはそれについての贖罪意識があるだろう、だからこの雑誌の定期購読者になる必要がある。……むろん、私はよろこんでその勧誘に応じた。

おもしろいのは、論理もなにも用いられずに、これだけで話が通じてしまったことである。この場合、私が個人であることすら、彼女に認めてもらっていない。私は、彼女にとって「概念としての日本人」なのである。だから、通じる。概念のやりとり。——〝概念の日本人〟である私は、壬辰・丁酉のとき、豊臣秀吉の兵として朝鮮全土をあらしまわった。また二十世紀初頭まで生きて、大韓帝国を侵略し、これを合併した。さらに長命し、十五年戦争のときは、朝鮮人の個人と尊厳の象徴である姓名さえとりあげ、かつ日本語を押しつけ、さらには強制労働に就かせ、多くのひとびとを死や一族離散に追いやった。

それでも死ぬことなく、在日韓国・朝鮮人（前掲とは順序逆）を差別し、就職の機会均等をあたえず、さらには、いわゆる朝鮮戦争において戦争景気で儲けもした。

「君はそういうやつだ」

あるいは、

「私はそういう人間です」

というのが、〝概念としての日本人〟である。むろん、私個人には覚えはない。すくなくとも私は四百年も生きつづけてきたわけではない。しかし概念の前には、個人などは圧殺されてもいい。あるいはケムリのように実体のないものだ。

「朝鮮人は、人を見ませんね」

と、素朴な言い方でくびをひねった老学者がある。誠実な人柄だから、ふしぎに思っていることをぼそりといっただけで、朝鮮人を批難しているわけでない。この人は、学園紛争時代、女子大の学長をつとめた。このとき、なにごとかを経験したらしい。

「Qという私自身を見ない」

「しかしこの場合、先生にも、おなじ現象がおこっているように思いますが」

と、私はいった。一概に〝朝鮮人〟といわれるところがそうでしょう、といって、私が知っているなまの韓国・朝鮮人たちについて語った。老学者は、かぶりを振って、「そのひとたちは別です」といった。

「一般に、といっているのです。私がどういう人間で、朝鮮文化への畏敬の気持を十分もっている、ということなど、対話してゆけば十分わかるのに、そういう個人よりも、影のような〝背景〟のほうを見ます。〝背景〟というのは〝日本〟ということです。そこで、お前たち日本人は、とどなるんです」

「日本の学生も、おなじじゃないですか」

紛争時代、学生の集団が、大学の管理者をやっつけるのは、相手の学問や思想、人間を見てやっつけるわけではなかった。

「だけど、学生は若いから仕方がありません。若いときは、オトナならオトナという概念しかなくて、その概念へ突っかかってゆくだけなんです。たとえばオトナということでの属性は、きたなくてずるい、という切紙のような単純なものでしかない。個人ではない」

「異邦人同士においては、互いにそうじゃないでしょうか。たがいに接触がすくないために、若い人達と似たように、概念で埋めあわせている」

「ちょっと」

と、老学者はさえぎった。

「私は、小さな経験を話しただけですよ」

「それならば、大いによかったんです。ところがQさんがいまおっしゃったのは、ご経験を具体的に話して下さったのではなくて――」

――その経験から得た概念だけを聞かせてもらっただけではありませんか。――とこう書くと、ぎすぎすした対話にきこえるが、Qさんの人柄もあって、ふんいきは春風駘蕩としている。

「私の経験は小さくありませんよ」

と、反撃された。日本の帝国主義時代、京城帝大の助手を数年つとめた、といわれた。

私は、たじろいだ。しかし、勢いというものがあって、

「そういう経験すら、一民族を概念化するには小さすぎるとお思いになりませんか」

と、いわざるをえなかった。

たとえば、私は戦争の末期、二年間、軍隊にいた。が、「日本陸軍論」とか、あるいは一般論として「軍隊論」とかというものを一言《ひとこと》かふたことでいえ――つまり概念化せよといわれれば――、とてもその能力がない。それをもしやるとすれば、自分の小さな経験だけでなく、他の多くの人々の経験をメモしてまわらねばならないし、また図書館にこもって古今東西の軍隊についての資料を渉猟しなければならない。むろん、それだけでは、ゴミ箱を路上にぶちまけただけのことである。

そのあと、無数の具体例を抽象化して普遍的なもの――だれでも理解でき、納得しうるもの――をとり出さねばならない。

概念化という、思想上、白刃のような危険性と、投網《とあみ》のような大きさをもつ作業は、そういう手続きによってやっと可能なのである。

それには百年かかるだろう、と冒頭にのべたのは、両国のひとびとはたがいによく知っているつもりでも、私自身をふくめて、じつは何も知っていないのだ、という思いが、私の胸の中につねにわだかまっているからである。

この雑誌の李進熙氏から、雑誌が四十号を迎える、つまりは十周年である、ついては何か書け、という旨の申し越しがあった。その日の夕刊(『毎日新聞』大阪版八月二十二日付)に、別掲のような記事(編集部注・「『釜山港へ帰れ』は侵略的か」というタイトルの記事をさす)が出ていて、韓国人の日本人への概念的誤解(?)は、ここまで深いのか、と暗い気持になった。

私は加害者側の概念化より被害者の側の概念化を重んずるほうである。しかし、すべて当を得ているとはかぎらない。しばしば、鋭くはあっても見当のちがう場合が多い。この記事が、暗に私どもに示唆している韓国における〝概念化された日本人〟とはこういうものであるかということに仰天させられる。

両国民がそれぞれつくっている概念が、たがいに変るものらしい、ということを、われわれが知ってゆく上での参考として、この記事をお読みいただきたい。

既成概念というおそるべきものを修正してゆくことが『季刊 三千里』の使命の一つだと思っている。その役目の重さを思いつつ、よしなきことながら、以上のようなことを書いた。

(「季刊 三千里」第四十号一九八四年十一月一日刊)

日韓断想

——私、あす叔母の家にゆきます。

こんなへんな（?）語順をもつ言葉が、私ども（朝鮮人や日本人。以下同じ）が使っているウラル・アルタイ語族である。この点、中国語や英語、フランス語はちがっている。単語がレンガのようにできていて、文章がレンガ積みのようになっている。レンガ積みの構造物が力学を無視すれば成立しないように、中国語やインド・ヨーロッパ語は上等な表現でいうと、論理そのものといっていい。

その点、私どもの言葉はハリガネ細工のようにくねくねしていて、構造として論理的ではない。「私、あす、叔母の家に行っちゃうわよ」といえばヒステリックになって家出でもしそうなことばになる。さらには、意志表現が、最後にくる。「あす、叔母の家に行き……」とまでいってからしばらく考えて、「ません」ということもできる。まっすぐなハリガネをにわかに曲げるようなものである。レンガ積み構造ではないから、文章が瓦解するわけではない。

ちょっと独断になるが、こういう言葉をつかっていると、思考が乾くいとまがないだろうと思う。論理は、レンガのように乾燥したものである。情緒は接着剤のようにいつも濡れている。朝鮮人や日本人の多くが好む感傷的な歌謡曲をきいていると、大脳までが涙で水びたしになりそうになるのは、私たちが本来感傷的な民族（複数）であるというよりも、言語（この場合、歌詞）が情緒的で、私どもの言語感覚が情緒に過敏であり、作詞者が効果を期待した以上に、受け手の言語的感受性が大きく戦慄するせいかともおもわれる。

べつに、朝鮮人や日本人が、大脳生理学的に情緒過剰な民族（複数）であるとはおもえないのである。

以下、こんな話をつづけたい。もっとも思いつくままだから、話が、ハリガネ細工のようにとんでもない方角にまがってゆくかもしれない。

私は旧制中学を卒業して上の学校へ行ったとき、いっぺんにモンゴル語と中国語とロシア語を学んだ。教える側からいえばまことに贅沢な供給だったが、受ける側の私の頭の容量が小さすぎて、結局、一語も物にならなかった。それはともかく、モンゴル語というウラル・アルタイ語の一派を学んだ実感は、私にとって特別な経験だった。この貴重さは、たとえば生涯減ることのない電池を頭に入れてもらったようなものだと思っている。

私は、日本の若いひとに、

「朝鮮語を学びなさい」

とすすめている。もし韓国の若い人に、日本語を学ぶべきか、と相談されたなら、ためらうことなく、

「ぜひ。せめて第二外国語としてでも。——」

と、すすめるだろう。どちらの場合も、理由は一つである。自分の母国語とおなじウラル・アルタイ語の言語を学ぶことによって、刃物を砥石《といし》で研《と》ぐような過程と結果がうまれるからである。つまり、自分の中の母国語を客観視することができ、双方のあいだの微妙なちがいがわかり、人間の言語一般について考えるおもしろさも、御馳走を前にしたときに唾液が湧くようにして湧いてくるはずである。結果として自分のなかの母国語が研ぎすまされてくるはずで、この好例は、いまは亡き金素雲先生においても見ることができる。

私は、一九五四年ごろ、大阪で一夕《いっせき》を共にした。会う以前に、日本ですでに古典的存在になっている『朝鮮詩集』（岩波文庫）によってこの人のことを知っていたが、会ってその言語感覚の豊富さときらびやかさに圧倒される思いがした。

金素雲先生は天才だから、実例として適当でないかもしれないが、私の場合は、モンゴ

ル語を学んで大きなメリット〔merit〕を得たと思っている。ほんの一例として、ウラル・アルタイ語は情緒を述べるのに（不必要なほど）適しすぎている。私どもは自分の情緒という水分過剰な言語に足をすくわれてはならない、という反省もモンゴル語を学ぶことによって得た。その反省として、自分の日本語文章を、なんとか乾いた言語にし、しかも日本語の情緒的特質をうしなうことなく、論理的な明晰さ（フランス人が大切にするところのクラルテ〔clarté〕）に近づけたいと思いつづけてきた。

言語は、文明の核心である。

おなじインド・ヨーロッパ語族である欧州人が、たがいの方言（各国語）を学びあうことによって、自国語を豊富にしてきた。たとえば、英語の七〇%は、フランス語からの輸入語だと私はきいている。或るときそのことを、英国の或る愛国的な知識人にいうと、

「いいえ、七五%です」

と、訂正した。言語の借用という文明現象は、愛国心とは何のかかわりもない別の系列の問題なのである。ヨーロッパは、アーリア人種が方言と地理的環境（ときに政治的理由）によって国々に分かれてきて、しかも相互模倣（体裁《ていさい》よくいえば文化交流）によって大文明をつくりあげた。西洋史を読むと、法制、芸術、学問の諸分野において、旺盛な相

互模倣の歴史であるといわざるをえない。

この点、アジアはそういう条件をわずかしか持っていない。

私が属する国の言語史でいうと、古代の言語資料である『古事記』や『万葉集』は、ほぼ土語で書かれた。英語でいうとフランス語を差し引いた二五%で書かれたために、抽象的な概念はまず出て来ない。たとえば具体的な恋愛感情や物語は展開されていても「愛」という抽象語は出て来ない。親孝行の寓話が出てきても「孝」ということばは存在しない。言語としての仁はなく、義もなく、礼も智も信も存在しなかった。そのような抽象語を持たない以上、古代日本人は、物事を抽象化して考える手段をもたなかった。そこで〝文化交流〟が必要だった。

いわば言語的に未開状態にある日本列島のひとびとに対し、漢字文明圏の抽象的な思想と言語を、滝のような勢いで送りこんでくれたひとびとは、おなじウラル・アルタイ語族に属する古代朝鮮人だった。

七世紀には、この現象の最終列車というべき一大渡来があった。六六三年、百済が新羅に敗北したあと、ほとんど一国が引っ越しするような規模の大きさで百済人たちが日本に移住したのである。そのなかには、漢字文明を豊かに身につけた知識人も多かった。渡来早々、文部大臣に似た職についた人もあり、また官吏になる人も多かった。当時の「日本国政府」は百済の先進性を尊敬していたこともあって、身分の上下にかかわらず、かれらに首都の所在地であるいまの奈良県や、首都に近い滋賀県などの肥沃な田地をあたえた。『万葉集』における代表的詩人のひとりである山上憶良《やまのうえのおくら》（六六〇〜七三三年？）も、幼時、父の憶仁《おくにん》とともにその渡来の大波のなかにまじっていたという説がある（中西進氏の説）。

そういう背景を考えつつ憶良の詩を読むと、他の『万葉集』の詩人たちときわだってちがった特徴をもっていることに気づかされる。形而上的な文明を知った者しか持つことがない知的な哀愁というべきものである。憶良の詩がいまなお私どもの心を打つのは、その点であるといえる。

ここに、欄外の落書《らくが》きのつもりで、「文明」と「文化」についての私の定義を申しのべておく。文明とは多分に技術的でどの民族でもそれを採用でき、使用できるものを指す。その意味ではローマ字も漢字も文明に属する。別の例でいえば航空機も自動車も一定の操縦法を心得れば万人が動かしうる。また民間航空に乗ると、乗客は乗務員の指示に従ってベルトを締め、禁煙の表示をみると、タバコをのむことをしない。この点、大韓航空でもエール・フランスでも同じルールが支配している。この現象を文明とよびたい。普遍性と言いかえてもいい。

これに対し、文化は特殊なものである。その家の家風、あるいは他民族にはない特異な迷信や風習、慣習をさす。

「たれでも参加できます」

というのが文明である以上、文明は高度に合理的である。しかし人間は文明だけでは暮らせない。一方において、

「お前たち他民族には理解できまい」

という文化をどの民族でも一枚の紙の表裏のようにして持っている。従って文化は不合理なものといえる。という以上に不合理なものであればあるほど、その文化はその民族の内部では刺激的であるといっていい。たとえば、韓国社会も日本社会も、はるかな古代、シベリアで発生したシャーマニズムの精神的慣習を形を変えてなおもっている。仏教は本来、普遍的で文明であるはずだが、日本仏教の一部ではいまなお仏教は紙の表《おもて》で、内実は現世利益《げんぜりやく》や鎮魂のための祈禱をやるという呪術性が裏打ちされている。キリスト教も、仏教以上に普遍性の高い宗教文明だが、韓国のキリスト教の場合、信者の側にシャーマニズムの要素が絶無であるとは言いがたい（ヨーロッパのキリスト教もそうだろう。イエスの普遍思想がヨーロッパに根付くのは、土俗信仰という「文化」との習合があったればこそであっ

た）。

以上は、私の用語での文明と文化の関係を理解してもらうために例としてのべている。ついでながら私の叙述法は、われながら変だと思うことがある。長いロープ（この場合は実例）を塔のように巻きあげていって、なかに中空《ちゅうくう》ができる。その中空が、私が言おうとする主題なのだが、その主題も言葉で直接説明することをしない。読む人に察してもらうしかない。この物言いの仕方は、多分に日本的である。「どうも西洋人にはわかりにくいですね」といわれたことがあるが、おそらく朝鮮人にもわかりにくいはずである。朝鮮人は日本人と同様、情緒的でありながら、日本人よりもはるかに論理的である。その論理には、しばしば刃物のような味がする。それにくらべ、私の叙述法は、絵画のようである。一枚の絵には、遠景、中景、近景があるが、いま遠景と中景をのべている。しばらくつきあって頂きたい。

日朝両民族は、漢字という「文明」を共有した。これは私の両民族風景における中景にあたるだろう。

漢字は、いうまでもなく中国の発明である。

――便利だから、他民族も利用する。

というのが文明である以上、東アジアで漢字ほど重宝《ちょうほう》がられた文明はなかった。

古代、中国は広大な農業の適地であったために、巨大な文明を興すことができた。漢民族は本来のものとしては存在せず、いわば醸成された。周辺にいて多様な文化（特殊なもの）をもつ諸民族が、食と生活の安定をもとめて流入してきた。考古学的に最古の王朝とされる殷も夷（野蛮人）であり、それを倒した周もまた別の夷であったという説がある。私は正しいと思っている。夷とは、この文章の定義でいえば、自分なりの「文化」を持つひとびとである。中国にはいまでも五十余種類の少数民族がいるが、それらの先祖が中国大陸という巨大なるつぼにそれぞれの文化を持ちこんで熔かしあった。その結果の産物が漢民族であり、中国文明である。

――文明は、たれもが参加できるもの。

と、さきに触れたが、中国という広大な土地と多様なひとびとは「文明」でなければ統治されがたいのである。一例をあげると、中国は多様な言語群をもっている。音《おん》の多様さを無視して、意味をもつ形《かたち》（漢字という表意文字）でもってたがいに理解しあうという文明を採用した。もし漢字という文明の利器が無かったら、中国は統一された国家としては決して存在しなかったろう。また漢字は、文章を構成する。漢文は、中国各地に通用する共通の言語となり、文章で意志を通じあった。これによって高度に文章が発達したが、副作用として高い表現能力をもつ口語がながく未発達の段階にとどまり、中国史における文明の停頓の一原因にもなった。しかしべつの言い方をすれば、名誉ある停頓であったともいえる。なぜならばわれわれに漢文という巨大な言語遺産をのこしてくれたからである。

漢字にふれたついでに、文明としての儒教にもふれておかねばならない。

中国の戦国のころ、儒教はあるいは二流の勢力の一教団にすぎなかったかもしれない。漢の武帝（一五九〜八七年B・C・）が董仲舒の意見を採用し、国内の思想統一のために儒教を国教とした。儒教は、文明になった。異民族でも儒教に参加すれば華《か》（文明）になる。

本来の儒教は、後世の儒者（とくに李氏朝鮮の儒者たち）が精密にし、厳格にしたほどには、むずかしいものではなかった。孝を中心とする家族倫理で、そこから派生して礼がうまれる。いわば、それだけである。そのように、枝葉の神学論争を必要としない簡単なものでなければ「文明」とはいえないのである。漢民族のたれもがこれに参加し、〝華人〟になった。後世、本家以上に儒教の優等生になった李氏朝鮮は、小華《しょうか》と自称したり、中国から東方礼儀の国とよばれたりしたが、要するに朝鮮も儒教イデオロギーの上での華である。

この点、大海をへだてた島国である日本は〝華〟であったことは一度もない。

本来、おなじウラル・アルタイ語族である朝鮮と日本の社会体質が決定的にちがってくるのは、両国における儒教の密疎による。朝鮮において濃密であり、日本においては粗放でしかない。

一例をあげる。日本は李氏朝鮮勃興期の十四世紀末から十五世紀にかけて大いに対明貿《みん》易をおこなった。日本から持ち出すのは金・銀であり、明から買う品目の筆頭は、官貿易、私貿易を問わず、つねに書籍であった。それほど日本において書籍の需要が大きかった。そのくせ、イデオロギーとしては儒教を受容していない。日本の体制は、強《し》いて中国思想史の用語をあてはめれば法家というべきものに近い。

「倭」という言葉は、古代は日本の地理的呼称だったが、その後は中国語でも朝鮮語でも蔑視語である。私は、儒教のたてまえからいえばそういう蔑視語があってもいいとおもっている。儒教は華夷の美を立てている。〝華〟の内部に居る場合のみ、人間は人である。儒教では〝華〟のそとにいる人間は「ある種の人間」もしくは「ケモノに近い人間」とされる。倭も人間そのものではなく、どうよんでもいいが、やはり倭とよぶしか原理上しかたがあるまい。『海游録』という本がある。十八世紀初頭、徳川日本が招待した形式の外交官（通信使）として来日した申維翰の日本紀行文である。ここでは「群衆」ということばでさえ「群倭」と書かれている。衆は多数の人間という意味だが、日本人は people でさえない。これが、儒教の華夷における文明意識である。

中維翰は卓越した観察者であったが、価値観は華夷意識しかなく、それがかれの聡明な眼を曇らせ、十八世紀の日本社会の本質を見おとした。私がもし維翰先生の従者であったなら、こう助言するだろう。

「倭奴《ウエノム》の社会体制は儒教ではありません。しかし、国民の識字率は七〇%を越えています。国民の一〇%は士族で、これは識字階級です。問題は、農、商、工の人達が文字を知っていることです。維翰先生がご覧になった商工都市の大坂がその好例です。この都市の私塾が使っている初等教科書だけで、一万種類ほども刊行されているのです。かれらはあるいは聖賢の道を知ることが少ないかも知れませんが、文字とソロバンを知らなくては、商店につとめても番頭《ばんとう》(幹部)になれず、商船に乗っても、船頭《せんどう》(船長)に出世することができないのです。だから、文字を学びます」

また、こうも助言しなければならない。

「日本は、武士が支配する封建社会である半面、同時代のヨーロッパよりも精密で旺盛な商品経済が発達しています。それは、前期資本主義とでもいうべきものです。資本主義が人類に教えたものは個人の確立と自由ですが、むろんヨーロッパほどはないにせよ、この十八世紀初頭の日本にもかすかにその萌芽《ほうが》が見られます」

さらに私は大観察者である申維翰先生にこうも助言したいのである。

「日本には二七〇ほどの藩があって、たがいに産業と学問を競《きそ》いあっております。藩には、儒官がいます。かれらは朝鮮の朱子学者のようにイデオロギッシュではありません。かれらのあいだに、徂徠《そらい》学という一種の人文科学的思考法がはびこっています。物を見るのに、宋学的な観念論で見ず、もっと裸眼で見ようという考え方です。これは、商品経済の照り映えというべきものかもしれません。なぜなら、商業は人間に意外な智恵をつけました。物を見るについて質と量と流通で見ようという習性です。この習性がまわりまわって学者や思想家を刺激したのでしょう」

また、こうも言いたい。

「倭奴どもは儒教の家族絶対主義を薄くしか持っておりませんので、町人の場合、番頭になれば店のために自分の家族をも犠牲にして忠義を励みます。それは、各藩の藩士が、自分の家族をかえりみずに藩のために働いているのと同じです。倭は〝華〟ではありませんが、それなりの価値体系をもつ社会と言うことができます。幸いにも、倭は鎖国をしております。将来、万一、かれらが鎖国をすてたとき、鎖国下で蓄積されつづけていた右のようなエネルギー〔energy〕がおそらく大きく爆発するでしょう。そのときわが国に害をもたらすかもしれません。わが国としては倭の社会の本質をよく見、よく対応せねば、大変なことになります。わが国が〝華〟であることに安住していてよいのでしょうか。儒教もまた時代とともに変るべきものです。儒教の短所は、人間の知的好奇心を抑圧するところであります。朱子学的瑣末主義におちいっている朝鮮教養人たちに、すこし野蛮ながら、風穴《かざあな》をあける必要があるのではないでしょうか」

ここで、気分転換のために近景をのべる。

私の友人に在日朝鮮人がいて、ときどき散歩を共にする。疲れると、そのあたりの喫茶店に入ってコーヒーをのむ。この友人は光復（一九四五年）のとき二十八、九歳だったから、大いに政治に熱中し、中年になって熱が冷めた。あるとき、話題がかれの母国の国語のことになった。「キタ（平壌）は、日本語を一掃しましたよ。いっさい使っていない」

「日本語って、どんな日本語です」

「日本製の漢語」

というので、私は首をかしげた。朝鮮民主主義人民共和国という国号そのものが「朝鮮」をのぞいてぜんぶ日本人が明治維新後につくった西洋語の対訳語なのである。民主主義も人民も共和国もそうである。

韓国にもそういう傾向があるらしい。republic の対訳を辛亥《しんがい》革命のとき中国は「民国」

と訳したが、韓国は日本訳の共和国よりもそのほうを採った。私がもし日本人でなく宇宙人なら、

「どちらでもいいことじゃないか」

といったろう。が、侵略の前科をもつ日本人だから、いくら友人に対してでもそうは言えなかった。が、べつなことをいった。

「中国は、清末以来、日本が明治維新後、訳した西洋語の漢語を無制限に導入したよ。とくに新中国樹立後はその傾向は圧倒的になった。私が一九四一、二年に習った中国語ではschool は学堂だったが、新中国は日本式に学校とあらためた。私は philosophy のことを理学と習ったが、いまは日本式に哲学になっている。しかも未来にむかって刻刻導入してゆくいきおいだ。高分子化学、免疫化学……。科学用語はぜんぶそうだといっていい」

漢字は文明なのだ、と私はいった。

「逆説的にいえば、漢字は中国だけの〝文化〟だったが、三国時代の古い朝鮮で使用され、さらに日本でも使われることによって〝文明〟になったといえる。〝文明〟は他の文化圏で使われなければ文明でないのだ。新中国の中国人も本能的にそういう道理を知っているのではないか」

朝鮮・中国・日本は、漢字をつかいつづけてきたということで世界でも特異な文明圏な

のである。アメリカなどは、この三国が漢字民族だということで、意識の底ではおなじグループだと思っているのではないか、ともいった。

「文明は、その運動律として交流がある。交流なくして文明などは成立しないし、その国の進歩もない。日本が憎いという感情はわかるが、本来共用されるべき文明まで拒否することはない」

そこまでいって、

「そんな弱いことを言っていては、国の体質はつよくならない」

とまで言おうと思ったが、遠慮をした。

話は、この文章の最初のくだりにもどる。

私どもウラル・アルタイ語族というのは、まことにさびしい語族なのである。とくにアルタイ語族で近代国家を成立させているのは、韓国と日本のほかいくつかの国があるだけである。モンゴル人民共和国はソ連の系列にあってなんとなく影が薄い。それでも、一九七二年だったが、シベリアからモンゴル高原にのぼり、首都ウランバートルに入ったときは、気分の昂《たかぶ》りをおさえかねた。近代的な官庁や大学を見て、兄弟！　と叫びたいほどうれしかった。

私どものウラル・アルタイ語族という、助詞が膠《にかわ》のようになって単語と単語をくっつける言語は、シベリアで発生したらしい。

はるかな古代、シベリアが暖かかった時期がある。

ここで、紀元前一五〇〇〜前二〇〇〇年ごろ、農業と牧畜で暮らしているひとびとがいて、高い青銅冶金の文化ももっていた。中国とは別個と考えていい文化である。シベリアの風土が、モンゴロイドとよばれる私どもの顔つきをつくった。紀元前数百年前に西方から遊牧という便利なくらし方が入ってきて、それに参加するひとびとは、遊牧の適地であるモンゴル高原などにのぼって、中国古代史でいうところの匈奴《きょうど》になり、農業と袂別した。

「モンゴロイドの南下運動」

という、古代世界の一現象を表現することばがあるが、シベリアのひとびとの一派は、現在の中国東北地方に南下し、現在の遼寧省の地下に独自の青銅器文化を遺した。ついで朝鮮半島に南下した。

そのころの日本列島には、南方的な母音の多いことばを話すひとびとが住んでいたが、やがてウラル・アルタイ語族と稲作をもつ人達が南下して倭人を形成した。稲作は、揚子江下流からも、人間とともにやってきた。半島南部と北九州にそれらが混在するうちに日本語が形成される。紀元前五〇〇年から前三〇〇年ぐらいのころだったろうか。

私が、民国の韓国や共和国の朝鮮、または日本を思うとき、はるかな背後に、遠景として、当時まだ沃野だったシベリアの野や湖がひろがるのである。

私どもが、中景としての文明や文化を持ったときから、互いの小異《しょうい》にこだわるようになった。とくに現代の人類を不幸にしていることは、イデオロギーによって異《い》を立てあっていることである。

「同じ顔の兄弟」

と思うとき、シベリアの古代風景を脳裏に展《ひろ》げるべきである。わずか数千年の時間の前には、ソウルも平壌も東京も、じつに小さな存在にすぎない。むろん、遠景ばかりを思うのは、私がそうであるように一種の馬鹿である。近景はいよいよ精密に研究され、描きつづけられねばならない。しかし近景だけしか見えないのもこまる。近景だけしか見えない大脳群が、何千万個、何億個も、それぞれの国境の内側に山盛りになってひしめきあっているのは、悲惨で滑稽で、それ以上に危険なことではあるまいか。

付記――この稿は、ソウルに本社をもつ『中央日報』の一九八五年元旦用の紙面のために書いたものである。

私は生来の怠け者だから、日常の原則として、連載を義務付けられている仕事以外のことはしない。そこへ同紙の東京駐在の記者・申成淳《シンソンスン》氏がやってきて、なにか書け、という。私は右の原則を話したが、申氏はひたすら聴き入る姿のままでいる。仕立のいい薄茶の背広を着たこの人は四十歳前後で、温容清雅というのはこういう人のことをいうのだろうとこちらが感じ入ってしまった。

申氏は日本語の読解力はよほどのものと思われたが、会話はたどたどしい。それがまた人柄の風韻を増す感じで、このひとのために何かしたいという思いが募った。時間が経ち、私がタバコを五本以上も吸ったころ、申氏は思い余ったような表情で、

「タバコを吸っていいでしょうか」

ときいた。朝鮮特有の礼教がなお生きていることを思い知らされたばかりか、自分の思いやりのなさにあわて、どうぞ、と大声で叫んでしまった。私の負けであった。同時に、自分の年齢を思い知らされもした。

韓国の知識層の四十代が層も厚く、すぐれているということをきいていたが、話すうち申氏においてその実例を見る思いであったし、また隣国の将来の輝やきまで感ずる思いもした。このことを感じておこる愉悦を、ソウルのひとびとがどの程度理解してくれるだろうか。

はじめて会った者同士は、たがいに共通の友人がいないかと思って、その名を挙げあう

ものだが、私もその慣習にならい、申氏の同国人の名をいくつか挙げるうちに、姜在彦氏《カンジェオン》の名を言った。そのとたん、申氏の表情が大きくひらけて、

「姜在彦先生は、私の新聞社の客員コラムニストです」

といった。このことは、意外だった。

やがて元旦が過ぎ、掲載紙を送ってきた。そのころ姜在彦氏からハガキがきて、感想が書かれていた。原文を知らないが、訳文はあなたの文体をみごとに朝鮮語に移しています、という意味のことが書かれていて、安堵した。おそらく社内にすぐれた言語能力をもつひとがいるのであろう。

その後、姜在彦氏と玄文叔《ヒョンムンスク》夫妻と、寒中、二泊三日の熊野旅行をした。その往路、姜在彦氏がこの日本文のほうを『季刊 三千里』に掲載させてもらえまいか、といった。私は、そのことに異存はないが『中央日報』への儀礼上の了解を得てほしい、と答えた。蛇足だが、悔いをものべた。私は韓国の経済が成熟するまでその国の外貨を貰うことにひるみがあり、申氏の依頼についても、原稿料は要らない、というつもりだったが、言いわすれた。そのうち原稿料が送られてきてしまった。だからその点をいっそう配慮して『中央日報』にそういってほしい、というと、姜在彦氏はあかるくうなずいてくれた。

ついでながら、この稿に出てくる申維翰（一七一九年の通信使随員）の『海游録』は、

私が原文で読んだわけではなく、姜在彦氏の訳注（平凡社・東洋文庫）で読んだものである。申維翰の『海游録』はアジアの数すくない海外紀行の名品だが、原文の韻律や文体感情をそこなうことなく日本語に置きかえた姜在彦氏の仕事もみごとなものである。それやこれやで私は姜在彦氏から蒙っている学恩はすくなくない。『季刊　三千里』の読者に『海游録』の一読をすすめたい気持もあって、蛇足にさらに蛇足を加えた。

（「季刊　三千里」第四十二号一九八五年五月一日刊）

バスクへの盡きぬ回想

バスク。Basque。

少年のころの私に、この地名（あるいは民族名）が、どんなにかがやかしいものであったか、いまとなれば伝えにくい。

以下は、思い出である。当時、私どもの国は、戦争屋が権力も思想界も壟断《ろうだん》していた。西方の窓は、かつて江戸時代がオランダであったように、ドイツにだけ開いていた。そのドイツも、思想家や芸術家を出したドイツではなくて、兵士まで革の長靴をはいた戦争屋としてのドイツだった。

学校のなかだけの運動会があって、英語科にはユニオン・ジャックが半旗としてかかげられていたし、フランス語科では旗すらあがっておらず『フランス敗れたり』という、当時、フランス人によって書かれたベストセラーの書名が横書きされていた。

それらは、すべて生徒の自主的な演出で、学校側が強制したものではむろんない。

私がいた語学の学校は、同類の東京外語が欧米語を中心としていたのに対し、アジア語が主軸になっていた。自然、アジア語の生徒は元気がよく、いまから思うと信じがたいことだが、マレー語科に秀才があつまっていて、その後、ここから著名な学者が何人か出た。私は、蒙古語科にいた。英語をふくめて四つの外国語を詰めこまれるのはつらかった。このつめこみ勉強に耐えるには、年少者だけが持ちうる柔かい想像力の皮質を封じこめておくほかなかったが、私は勉強をなまけただけでなく、その封じこめさえ怠った。私は、小さな妄想家だった。

私は、ユーラシア大陸を遊牧文明でおおった史的モンゴルの世界を教えてもらえるものだとおもっていたのに、そういう講義などはなく、それを教えうる教授さえいなかった。そういう類いのことは、自分で学校図書館に行って読むしかなかったが、過重な授業で気力が消耗しているのに、放課後、そこまでして図書館にたどりつく気がおこらなかったのである。

もう一つさびしかったのは、生きた言葉としてのモンゴル語の使用人口が、想像していたよりはるかに少ないということだった。当時、ロシア影響下のモンゴルは外蒙とよばれ、中国の版図のそれは内蒙、また〝満洲〟の西部のモンゴル圏は満洲蒙古とよばれていた。

それらの面積をあわせればヨーロッパの主要部がごっそり入ってしまうほどの大きな面積であるのに、モンゴル人の人口はせいぜい四百万ほどしかいなかった（ジンギス汗のころは、もっとすくなかった）。四百万といえば当時の大阪市の人口に似たようなもので、そのころ、精神的には半ばモンゴル人のつもりでいただけに、地球上におけるその稀少さがなんともいえずさびしかった。以下はべつの主題になるが、私自身のなかに、少数者《マイノリティ》への憧《しよう》憬《けい》がうまれたのはこの時期ではないか、と思ったりする。

そういう時期、

「バスク語は、ウラル・アルタイ語族かもしれない」

という説をきいたのである。

いまではとりとめもない説になっているが、そのころ、この説には相当説得力のある説明がついていた。これは余談だが、戦前、言語学や民族学が未発達で、妄想としか言いようのない説をたてる人がまれにいて、世間の耳目をひいた。たとえば私がうまれた大正末年、木村鷹太郎（一八七〇～一九三一）という陸軍士官学校の教授が、「日本国の発祥はギリシアである」という奇抜な説をたてて世間を茫然とさせた。木村という人は『日本太古史』や『希臘羅馬神話』の著者であり『プラトン全集』の訳者でもあって、世間へはそれなりに知的権威のありげな押し出しだった。

バスク語ウラル・アルタイ説もそういうたぐいのことだろう。

と、いくら年端がゆかなくても、眉につばをつける気持があった。

ついでながら、ウラル・アルタイ語族とは、北はシベリアにその仲間が多く、やや南にくだってモンゴル高原、さらに女真《じよしん》・靺鞨《まつかつ》などとよばれた満洲トゥングース語というふうに、北アジアや中央アジアでさかんにつかわれてきたことばである。紀元前後の日本語が、その北方言語の影響を強烈にうけ、文法がほぼおなじであることは、よく知られている。

バスク語についてその学校の言語学の教授にきくと、バスク語は文法が日本語と似ているそうだ、と言い、

「その成立の事情は、フィンランド、ハンガリーと同じじゃないか」

と、やや心もとなげに答えてくれた。

この両国の言葉もウラル語で、その意味からいえばモンゴル語とは遠い親戚になり、日本語とはかすかな姻戚になる。

北欧のフィンランドは、スポーツの国として知られる。国民の八〇%以上が金髪あるいはそれに近く、瞳の色も淡くあかるいという白人種的《アーリア》な身体的特徴をもちつつも、それは紀元前後からの混血によるもので、本来はシベリアにいた蒙古人型《モンゴロイド》である。かれらの先祖

はアジアからの民族移動中に定住の絶対条件である農業をおぼえ、森と沼の地であるスカンディナヴィア半島に入り、土着のラップ人（狩猟民族。言語の系統はわからない）を追って住みついた。紀元後ほどもないころである。

中部ヨーロッパに国をもつハンガリー人の祖先であるマジャール人も、かつてはシベリアにいて、ウラル語をしゃべっていた。ヨーロッパにやってきた歴史はフィンランドよりもあたらしく、九世紀のころとされている。土着のアーリア人種との混血によっていわゆる西洋人の顔と身体をもち、ルネサンス文化のにない手としてのかがやかしい歴史をもっているが、かれらの多くは自分たちがかつてアジア人であったことを誇りにし、日本に対し、格別な親しみをもっている。日露戦争の終了後、こどもの名にノギとかトーゴーとかつけることがはやった、ということはよく知られている。

フランスとスペインの国境《くにざかい》に住むバスク人は、右の二つの事例のように、アジアから入りこんだひとびとの子孫であると考えるのは容易だが、ただ、素朴な疑問としては、そうであるにしては、ずいぶん西の端にきて住んだものだということである。

アジアからきたウラル・アルタイ語族の騎馬団は、ヨーロッパにおける西のほうには踏み入れなかった。フィンランド人はせいぜいスカンディナヴィア半島でとどまり、ハンガリー人はウクライナからほんのすこし西に入ったハンガリー大盆地で満足した。

五世紀、アジアからやってきた遊牧民族の英雄であるアッティラ大王は、ゲルマン諸族を征服し、ライン川の中流からカスピ海におよぶ帝国をつくったが、その死とともにその帝国は虹のように消えた。当時の私は、わずかな知識を足がかりに、夢想をひろげた。バスクは、アッティラの兵隊のフン人の子孫だろうかと考えてみたのである。しかしこの夢想は、ライン川中流のアッティラの制圧世界とピレネー山脈は地理的に離れすぎているのが欠点だった。十三世紀のジンギス汗の軍隊のヨーロッパ入りに至っては、歴史があたらしすぎる。バスク人は固有の文字を持たなかったため、かれらの正体も、またどこからきていつからピレネーに住みついたか、などという歴史はなぞのままだが、十一世紀にはほぼカトリックに帰依《きえ》したということははっきりしている。つまり十一世紀にはかれらがピレネー山脈に住んでいるということが、ローマ法王庁の可視範囲の中に入っていたのである。

ピレネー山脈は、天嶮というほどではない。

古代、ローマ軍はこの山脈を西に越えていまのスペインの地に入った。スペインの平たい台状地帯《メセタ》の地に橋や見張り用の砦、それに道路といった遺跡をのこしているから、文明のローラーはこの山脈を通っているのである。

「ローマ軍がくると、山のさらに奥へ逃げたんです」

と、『街道をゆく』の「南蛮のみち」でバスクの地を訪ねたとき、土地のある学者がいった。抵抗すればローマ側の伝承や記録にのこったであろうが、無抵抗で平和すぎるひとびとは、ローマ軍の記録官がわざわざ羊皮紙に書きとどめるに足らない。かれらは、記録から洩れた。

西ヨーロッパのように、歴史が精密に働きつつ発展した地帯で、源流をどこにも求めようがないというふしぎな少数民族が山中に孤立しつづけている、というだけでも奇蹟のようなものである。

バスク人を最初に外界からくっきりと認識したのは、さきにふれたようにローマ法王庁であった。遅くキリスト教徒になりながら、もっとも熱心なかれらのために、ローマの神学校ではバスク語を学ぶ学科が、中世のある時期、存在した。バスク語は、日本語と同様に「私（ニ）バスク人（イラカシレア）です（ナイス）」という語順である。日本人にとってそれが自然でも、ふつうのヨーロッパ語を使っている人達にはじつに厄介なもので、学生たちは音《ね》をあげ、この学習は悪魔でも逃げる、ということから、伝説までつくりあげた。むかし神様が悪魔をとらえ、さまざまな罰をあたえたが、悪魔は平気な顔をしていた。ついに神様は「ではお前、いまから三年間、岩牢にこもってバスク語を勉強しろ」というと、悪魔は真青になってあやまった、という。

ここまで書いて年少のころの私事を思いだすのだが、モンゴル語は日本人にとってじつにやさしいことばだった。文法がおなじだから、極端にいうと単語さえおぼえていれば、話すことも聴くことも（才能のある人なら）簡単なのである。

以上のようなぐあいで、モンゴル人が、いまも地球規模のひろさといってもいいほどの草原、半沙漠に散居しつつ、ぜんぶあつめてもせいぜい四百万人というさびしい状態であることと、ピレネー山脈で数百万人のバスク人が言語的孤島を形づくってきた、ということとなにやら似ているような気がして、つよい親しみを感じた。

バスクについてそれ以上に魅かれたのは、日本に最初にキリスト教をもたらした聖フランシスコ・ザヴィエルがバスク人であることを知ったときだった。ルオーがたんねんにえのぐを盛りあげて描くキリストの顔は、どのザヴィエル像にもひどく似ている。たとえばゲルマンふうの典型的な顔でなく、両眼が大きいことをのぞけば、どこかアジア的である（むろんバスク人が古代、アジアにいたという証拠はない）。

さらにいえば、日本にはじめて上陸したローマ・カトリックの団体は、イエズス会（ジェスイット会）であった。その創設者はイグナティウス・デ・ロヨラであった。ロヨラは傷痍軍人だった。自分のあふれるような忠誠心を、地上の主を見つけられぬまま、神の僕になろうとした。それには、仲間が必要だった。たまたまそのころ、ザヴィエルはパリの聖バルブ学院《コレージュ》にあってアリストテレスの哲学を学んでおり、将来は哲学教師にでもなろうかと思っているスポーツ好きのあかるい若者だった。ロヨラはこの同郷の秀才につきまとい、イエスやマリアの騎士になることを誘った。ザヴィエルは最初は逃げまわっていたが、ついに人変りしたように回心し、ロヨラに随順するにいたる。かれらは一五三五年、日をえらび、モンマルトルの丘にのぼって、イエズス会の結成を誓うのである。

ここに、カトリックでもっとも有力な修道会のひとつが誕生し、その異常なほどの団結力と行動力が、ヨーロッパにおいて諸国の王家に影響をあたえたり政治の流れを変えたりしたというつよいエネルギーが出発する。このことは、たいていの高校教科書に書かれているはずである。

翻訳小説を読んでいると、ジェスイットという団体名が、奇妙な普通名詞としてつかわれていることに気づく。辞書をひくと、第一の意味のほか、「(軽べつをこめての)ずる賢い人、策謀家、詭弁家」などとある。こういう団体性格は、おそらく創設者のロヨラの性格や性向と無関係ではあるまいが、純情なザヴィエルとは何のかかわりもない。さらにいえば、イエズス会が創設し、運営しているわが国の上智大学の教授、学生、あるいは学風とも、無縁なことである。しかしながら――以下はスペインできいたことだが――バスク出身の実業家でイエズス会とも縁がふかいといった人は、どこか、第二の意味でもってフィルターをかけて見られがちだそうで、「あいつはバスクで、しかもイエズス会にコミットしているから油断するな」といった会話が、しばしば交わされるらしい。

話が、わきにそれた。

私は、その宗門の徒でもないのにザヴィエルが好きなのは、むろんかれの人柄が好ましく思えるためであるが、かれへの感情の部分は、ザヴィエルがバスク人であるというところからきているらしい。

ともかくも、いつかバスクへゆきたいと思った。戦時下の日本では、むろん夢想というほかないことではあったが。

ところが、そのことが、四十年後に実現した。ピレネー山脈のフランス側のふもとの街バイヨンヌの――フランス風の門前町のような――店舗街を古い聖堂の尖塔をめざして歩いていたとき、ふとまわりが真空になったような虚《うつ》ろさが私を襲った。このまま生きながらえたことのふしぎさを思ったり、若いころの友人で死んでしまった人々のことを考えたりした。宗教心にちかい衝動だった。

聖堂の前に、顔も体もぼろぎれになったような酒精中毒患者がいて、倒れかかってくるようにして、小銭をねだった。かれは、私のような衝動を感ずる者を待つために、つねに古い扉にもたれているようだった。私は、なにものかによって生かされているという報恩の気持を、ポケットの中の小銭をかれにわたすことで充たした。私はすでにバスクの一角にきている。その感激よりも、暗い聖堂のなかでにわか信者になっている自分におどろいた。聖堂は化け物屋敷のように暗く、古いほこりのにおいがして、神父も信者もいなかった。外陣にはさまざまな聖者の像があったが、やはりマリアの像の前だけは小さなローソクがいくつもともっていた。それへ、あたらしい灯を献じた。

ピレネー山脈は、フランスとスペインをへだてている。

バスクには、めずらしいスポーツや力だめしの風習、または独自の家庭料理などがあるが、バスク人自身は「それらは固有のものじゃない。古いヨーロッパに存在して、他国では忘れられたものが、バスクの山の中にだけに残っているというものだ」と謙虚にいう。このことは、出遭ったバスクの知識人はみな言った。かれらは愛国者であっても、劣等感の裏返しにすぎない国粋主義者ではないのである。このあたりが、バスクの山水の美しさとともにバスク人の気持のいいところだと思った。

「バスクで固有のものといえば、こまかくいえば、ベレエ帽、バスク・クロスの模様などがあるが、唯一のものとして協調せねばならぬのは、バスク語だ。言葉だけがバスク人の自己の正体《アイデンティティ》なんだ。それだけが、固有の文化だ」

というこども、みちみち、いろんなバスク人からきいた。

ところで、バイヨンヌの街を歩いていても、

(ここは文化的にはフランスじゃないか)

と、おもわざるをえない。古い聖堂の前の仲見世《なかみせ》は、寺と店舗という配置構造は浅草や柴又の帝釈天とかわらないが、プチッぽい店舗は店構えも陳列のしかたもみなフランス風にしゃれていて(むろん、浅草も柴又も江戸前としてしゃれている)歩くだけで気分がよくなってしまう。都市が田園に対して対抗しうる唯一の美の原理は、そういうものなのである。バイヨンヌは、それを持っている。しかもフランス文化としてもっている。

(バスクは、どこにあるんだ)

と思っていらだつ感じもないではなかったが、よく見ていると、歩いている人の十人に一人ぐらいはバスク人ではないかと思いはじめた。男も女も小柄で、いちがいにはいえないが、顔が、こぢんまりとととのっている。夕食をとるため食堂に入って、仲間とバスクのことを喋りあっていると、

「バスク」

　というわれわれの日本語発音が店内の空間にしばしばひびいて、それが刺激的であったようで、若い女の人が二人、べつべつのテーブルから近づいてきて、声をかけてくれた。

「私は、バスク人です」

　ひとりは中学校の地理の教師で、ひとりは頭につまった病院学が顔にまで出ている看護婦さんだった。看護婦さんのほうは、バスク人が旅をしたり山に入ったりするときに携帯するバスク式の水筒（ブドウ酒入れ）を見せてくれた。革袋だった。両手でおさえると、水鉄砲のように勢いよくブドウ酒が出てくる。それを、開けっぱなしにした口で受けるのである。

「受け方がむずかしいですよ」

　と、われわれにも練習させてくれた。

「これ、あなたは、いつも身につけているのですか」

「いいえ、ごく最近、買ったんです」

　あらたに。

　自分が少数者《マイノリテイ》であり、バスク人であることの再確認のために。……ここからむこうは、彼女がいったわけではなかったが、その顔つきから察して、もう一つ会話があってもかまわない。彼女はいう、「多数者《マジョリティ》に倦きたために」。

これが、小説なら、彼女の主題をもっとはっきりさせるために、以下のことをいわせてもいい。

「多数者には文明しかない。少数者には、びっしり文化が詰まっている」

ここで仮りに定義しておこう。文明とは普遍的なもの、たれでも参加ができる交通ルールのようなもの、そして文化とは特異なもの、不合理なもの、さらにはそれなしでは人間の心の安定がえられないもの。

――私は、何者か。

普遍性のハンランした社会にいると、自分が不安になってきて、そのようにはげしく自分を問い詰めたくなる。問い詰める能力がなければ、精神病理学者や臨床心理学者が、かわりに質問役をひきうけてくれる。「両親はユダヤ人？　もう亡くなっていないのですね。叔母さんがいる？　ユダヤのしきたりを大切にして暮らしているのですね。夏休《ヴァケーション》、いつからはじめますか、フロリダの海へゆくより、その叔母さんの家に行って半月ばかり暮らしてみませんか」などといった会話が、いつもアメリカのどこかで交わされているような気がする。少数者に文化が濃厚で、多数者の場合、かれらを支配しているのは、法と簡便な道徳、そして適当なマナーだけなのである。健康な人（あるいは気楽な人）の精神ならそれでも耐えられる。しかし人間関係に疲れやすい——もしくは人間であることに疲労しがちな——精神にとっては、お稲荷さんにお参りしたり、新興宗教に入ったり、星占いを信じたりすることさえ、なぐさめになるのである。

その点、バスク人は、ふつうのフランス人、スペイン人、あるいはアメリカ人よりもめぐまれている。バスク人にさえなればいいのだ！

だから、この看護婦さんは、あらたに革のバスク水筒を買ってきたのである。彼女は、ラムネびんの底のようにあつい近眼鏡をかけ、あごが張って、意志的な感じのする人だった。かつ勉強家のようでもあり、職場ではたれよりも有能といわれたい競争心を秘めてもいるようだった。美人ではなかった。身寄りも遠方に居るようで、ひとりで下宿に住んでいるという。彼女の場合、どうみても、ふつうの意味でのコーフクを、小石でも拾うように簡単に拾えるという感じのひとではなかった。私が彼女なら、

「自分は何だ」

と、問いつめたくなるであろう。バスク人だ、と自分を思うとき、えたいのしれぬ甘美さが胸にひろがるかと思える。ただし、バスク人は、ユダヤ人のように選民意識をもたない。また、中世を支配した名族の末裔であるというような誇りも、バスク人であるため持ちようがない。

「バスク人は、ヨーロッパにおけるアイヌのようなものです」

私どもがバスクへ出発するすこし前、仲間の山崎幸雄氏が神戸の中山手《なかやまて》のカトリック教会を訪ね、バスク人の神父さんに会った。そのとき、神父さんが、理科の教師が物体や物質を説明するような冷静さでバスクについて説明し、自分たちバスク人についてそう比喩した。アイヌの場合、和人が広域社会をいっそうひろげて行ったとき、採集生産の段階にとどまっている自分たちの集団に気づかされたが、バスク人の場合も、同様だった。

フランス人やスペイン人たちが世間を広くして行って（つまり前記の定義での文明がひろげられて行って）結果として少数者が、自分が少数者であることに気づかされたのである。それまでは、単に人間である、ということだけで済んだ。

バスク人は、かつてのフランス人から、

「かれらは犬が吠えるようなことばをつかう」

などと、いわれなくあなどられた。かれらは、山林に依存し、また牧畜を営んで、古代以来、自足してきたために、他の世界を知らなかった。この、森の精霊のようなひとびとも、人口がふえはじめると、田畑や羊を相続しない若者がフランスやスペインに出て行って、船乗りになったり、鉛管工、レンガ工などになったりした。かれらは広域語（フラン

ス語やスペイン語）をつかったために、人まじわりするのに不自由はなかった。しかし、
「あいつはバスク人だ」
と、あまり尊敬をともなわない指のさされ方をしたことも多かったにちがいない。それでも、バスク人は我慢してきた。十九世紀までのあいだに、神父たち以外で（聖職者にすぐれた人が多かった）バスク人は、自己の存在を知らしめるような世界的な名士を出さなかった。

また、広域社会に対する少数者の暴発や反乱もおこさなかった。まったくおだやかな山のひとびとだった。腰がひくく、愛想がよく、決して自己主張を過剰にすることがなく、職人のように気っぷがよくて、むかしの日本人のように涙もろく、そして日本人に似た性格として望郷の感情がつよい。いまはどうなっているのか知らないが、むかし、バスク人は、北米や南米で死んでも、遺骸がピレネーの山の中に運ばれることを期待した、といわれる。げんに多くの遺骸が、そのようにして大西洋などをわたって、死者たちはピレネーの森のなかに眠った。広域社会をリードする大民族が威張りかえっていた十九世紀、二十世紀の前半までは、バスク人は少数者としてまことにつつましかった。

しかし、いまはちがう。

むしろ、少数者であることに――その特異な文化の中に身や心を寄せ、その文化にくるまれ、その上で、小さな単位ながら一つの文化を共有するときこそ、真の心のやすらぎがうまれる、ということに、バスク人は気づきはじめたのである。

バスク人は、知的な民族である。だからこそ、たとえばアジアなどに多い少数民族たちに先んじてそのことに気づき、スペイン側にバスク共和国（多分に自治区的な）という小さな〝わが国〟を持った。古代以来、国家などを持ったことがない民族だったのだが、すくなくとも文化的まとまりとして国をもったのである。この傾向は、二十一世紀の地球を、あるいは予見できるような事象ではあるまいか。以下は、私の妄想である。二十一世紀では、普遍的文明は世界をおおうだろうということだ。むろんこのことは世界国家ができるといったふうの政治的なことではなく、普遍的慣習の世界化とか、英語などの共通語の普及、またはファッションなど生活のソフト面の共通化といった文化的要素の共有性が高まるだろうということである。ただし――以下が大事なのだが――一方において、その大傾向に背をむけるようにして、少数者がはげしく自己主張し、多数者に背をむけ、少数者が特異性を不必要にまで主張し、そのことによって多数者に顔色をうかがわせ、ときにバクダンを投げつけて自己の存在を示そうとする時代がくるにちがいない。しかもそのことが、集団（国またはその類似団体）の唯一にちかい目的になりそうである。人類は、普遍性に覆われつつ――その便利さを享受する一方――特殊性を声高く叫ぶことに精神の安寧を感じる時代が来そうだということである。そのときは、バスク共和国も既成権威《エスタブリッシュメント》に組み入れられていて、新奇な少数者に追いあげられる側にまわっているかもしれない。げんに、少数派の過激グループＥＴＡの存在がある。

バイヨンヌの街に流れている川は美しかった。海に近いため、時間によってはかすかに潮のにおいがする。水の色はよく研いだナイフのような色をしている。小魚を釣っている人が、三、四人いた。釣りあげた小魚は鉄のような色をしていて、橋畔にある中世の沿岸堡塁のセピア色の石垣によく似合っていた。

街中が、徒歩であるきまわれる。こんな街が、日本にあればどれだけいいだろう。私どもが気に入った小さなホテルを出て河岸に出、橋をわたると、そこに私立のバスク博物館がある。

そこに、ドゴールに似た顔のバスク人館長が待っていた。かれは館長室で私どもに会っただけで、館内は見せてくれなかった。正午前だった。

「時間だから」

と、いった。私どもは約束の時間に遅れたわけではなく、約束の時間そのものが、かれが昼食をとる時間にかちあっていたのである。かれの不機嫌さは、私どもの通訳嬢のコトバにも原因していただろう。彼女はいい娘でよくやってくれたが、なにしろ娘じぶんになって習得したフランス語というのは、相手の感情に対する微妙な言いまわしができない。大切な場合にたのむ通訳というのは、できればフランス生れで、日本語をあとで獲得した、というような人がいい。彼女がなにかいうたびに、館長の表情がかたくなるのが、しばしばだった。私は、この面会を早くきりあげようとおもった。

「バスク人はどこからきたか」

と、私。

「どこからも来ぬ。太古からこのピレネー山脈にいた」

私がフランス語を所有していれば、そんなばかなことがあるか、と物やわらかく反問できたろう。太古、人間は農業を知るまでは小集団でうろつき歩いていたのだ、でなければ採集生活をやりぬくことが不可能だったのである。人間が定住するようになったのは農業を知ってからだが、その時代になっても農業をやらない集団（遊牧や採集）はいくらでもいて、たえず移動していた。バスク人が太古からピレネーに定住していたとすれば、定住しえた条件を傍証として提示してくれなければこまる。もし農業を知っていたとすればバスクの地に「人類農業発祥の地」という碑でも建ててくれるのがのぞましい。

館長さんが、いった。
「カフカズ（コーカサス）の山の中にいた、などという説もあるのだが、ちがうのだ。アルタミラ（Altamira）の洞窟画を知っているか」
「知っている」
「あれは、われわれの先祖が描いたのだ」

アルタミラは、いうまでもないことだが、スペイン北部のカンタブリア山脈の北斜面の洞窟に、いまから五万年ほど前に描かれた旧石器時代後期の壁画である。

人類の美術史というのは、ふしぎである。現在の人類が、せいぜい千数百年前に獲得したリアリズムの画法を、旧石器時代の「アルタミラ人」は、それよりもすすんだ表現力と技能で描いているのである。かれらは氷河時代の生物と共存し、かつウシやウマ、シカ、イノシシはいたが、それを家畜にしたり、ブタとして改良したりすることはできずに、野生のそれらを捕獲することで自分たちの生命を維持していた。「アルタミラ人」はそれらの野生の状態を群れとしても個体としても生気あふれるような姿でとらえ、しかも赤や黒の色彩をもちい、であるばかりか、濃淡による陰影法さえ用いているのである。

なにしろ、いまは地球上に絶滅した動植物とともにこの地上にいた「アルタミラ人」は、おそらくその後、全滅したか、あるいはその支脈は支《わか》れわかれて地球上のあちこちに散って、概念的にいえば全人類の先祖といってもいいものかと思える。しかしそれはちがっている、とバスク博物館の館長さんはいうのである。その子孫はいる。それがバスク人である、という。むろん、このことは実証すべき事柄ではなく、バスク人の民族的な気合《きあい》がそういわせるのにちがいない。

たとえば、バスク語の所属がわからない。また、バスク人の原《もと》の故郷がわからない、と外部の人間が取沙汰するほど、バスクの愛国者にとって不愉快なことはないであろう。ついでながら、バスク人は、国籍としては半ばはフランス国民であり、半ばは、ほんのこのあいだまでスペイン国民であった。

それらのにせの自己《アイデンティティ》の正体を脱し、ほんとうのアイデンティティをつかみだし、共有するには、先祖がよくわからない、というのではこまるのである。もっともわりあい正体の明快な日本語や日本人でさえ、そのほんとうの先祖がわからず、アジアのあちこちにそのルーツを求めつづけているのだが、バスク人にいたっては、この点、じつに明快であった。

アルタミラ！

私は、右の館長さんが不機嫌だから、つい異邦人の私に対し矯激なことをいった、と思っていたのだが、その後、スペイン側のバスクを歩いているうちに、バスク大統領も、言語アカデミーの教授も、他の知識人も、アルタミラの一件こそいわなかったが、

「バスクはどこからきたわけでもない。むかしからピレネーにいた」

という一点ではおなじことをいった。とすれば、五万年をさかのぼってよく、さかのぼる以上は、アルタミラの画家たちこそわれらが先祖だ、といってもかまわない。第一、世界のどこからも苦情が出るわけでもなく、たれに迷惑がかかることでもない。世界の民族の始祖神話はさまざまで、神さまである場合も、動物である場合もある。それらからみれば、五万年前の名画の描き手が先祖だというほうが、はるかにスマートで、なによりも芸術的ではあるまいか。

私も、しだいにそれを信ずるようになった。それを信じねば、民族の団結などありえぬと思ったりした。民族というものは、その成立のとき、幻想を共有せねばならぬものである。

日本人の場合は、始祖神話は江戸末期まで、士農工商の共有の知識としては、まずまず無かったといっていい。幕末、平田《ひらた》国学が、主として農商層の富裕階級の共通の教養としてひろがるにつれて、『古事記』『日本書紀』の神代の神々が日本民族の祖であるような意識ができあがり、明治維新で民族統一が遂げられると、新国家が新国民に押しつけるかた

ちで共同化されたのである。たとえば明治までは伊勢神宮も天皇家の祖神だったのが、明治の国家神道では、国民統合の中心的な神として、小学校などで教えるようになった。

スペインにバスク共和国ができたとき、国民統合の公認された幻想に、たとえアルタミラ壁画をもってきたとしても、たいていの民族がその統合期にそういうことをやってきたわけでもあり、すこしもおかしくはない。むしろ、かれらのほうがスマートなくらいである。

しかしひるがえって考えてみると、民族というのは、そこに自然に存在している状態から、国家という形に統合される場合、このようなつよい圧搾空気のような思想や象徴が要るものかと思い、そのことにむしろ人類の厄介さを感じた。

さらに――複雑な――感動を覚えたのは、バスク共和国では、一様にバスク語を習得しはじめたことである。

バスクの唯一の固有の文化は言語である、とされていながらも、かつてのフランコ政権はバスク人からその言語を奪い、スペイン語を話すことを法と権力で強制してきたため、バスク語が話せるひとは、山中にいる老人たちぐらいのものであった。

とくに山麓の低地の街々に住むバスク人は、四十代、五十代のひとでも、うまれたとき

からバスク語をきくことさえなかった。現在のバスク大統領も、

「私がバスク語を習ったのは、二十代からです」

と、私に正直に語ってくれた。

バスク語の言語アカデミーは、古いバスク語を掘りおこしたり、文法をととのえたり、近代的な自然科学、社会科学の用語をつくったりする国家機関だが、私が会った言語アカデミーの教授も、

「私も、二十三歳まで、バスク語は一語も知らなかったのです」

と、はにかむように微笑った。

一般のひとにとって、バスク語の習得はつらいものらしく、働きながら夜学で何年も学んでいるひとが多い。それでも私ども日本人が英語を習得することがにが手なように、とても覚えられないというひとがすくなくない。しかしバスク語を習得すれば就職に有利であったりするために、懸命に覚えようとしている。いったん死語になりかけたことばが、このように盛大に復活した例は、世界史上かつてなかった。

私どもの先祖は、ピレネー山脈とそのむこうのイベリア半島（スペイン・ポルトガル）からきたひとびとを南蛮とよび、その技術文化や宗教を尊んで、よきものは積極的に容れ、日本文化に華やぎを加えた。

私は、主としてバスクの地を歩きつつ、やがて山脈を越えて赤茶けたスペインに入り、山麓のひくい丘陵地に遺っているザヴィエルの生家である城を訪ねた。

それらのことは、『街道をゆく』の「南蛮のみち」ⅠとⅡ（朝日新聞社刊）に、すべて書いた。

以上、この本のはしに書きつらねたのは、前掲の二つの本を書いたあとの感想のようなものである。紀行ではない。

紀行は、長谷忠彦氏の写真がすべてを語っている。

私は、このすぐれた写真家と、画家の須田剋太氏、それにポルトガルの古くからの〝演歌〟であるファドを愛しつづけている山崎幸雄氏らとこの地にゆけたことを、自分の生涯の光芒であったと思っている。同行して、生来、起居動作があまりスポーティでない私を介添えしてくれた妻みどりにも感謝しつつ、バスクとピレネーとイベリア半島に〝三度目〟の別れをつげる。蛇足をいうと、なまの時間と空間のなかを最初にあるき、紀行を書くことによってもう一度歩いた。さらにこの稿を書くことで三度目の旅をした。

四度目の旅は、もっともすばらしいものになるだろう。それは、本としてできあがったこの写真集のページを繰るときである。

（『街道をゆく　南蛮のみち』一九八五年一月二十日朝日新聞社刊）

人間について

バカというのは、差別語ではありません。

人間の本性にひそむ暗黒の部分のことです。人間は一人で歩いているときは、たいていバカではありません。イヌやネコとおなじくらいかしこいのです。行くべき目的も知っていますし、川があればどうすればよいか、ちゃんとわきまえています。

ところが集団になって、一目的に対して熱狂がおこると、一人づつが本然《ほんねん》にもっている少量のバカが、足し算でなく掛け算になって、火山が噴火するように、とんでもない愚行をやるのです。

民族・宗教・国家。

この三つが、人間を集団化させています。この三つは、ひとびとがおだやかなときは、すばらしいものです。なにしろ、人間という生物は一人では生存できないのです。

社会が必要なんです。右の三つは、人間に社会をあたえてくれる受皿《うけざら》になってくれるものです。あるいは人間に社会そのものをあたえてくれるものです。ときには、人間を社会化するために、化学でいう触媒にもなってくれます。

見知らぬ土地で出あったふたりが、

「君と僕とは、おなじ民族なんだ」

と確認しあうとき、どんなにたがいの心がやすらぐことでしょう。

また、数世紀前、マラッカ海峡で出遭《であ》ったアラブ商人とインドネシア商人とが、たがいにイスラムであることがわかったとき、うれしかったにちがいありません。

国家も、そうです。

近代の国民国家は、フランス革命によって発明されたものです。

それまで、ひとびとは身分や階級のなかでしか生きていませんでした。それが、かれらの世界でした。

近代国家によって、精神の居住世界がひろくなったのです。貧しい人も富める人も、〝国家のため〟と唱えるとき、清らかでうつくしい気持になることができました。

第二次大戦後、無数の国家ができました。すばらしいことでした。

同時に、戦後のすばらしいことの一つは、ひとびとがそれぞれの国家の国民であるとともに、人類の一員だということに、めざめはじめたことです。

むろん、後者のほうは、世界じゅうが人類の一員である気分を共有したというようには、進行していません。まだ萌芽が見えているだけです。しかしすくなくとも、それがあたらしい歴史段階の理想になろうとしています。それによって人間自身がたがいに救われるという理念として認められはじめた、ということは、十分いえるでしょう。

むろんこの理念には、集団的宗教性はありません。集団的宗教は、集団対集団の場合、かえって軋轢《あつれき》のもとになります。人間個々が、ひとかけらづつもっているバカという暗黒の部分が、その軋轢によって可燃性の物質にかわり、爆発したりします。

爆弾の信管をとりのぞくように、集団的宗教性を注意ぶかく除去して、しかも残っている叡知を信ずることによって、この理念は生きてきます。

人間は、一面、かしこい動物なのです。

「見て、考えて、話しあって、たがいの文化をたしかめあい、そのことを楽しみあう」

という能力を持っているようにおもえるのです。

人間にとって最大の楽しみは、人間を見ることなのです。人間が、異境に旅したがるのは、そのような知的本能というべきものを満足させたいからでしょう。

文化とは、集団が共有している慣習のことです。
人間は、文化にくるまって生きているのです。文化という定義は「それにくるまってい
ると、心が安らぎ、楽しく、安全でさえある」というものです。
地球上に、多様な文化があります。人間たちは、それにくるまって楽しく生きています。
他者を理解する、ということから、二十一世紀の幸福は出発するでしょう。他者とは、
むろん個人々々の場合もあります。しかし、人間は文化なのです。人間は、生物学的ある
いは生理学的存在でありますが、それ以上に、文化としての存在なのです。
この集いは、他者の文化に触れ、その核心についての説明をきくためにあります。それ
だけのことが、高度に哲学的で、かつ文学的なことなのです。
同時に、世界性をもったことなのです。

（『ひと　文化　ネパール――第一回大阪・アジア文化フォーラム』一九九一年三月二十一日刊）

天人になりぞこねた男

盧梢《ろしよう》は、晩唐の宰相である。

習慣として月に一度沐浴し、髪などを洗った。沐浴中は、余人を部屋に入れなかった。あるとき侍女に用があり、濡れ髪を手でたばね、腰に白布をまとったまま廊下に出て、たれかいるか、とよばわった。何人かの侍女が駈け寄ってこの人を見たが、にわかに盧梢とはわからず、どこかの若者がまぎれこんだかとおもったという。

「天から降《ふ》ってわいたの」

と、侍女たちは色白で胡女のように美しい若者をからかったが、やがてあるじの盧梢とわかると、あまりのちがいにぼう然とした。同一人物だろうか。

現世《うつせみ》の盧梢はどすの利いた人柄で、冠をつけた両眼は氷のように光り、そげた頬からあごにかけて刀痕のような翳《かげ》ができた。

朝《ちよう》にあっては権謀を好み、政敵に対しては匕首《あいくち》でえぐるように論難し、一方ではぬかりなく私腹を肥やした。

そのくせ行儀のいい男だった。自宅でも大ぶりな巾《きん》で頭をおおい、妻妾といえども、かれの裸形《らぎょう》を知らなかった。べつに理由はなく、単に習性としてそうだっただけのことである。

巷説があった。

「あの人は、わかいころ、天に行ったことがある」

というのである。

若いころ、かれは洛陽の大きな廃館のなかの小屋に住み、みずからも食いかねるというなかで、隣家の孤独な麻婆《マーボー》をいたわった。

麻婆はそのあだなのとおり、顔に天然痘のあとがある。麻婆が病気をしたときなど、盧梢は寝食をわすれて看病した。このあたり、盧梢はすばらしい若者だった。

ある日、盧梢が夜ふけて帰ると、麻婆の小屋の前に黄金で飾られた輿《こし》がとまっていて、十六、七の娘がふわりと降りるのをみた。女神のように美しかった。

盧梢は、その娘に恋をした。麻婆は、本気か、ときいた。さらに麻婆は、その身がどうなってもいいほどに本気か、と問いかさねた。盧梢は、ややひるんだ。もともとかれは水に落ちても、水底《みなそこ》までずっしり沈んでしまうほどに自我の目方が重く、身を捨てて人を恋するなどは、できる男ではなかった。

「心得たよ、梢《しよう》さん」

麻婆が請け合ってしまったのは、わかいころの盧梢の優しさや温雅な容貌を買いかぶりすぎていたせいかもしれなかった。

麻婆はどこかから大きな種子をとり出してきて、空地に埋め、毎日水をやった。やがて蔓《つる》がのび、牛ほどの瓢簞《ひようたん》が二個もなった。麻婆は中身を空《から》にし、その一個に盧梢のからだを押しこみ、あとの一個に自分自身を入れた。

その大瓢簞が空をどのように飛んで行ったのかはわからないが、ともかくも盧梢は天の水晶宮という宮殿で、あの娘をふたたび見たのである。娘は、数百の侍女を従えていた。

「私と、ここで住む?」

娘は、美しい声で盧梢にたずねた。ここで住むというのは、天人になり、天とおなじく無窮の寿命を保つつもりはあるか、ということなのである。

それをきいて、盧梢は恋どころか、おびえきった。無窮の寿命とは、すなわち死のことではないか、とかれは賢くもおもった。

「いや?」

娘は、水晶の雫《しずく》が滴《したた》るような笑顔で、くびをかしげた。あきらかに盧梢に好意をもっていた。

「いやなのね、では、べつな願いをおっしゃい」

と、娘はいった。麻婆にあれだけご親切にしてくださったのですから、ともいった。話の様子から察して麻婆はどうやら地上の人ではなさそうだった。

「ぜひ私を宰相に」

と、叫んでしまったのは、盧梢のほうであった。宰相などといっても民を救いたいという心根からではなく、単に富貴を得たかったのである。

「宰相？」

娘は意外そうな顔をした。

「あなたにいちばん似つかわしくないのに」

天人だけに、盧梢の少年のような容貌の底にある容量の多すぎる欲望を見ぬいたのにちがいない。

あけがた、盧梢は小屋の中の湿った寝床で目をさました。

夢だったか、と思った。ただし正夢《まさゆめ》だった。ほどなくかれは宰相になった。

「――たれか、いるか」

と、その日、盧梢が洗い髪のまま廊下に飛び出したとき、駈け寄った侍女のなかに、一人、べつな顔がいるのを見た。水晶宮にいたあの娘だった。

「きょうが、最後の日です。地上にはつねに終りというものがあります」

娘は、切り口上でいった。

その日、晩唐の奸人といわれた盧梢は失脚し、配所に檻送され、途中、死んだ。

以上の経緯とやや似た話が、『逸史』という古い実話集にある。『逸史』のなかでの主人公は本来いい人で、単に身を置く場所を誤まっただけだと同情している。

天人は微笑《ほおえ》まないという説があるが、本当かどうか。もし本当なら、盧梢は水晶宮であの娘の微笑を見た。

見たことによって盧梢がのちの不運を買ったとすれば、トクな買物だったかどうか。

人生を一場のロマンとして見る小説家なら、十分お釣りが出た、と書くところである。

（「小説新潮」一九九四年五月号）

大垣ゆき

きのう、断われぬ用事のために大垣へ出かけた。岐阜羽島駅で降り、わずかに北西にのぼって長良川をわたると、胸がいたむほどに、水が痩せていた。

ことしは、夏も秋も台風が来ずじまいで、水涸れのまま年を越そうとしている。明治初年、日本の治水行政に助言するために傭われたオランダ人が、日本の川は滝だ、といったそうだが、ともかくも私どもの感覚では川が滝のように流れていてくれねば落ちつかない。濃尾平野などという日本最大の平野も、日本じゅうの他の平野と同様、台風とそれにともなう豪雨が海を埋めつづけてつくられたもので、弥生式の水稲がつたわって以来、われわれはかりそめの野にきわどく文化と歴史を築いてきたのである。

大垣についたのは、夜だった。

ビジネス・ホテルに荷をおろし、夜の町を歩くと、人通りがまれで、ふと暗い水底《みなそこ》を歩いている思いがした。めずらしく路傍に人影がむれているので、酒食を売る店かと思うと、通夜をする家だったりした。

店を一軒みつけて入ると、初老の陽気な婦人が迎えてくれた。カウンターのガラス・ケースにすしだねの魚が入れられていて、彼女が握るらしく、ながめてみると、がんもどきが皿の上に載っていた。それをひと皿もらい、

「これは、大垣ではひろうすというんでしょう」

ときいてみると、相客の地元の老紳士が、

「いまは東京風にがんもどきといっていますが、私のこどものころはひろうすでした」

と、教えてくれた。

大垣は、方言では関西圏の東限になっている。古代のある時期までは、大垣までが大和政権の勢力圏で、以東があずまだった。その後、あずまが遠くなって遠江《とおとうみ》（遠つ淡海《あわうみ》）以東になり、奈良朝のころは箱根以東になった。

美濃大垣は、むかしもいまも関西圏に属していて、たとえばがんもどきもひろうすだったのである。嘉永五年（一八五二）の成立という『守貞漫稿《もりさだまんこう》』にも「京坂にてヒリャウズ（注・飛竜頭）江戸にてガンモドキと云」とあり、大垣が〝京坂圏〟であったことをささやかに証明している。

「Iさんによくきてもらいました」

大垣ゆき

と、主人が不意にいったのには、驚かされた。Ｉは私の中学の友達である。類なく篤実な人柄で、戦後、海軍から帰って以来、ずっと姫路の小さな紙管《しかん》工場につとめていた。が、五十代になって、仕えていた老社長に死なれた。あとをついだ養子の社長がこの先代の番頭を煙たがり、美濃の山中にある分工場に追いやってしまった。やむなくＩは姫路の家族と離れ、山の空寺《あきでら》に仮住まいして、冬などは山門まで雪掻きをして里へ出るような暮らしをしつづけた。管理者といってもパート・タイムの主婦たちの管理者で、社員はかれひとりであり、話し相手もなかった。私は数年前その山寺に慰問に行ったが、化けものが出てきそうな寺で、なぜ辞めないんだ、と小声でいってみた。

「そうはいかん、サラリーマンだから」

といっただけだった。Ｉはこの養老の山寺に十年いて、定年になってやっと姫路の家に帰った。

養老時代、たまには大垣のまちに遠出してこの店に寄っていたという話をきいて、わずかながら灯がともったような気分になった。ついでながら、紙管というのは、反物やカーペットを巻くしんの紙パイプのことで、しごととして何の面白味もなさそうな商品である。

が、

「身についたものは、一生のしごとや」

とIはよくいっていた。こじつければIにとってはひろうすのように飽きの来ないものだったのかもしれない。

（「日本近代文学館」第八十三号一九八五年一月一日刊）

宇和島人について

去年、伊予境いになる土佐の檮原《ゆすはら》で一泊した。お釜の底にいるような地形で、町の風《ふう》に古格なにおいがあり、もう一度来たいという思いがしきりにした。

檮原は、平安期に伊予からきた人達がひらいた山間の水田地帯である。土地のひとは伊予に接しているというのが誇りで、暮らしの固有文化も、土佐一般より高い、という意識を共有していた。古代の伊予人の末裔《まつえい》というだけでなく、ごく近い過去においても、たいていの家系に伊予人の血が入っている。

が、それにしても山中の小盆地に家々が詰まっていて、宿のどの窓をあけても、他家の壁や屋根瓦が目の前にあって、息ぐるしさがなかったとはいえない。県庁のある高知市までは遠い。が、松山市までは車でわずか二時間で、町長さんも、大阪や東京に出張するときは、松山空港へ出るという。

町にタクシーというのは五、六台のようで、そのうちの一台を終日借りて、旧藩時代の関所跡などをまわった。翌日、その運転手さんが、私どもを檮原の目抜き通りの宿に送りこんだあと、客があって宇和島へ行ったという。たしか婚礼の道具を買いにゆく客だったそうである。

「あれから宇和島まで？」

私がおどろくと、運転手さんはべつに何でもありませんよ、宇和島まで一時間ですから、といった。

それをきいたとき、西方の宇和島が、まぶたの中で無数の灯の海として感じられた。大げさにいえばそこに大文明があるという感じだった。

私は宇和島には何度もきた。いつきても、宇和島というのは、いかにも幸福そうな町に感じられるのである。

オカネというのは、大湾の湾岸流のように全国を環流している。それをひきいれるには、宇和島という入江は小さく、地理的にも環流の流路からわずかに離れ気味ではある。環流する潮を吸い入れる企業の数がすくなく、従って分配も多いといえない。

しかし、文化がある。

紀元前から伊予に集積された文化は、旧藩時代、たぐいまれなほどに密度を濃くした。この無形の文化を自然に身につけることによって、この町のひとびとは、人と人との調和の能力をもっている。

「もっと非協調的なトゲのある人間がほしい」

というのは、大人たちの贅沢《ぜいたく》な願望である。トゲは、天才や、格別な志士仁人が所有してこそ意味がある。山家清兵衛や、二宮敬作、村田蔵六、伊達宗城、提灯屋嘉助、土居通夫、児島惟謙、末広鉄腸、中野逍遙、芝不器男といったこの地（および周辺）の所縁のひとびとは、その志や才能のために当然ながら不協調なところがあった。

叡山という中世の巨大な大学をひらいた最澄に「一隅ヲ照ラス、コレ国宝」ということばがあるが、世間の一隅にあって不断の灯火を絶やさずにいるひとびとにとっては、トゲをたえず出している必要がない。

宇和島の文化は、きわだった協調性にある。

激情は中世人に共通した人格表現だとすれば、近代の特性は協調にあるだろう。近代をひとことでいえば、ビジネスという、世界をおおっている無形の有機体をもつ時代ということだが、この地上で、大小多様なビジネスがスムーズに運営されるためには、ひとりひとりが有能で協調的な近代人であらねばならない。

私など、宇和島といえば、そういうことを感じてしまう。伊予境いの土佐の山中にある檮原町から西方の宇和島をおもったときのイメージは、旧藩時代からつちかわれたそういう文化がゆたかに降り積もっているという感じだった。(むろん檮原には檮原のよさがある)。

ただそれだけの能力をもつ宇和島に、その能力を大いに提供できる企業の数が多くないというのは残念で、世間の宇和島認識の貧しさとしてなげかざるをえない。

にわかに個人レベルのはなしになるが、去年、私は一人の尊敬すべき宇和島人を、その死によってうしなった。

浜田美登氏のことである。

美代ノ川のうまれで、ほぼ半生を蚕の種紙の会社の宇和島支店でおくった。在職中、社用のため南予はおろか、西土佐の村という村を歩き、養蚕農家から、その人柄と技術知識によって頼りにされていた。

私は浜田さんに会うたびに、

(このひとは県の養蚕関係の技術職員よりはるかに能力が高いのではないか)

と思ったりしたが、そのほか、民俗学的な知識もあり、さらには孟宗竹や真竹その他の竹類についての植物学的な知識もすぐれていた。なによりも、人と自然を愛した。

浜田氏は、大正初年うまれの多くのひとたちがそうであるように、言うほどの学歴はない。しかし、真の教養人という感じがした。その上、みずからを誇るところがすこしもなく、つねにめだたぬようにふるまっておられた。いまここでこう書いても、この人の名を知るひとは、家族や親族のほかに、仕事で縁をもったひとたちだけではあるまいか。

私は檮原の山野を歩いているとき、

（浜田さんはきっとここまできていたろう）

と、しきりに思った。氏は私のなかにある典型的宇和島人のひとりで、そのなかでも典型としてはひときわ丈《たけ》高かった。浜田さんが、無名に徹したというあたりも、宇和島人らしい。現代という社会は、このような宇和島型のひとたちで支えられていることを、つねに恩として感ずるのである。

（「夕刊うわじま」一九八六年一月一日付）

博多承天寺雑感

博多駅に近い雑踏の中に承天寺《じょうてんじ》という臨済の古刹があって、鎌倉のころ、大いに栄えた。創建当時（一二四〇）、海浜だったはずで、山号が万松山というように、寺域は松原にかこまれていたはずである。

宋からの入船《いりぶね》があるときなど、鼓の音が山内までとどろくほどに、海風になじんだ寺だったにちがいない。

この大刹は、宋末、博多に住んで日宋間の貿易で利を得ていた謝国明という商人や、そのころこのあたりを支配していた筑前守護少弐氏らによって建立され、開山として聖一国師がむかえられた。

その後、〝東福寺船〟とよばれる対宋・対明貿易では、博多の承天寺が実務をとる場所だったに相違ない。

壱岐の勝本町の町役場に、須藤資隆という鎌倉の武者所のような名の青年（いまは四十代だが）がいて、私とは十余年のつきあいである。須藤さんは、壱岐の文化財を一手にひきうけて、調査と保護につくしている。

その須藤さんが、京の建仁寺の僧堂にいた修行僧に傾倒し、その修行僧が師の命で博多の承天寺に住した。

須藤さんはそれが縁になって、しばしば承天寺を訪ねる人になっている。

このたび、承天寺の建物が修復され、庭師を京からよんで木々や苔の手入れをするなど、境内の一大整頓がおこなわれた。

そんなわけで、須藤さんの誘いにつられて、私も承天寺を訪ねたわけである。

博多はいうまでもなく古来商利を争うまちで、いまも往来はビルになった商家がひしめき、車でごったがえしている。ところが山内に入ると、松籟の声が聞こえそうに涼やかなのである。

庫裡に入り、渡り廊下を通り、坪庭を見、紙障子を通したやわらかい光の控えの間に入ると、体のなかを風が吹きぬけてゆくような気がした。

雲水から茶菓の接待をうけた。梁も柱も紙障子にいたるまで、禅の表現としか言いようがなかった。

それも、鎌倉・室町ふうというべきもので、昭和二十年代、南禅寺の柴山全慶師の居室や天竜寺の関牧翁師のもとで得たものからさらに古格であるような気がした。

控室で会った信徒代表の人にまで承天寺風というべきものが感じられて、これは一人《いちにん》の禅風によるものではないか、とおもったりもした。

「よほどのお人のようですね」

と、壱岐の須藤さんに、水をむけた。

「ええ」

須藤さんまで、いつのまにか居士のような顔つきになっている。

「――ご当人は」

と、須藤さんは住持について語った。

「なんのために禅に入ったかわからない、とおっしゃっています」

早く修行にもどりたい、といったふうにこぼされているそうである。

出世ということばはもとは仏教語で、諸仏が衆を済度するために仮に世間に出現することをいう。

転じて、室町時代、僧侶用語になった。

とくに禅宗僧侶のあいだの〝方言〟だったらしく、『広辞苑』にも、「禅宗で、寺院の住持となること、高位の寺に転住すること、黄衣・紫衣を賜ること、和尚の位階を受けることなどをいう」とある。

このことばが世間に流出して、栄達の意味につかうようになった。

承天寺に住されるひとは、本来、在家だったそうである。

須藤さんのいうところでは、信州にうまれ、慶応義塾大学の経済学部に学び、発心して僧になり、建仁寺で修行しつづけた、という。

要するに僧になった目的が〝出世〟ではなく、求道にあった。

〝出世〟ならば俗世間でもかなえられることで、大寺に〝出世〟するなど、なにをしていることか、と自問されることがしばしばだという。

「求道は、そんなに楽しいものだそうですね」

須藤さんが、いった。

が、須藤さんが傾倒するひとは承天寺の大修復という難事業をみごとに仕遂げられたのである。私は控えの間で障子のむこうの坪庭をながめつつ、安禅は必ずしも山水を須《もと》めないというじゃありませんか、といった。

「光明、風塵ノ中、ということばもあります」

と、あやしげながらいうと、綿密な須藤さんは、メモをとりつつ、それはだれのことばです、と問うた。わすれました、と私は答えた。


本堂に、修復の完成を祝う信徒のひとたちが集まっておられて、前列には京の建仁寺や近江の永源寺の長老たちもすわっておられた。

話をしろというので、私は、臨済禅に対して、おねだりをしてみた。

愛ということが、臨済の空観の体系のなかに入らないものか、ということである。

仏教における愛はラブあるいはエロスという意味で、煩悩の仲間である。私も、そのことに異存はない。

が、キリスト教における神の愛、あるいは神への愛、もしくはプラトンにおける愛というようなものを禅がその体系のなかにとり入れれば、自らのみか、臨済禅は世界を救うことにならないか、ということをのべた。私は、仏教の本質は光明だとおもっている。臨済における空も無も限りない光明である。覚者ひとりの悟りではない。

その上に、西洋思想における愛という触媒が加われば、われわれ凡夫にどれだけありがたいことでしょう、といったようなことをのべた。仏教にはすでに捨というすさまじい愛への行があるではありませんか、ともいった。
承天寺の山内には、そんなことをねだらせてしまうようなたかだかとしたものがあったような気がする。

（「中外日報」一九九一年十月二十五日付）

以下、無用のことながら

すこし浅薄な言いかたでいうと、いま、江戸時代がナウいらしい。

杉浦日向子さんというすぐれた才能のひとが、憑かれたように江戸時代の人情や情緒を、動く浮世絵といったあたらしい分野を創造して展開しているのもそうである。もっとも、これは流行というようなものではなく〝文明〟の再構築という感じさえする。

江戸時代は文明であったといったのは、少年時代を英国で送った故吉田健一氏だった。

たとえば江戸時代展という重厚な展覧会が企画されるとすれば、世界じゅうを圧倒するにちがいない。〝文明開化〟のはずの明治は、とても明治展として世界のひとびとに見てもらえる内容をもつことができない。

江戸時代の華やぎは、美術工芸と文学、歌舞伎に相撲といったように、大衆――つまり貨幣経済――が成立させたものである。相撲がいい例といえる。格闘技などどの民族ももっているのだが、それをスポーツとしてルールをつくり、劇的に構成し、見物に堪えるものに仕立てあげたのは貴族ではなく、木戸銭を払う大衆だったのである。こういう現象はアジアの他の国にはない。

一事が万事、江戸時代の華は、はげしく還流する貨幣でなりたっていた。当然ながら諸式の市《いち》が立った大坂が中心だった。

田辺聖子氏の『花の西鶴　浪花風流《ぶり》』を拝見していて、なるほど江戸文明の華としては遊里がその尤《ゆう》たるものだったということをあらためておもった。

江戸時代には、公許の廓があった。

江戸では吉原、大坂では新町《しんまち》（九軒町ともいう）だった。（ついでながら、京は島原、長崎は丸山）。

建物や座敷のよさとなると、新町が日本一だったらしい。それに、遊ばせることのうまさや客の遊び上手ぶりも、――それこそ都市というものだが――大坂の新町が随一だったそうである。

この四都の色町の比較を、江戸時代のひとびとは好んだ。

京の女郎に江戸の張《はり》を持たせ、大坂の揚屋《あげや》で会はば、此上《このうへ》何かあるべし。

また、

長崎の寝道具にて、京の上臈《じょうろう》に、江戸の張りを持たせ、大坂の九軒町にて遊びたし。

あるいは

京島原の女郎に、江戸吉原の張りをもたせ、長崎丸山の衣裳（装）を着せて、大坂新町の揚屋にてあそびたし。


などと、みな似たようなことをいっている。

どうもそれでみると、美人は京らしい。

ただいかに美人でも薄ボンヤリしたのはこまる。

江戸風の張りというスパイスがきくと、性的魅力が出てくる。唐突だが、スカーレット・オハラがおっとりした京美人では『風と共に去りぬ』という小説も映画も成立しないだろう。

衣装が長崎というのは、江戸期、ここが唯一の貿易港だったという背景による。上質の呉服（呉とはいまの蘇州のこと）がここに入ってくるのである。蘇州は絹織物や錦の産地で、その荷揚げ場である長崎の丸山では、遊女たちが、当然そういう唐物《とうぶつ》を惜しげもなく日本服に仕立てて着る。寝具まで唐物である。

それが、丸山の自慢であった。

「大坂の新町（九軒町）で遊びたし」

ということこそ、わが大坂の華やぎだったのである。

いい棟梁は江戸にもいたが、好みのいい建物や室内構造をつくるとなると、大坂が冴えていた。客もまた見巧者な人が多い。長崎の唐《から》好みの部屋（いまも丸山花月《かげつ》にある）はすこし胃にもたれるし、また江戸風の、どこか権現《ごんげん》づくりじみた装飾過剰なのもかえって田舎くさいのである。そういった感覚の総和が大坂ふうの品のいい（いまとなればウソのようだが）建物をつくっていた。

それと、芸者・末社《まつしゃ》さらには仲居といった補助者が大坂はいい（ついでながら、江戸時代の廓では、芸者は芸だけをする者だった）。

右の言いまわしの限りでは、大坂の花魁《おいらん》（太夫）は、残念ながら美貌において京にゆずるらしい。また性的魅力において江戸に劣るという。さらには衣装においてさえ長崎の綺《き》羅《ら》にかなわないというのだが、彼女一個をとりまくおおぜいの脇役においては圧倒的に大坂がまさっていたということなのである。

ついでながら、この脇役たちが、のちにそれぞれ独立の職能をうちたてて、その後の芸者になる。あるいは上方落語のにない手になってゆく。さらには機転のきく仲居たちについては、当時もいまも、さまざまな大坂の商売往来における象徴的な存在なのである。

しかし、京の下《しも》ぶくれ美人とお侠《きゃん》な江戸美人が、いかに長崎の錦にくるまっていようとも、雑な造作《ぞうさく》の中ですわっていては、かえってうすら寒い。

そうなると、大坂はちがう。

つまり、大坂の遊びは、客と花魁というだけの二人芝居ではなく、客と花魁を主役にして、たくさんのバイ・プレイヤーがとりまく演劇のようなものであったらしい。

そのことは、田辺聖子さんの芝居で察せられたい。

（「第四回上方花舞台」パンフレット一九八七年五月十五日上方文化芸能協会刊）

断章八つ

牧渓

私は昭和二十四年の夏、大徳寺で牧渓《もっけい》の小品を見せてもらった。

「西洋の水彩画に似ていますね」

と、言って、憫笑された。

牧渓は、南宋末の禅僧である。蜀（四川省）のうまれで、西湖のほとりで一力寺のあるじになったというが、生没のとしも不明である。理宗皇帝の権臣賈似道《かじどう》の悪政を非難したかどで寺を逐われ、元になって罪をゆるされた。以後、漂泊し、江南の一士大夫の家で寂《じゃく》した。

水墨画をよくし、とくに浙江省の地《じ》の絵画ともいうべき潑墨《はつぼく》画を描いた。線を用いず、墨の濃淡という色面だけで描くという法である。この点にかぎっては、西洋の画法と似ている。

伝統無視の画法だった。当然ながら、唐以来の正統派の絵画からみれば「古法無し」ということで軽んぜられ、牧渓その人の名も、中国絵画史には登場しない。

が、日本の室町期にはもっとも珍重された。

ついには室町の大名にして牧渓を持たない者は大名でないといわれるほどに流行し、このため、私貿易船も官貿易船も、浙江省寧波《ニンボー》（明州）の港につくと、あらそって牧渓の作品をもとめた。

作品にかぎりがあるために、寧波ではさかんに偽作がおこなわれたらしい。

室町というのは、一種の教養時代であった。倭寇でさえ買いもとめる品物の筆頭は、書画だった。書画ならば帰国して、右から左に賣れたのである。

堺

室町の堺はよく知られているように、貿易港であり、あたかもヨーロッパの十三、四世紀自由都市のように、領主の支配を排し、みずからの力で自衛し、自治によって成立していた。

堺が京の大徳寺と結んだのは、應仁ノ乱ののち、一休宗純からだといわれる。

大徳寺は五山の一つといわれながら、歴世、将軍の庇護をたよらず、林下《りんか》の禅をかかげ、いわば在野の禅を守ってきたあたり、堺の独立自尊の気分と相通ずるものがあったらしい。

一休以後、堺の富商たちは、総力をあげてこの大寺《おおでら》を外護《げご》してきた。

堺の富商にあっては、大徳寺で禅を学ぶことが、教養形式の型のようになっていた。

かれらは年少のころ大徳寺禅を学び、やがて法諱《ほうき》として〝宗〟の一字をもらう。学士号とおもえばいい。たとえば、堺で納屋《なや》貸しを営んでいた千家の与四郎——利休のことである——が、二十三歳で茶会を催したとき、すでに「宗易《そうえき》」を称していた。おそらく大徳寺の堺における別院ともいうべき南宗寺《なんしゅうじ》で学び、そこでもらったものに相違ない。

界の茶道が、禅（とくに在野としての林下の禅）の一表現であったことに疑いを挟みにくい。

一面、界の茶は、絵画や器物に対する芸術観賞の行《ぎょう》ともいうべきものであった。当時、芸術ということばはなかったが、芸術を手でつくる側よりも、観て評価し、かつ味わう側が、芸術であるようだった。

たとえば、朝鮮の農民のめし茶碗が、茶道という磁場に置かれ、するどい選択をへて一国にも代えがたい名物《めいぶつ》になる。はるかな異国の山村の窯でそれを焼いた張三李四《ちょうさんりし》の工人は創作者とされず、それを見て、激発するように無作為の天地を感じた側が、創造の栄誉をになう。このような芸術形態は、他にない。

「交趾《こうち》」

と当時の茶道でいう海外の一域は、現在のベトナムのサイゴン付近とされていた。

この地から、ここから、黄のあざやかな、さらには緑や紫を加えた交趾釉《こうちゆう》の香合が、堺にもたらされる。

それを、茶室で用いることによって、席のひとびとは背景に遠い海濤を感じ、異文化に想像をひろげる。そのような想像が加味されてこそ、堺の茶だったのである。

ついでながら、日本で「交趾」とおもわれていたこの軟い陶土のやきものは、じつは南中国で焼かれていたらしいのだが、当時はそんな区々とした異同は、どうでもよかった。

当時、世界史のなかの、大航海時代のまっただなかにあった。その東のけしの受けとめ手として、堺に住む華麗な想像力のもちぬしたちがいたことを思わねば、当時の茶がわかりにくい。その波濤を四畳半に閉じこめたればこそ、想像されるものが大きかったのである。

信長

室町のころ、将軍や公家《くげ》や、守護、あるいは門跡《もんぜき》にとって身分にふさわしい光沢というのは、『源氏』や『新古今』などの古典に通じていることだった。

室町体制がくずれて地方々々に出来星《できぼし》の大名が出はじめると、かれらも教養という装飾を身につけるべく都から連歌師《れんがし》をまねいた。宗祇《そうぎ》や宗長のたぐいであった。ただし、尾張の信長にはその方面の素養も趣味もなかった。

しかし、信長が卓越した造形美術の理解者だったことにおどろかざるをえない。

たとえば狩野永徳を発見し、鼓舞したのも、かれであった。永徳は障壁などに松一つを長さ何丈に展開し、また人物も高さ三、四尺ほどにも描き、金箔・群青《ぐんじょう》を多用して、絵画史上先例のない豪宕《ごうとう》な作品空間をつくりあげた。

そういう永徳をつき動かしたのは、信長がつくった安土風という時代の気分であった。信長が、歌学を無視し、新興の茶に目をつけたのも、この気分のあらわれである。

その年譜における永禄十一年（一五六八）という年が印象的である。

かれはこの年の秋、摂津（いまの大阪府）に侵入し、いまの高槻市の芥川《あくたがわ》にあった三好氏の城を落とした。

その芥川での陣中、信長の将来を買った堺の代表的な富商今井宗久が訪ねてきて、名物「松島」の茶壺と「紹鷗茄子《じょうおうなす》」を贈った。また近畿の旧勢力の松永久秀も、茶入「九十九髪《つくもがみ》」を献上した。それまで、信長は茶など、ろくに知らなかったのではないか。

「九十九髪」は足利三代将軍義満が所持したものといわれ、その後、足利義政の手に落ちた。さらに、転じて山名政豊のもとにゆき、三好宗三も持っていたことがあり、宗三をへて松永久秀のものになった。いわば、権勢の象徴のようなものであった。

「茶トハ、カカルモノカ」

と、信長はおもったにちがいない。

一見、らちもない道具が、権力者によって愛惜されることによって天下の名物になるのである。この風を増幅すれば、歌学などよりはるかに権力の装飾物もしくは呪具にちかいものになるのではないか。むろん、堺の〝林下の禅〟という見方からすれば、不埒《ふらち》にはちがいないが。

が、信長自身、自分が美的に不埒を展開する以上、あらたな道になるという自負があったろう。

かれはさっそく専門の奉行を置き、堺の商人などの手から〝名物狩り〟をはじめた。この〝名物狩り〟の智恵は堺商人の今井宗久が入れたものにちがいなく、そのあと、にわかに信長と密着した。かたわら、宗久は織田軍の鉄砲と火薬の調達を請負った。巨利を得たはずである。

許し

信長は、切支丹《きりしたん》の典礼《ミサ》を主宰するのが司祭という有資格者であるように、わけもわからぬ家臣たちがみだりに茶の湯を催すことを禁じた。

かれが、羽柴秀吉にはじめてそのことをゆるすのは天正四年（一五七六）である。秀吉が安土城工事の作事奉行をつとめた労をねぎらってのことで、しるしとして牧渓の「月の絵」を与えた。

秀吉はそれから二年後の天正六年、播州攻めの最中に陣中で茶会を催した。むろん拝領の「月の絵」をかかげてのことである。

この茶会は、秀吉にとって風流というより、栄達という俗世の喜びであったにちがいない。

秀吉の幸運はつづく。その二年後、播州の平定がおわると、戦功のほうびとして信長から八種の名物を拝領したのである。信長にとって限りある領地を与えるよりも、茶道具をあたえることで、人心を攬《と》ることができた。かれは茶に〝俗世〟というあたらしい価値をつけくわえた。

利休

宗易《そうえき》（利休）は信長の茶においては、今井宗久、津田宗及といった堺衆の代表的存在よりも、わずかに遅れて登場した印象がある。

天正二年（一五七四）、右の二人とともに信長に招かれて京の相国寺の茶席に列した。

さらにその年、信長が源頼朝以来の天下人《てんかびと》の慣例として、勅許を得て奈良正倉院の名香蘭奢待《らんじゃたい》を切ったとき、宗易は右の二人とともにお裾分けにあずかった。その翌天正三年、信長の茶頭になった。

茶頭になったのは、秀吉が茶の湯を許される前年のことで、茶を介しての信長との関係においては宗易は秀吉の先輩になる。

居士

要するに信長政権にあっては、茶の位置が権力の中枢にあって、生命の循環器的な機能をもっている点、本来の茶の心からいえば異様なほどである。

秀吉は信長の政権を武力で継承した。相續するにあたって、宗易という茶頭をも〝相續〟した。信長政権の正当な継承者であるあかしの一つとして、宗易が存在した。

茶についての秀吉の企ての奇抜さは、茶という公家《くげ》にとって新興のものを、ともあろうに宮中にもちこみ、文化としていわば正統性をもたせようとしたことである。天正十三年（一五八五）秋、小御所《こごしょ》における茶会がそれであった。「其例ナシ」（宇野主水日記）といわれた。

このとき、正親町《おおぎまち》天皇に対し、秀吉はみずから茶をたて、宗易が後見した。

この禁中茶会を催すにあたって秀吉は宗易に参内《さんだい》の資格がないため仏道の者ということにした。

仏道の者ならば、方外《ほうがい》、つまり俗世の位階の外にある。

宗易の場合、入念なことに、あらかじめ勅命によって「利休居士《こじ》」という名と呼称があたえられた。居士とは学徳のある在家の者が、在家のまま仏道を修して相当な域に達した場合、敬してよぶ場合つかわれる。

居士号も利休という名もともに勅賜されたことは、破格異例なことであった。このことは、豊臣家における利休の自負のつよさと無縁ではなかったろう。

わび茶

信長も、秀吉も、華麗な道具茶であった。

利休の素足は、つねに白刃を踏んでいたとしかおもえない。一面において道具の鑑定者であり、天下の審美者でありつつ、一面において「わび」のほかに茶はないという祖仏《そぶつ》共に殺すような林下の禅が息づいているのである。この矛盾にながく耐えられる者がいるはずがない。

利休は気をゆるめれば足の裏を二つに裂くようなきわどさのなかで日日をすごしたはずである。六十一歳で豊臣政権の茶頭になり、六十九歳で秀吉によって追放された。やがて賜死し、その木像は磔刑《たくけい》に処せられた。辞世の偈《げ》に、禅家の、虚空がある。この偈一つで、秀吉を圧倒している。

（山崎正和「獅子を飼う――利休と秀吉」公演パンフレット一九九二年三月十八日刊）

浄　土――日本的思想の鍵

◉歎異抄とドイツ哲学◉

かつて「中央公論」で「近代日本を創った百人」を選んだ時、宗教の分野の委員にということで出席しました。

明治後の宗教の分野の第一人者は、清沢満之《きよざわまんし》（一八六三〜一九〇三）でなければならないと言いますと、同席の方は知らなかったり、さほどの関心を示さなかったりというぐあいでした。

幸いにも入れてはいただきました。しかし、南無阿彌陀仏とか、浄土真宗というのはそれだけで、清沢満之という名前を知らなくても、日本における知的世界は構築できるものですから、その場の皆さんがあまりご存じなかったのは当然だと思います。

ところが、その後、清沢満之は『日本の名著』（中央公論社）のなかに入れられる名誉をもちました。ただし鈴木大拙（一八七〇〜一九六六）と二人で一冊でした。清沢満之の教学の解説は亡くなった法然院の橋本峰雄さん（一九二四〜八四）が書かれました。

これは当を得た執筆者でした。橋本さんは野田又夫さん（一九一〇〜）の弟子で、純粋哲学を学び、神戸大学で哲学を講義し、同時に法然院の住職、浄土門の僧でもあった方です。こういう立場でないと書けませんし、非常にいい人を得たと思いましたが、それでもそのシリーズのなかではいちばん売れなかったんじゃないでしょうか。

しかし、清沢満之がいなければ、亀井勝一郎（一九〇七〜六六）など、昭和初年の転向左翼が親鸞の徒になるという現象もありえなかったのです。ついでながら昭和初年の思想犯がその実家にたのんで差し入れてもらう本のなかに、圧倒的に『歎異抄』が多かったといわれています。本来、思想というのは酒精分が入らないと思想にならないように思います。思想に一度酩酊した者が他の思想をもとめるとき、無酒精ではどうにもなりません。その意味において『歎異抄』は酒精度の高い思想書でした。

『歎異抄』は、当時もう岩波の文庫本がでていたかもしれませんが、清沢満之が明治の初年にいなければそのような教養書になることもなかったはずです。

清沢満之は明治初年、浄土真宗の思想を近代思想の立場からブラッシュ・アップした人ですが、『歎異抄』の再発見者でもありました。清沢満之がいなければ、民芸運動の柳宗悦（一八八九〜一九六一）も浄土真宗をもってその美学にするということはなかったと思います。

また津軽には、浄土真宗はほとんど見られませんが、棟方志功（一九〇三〜七五）のように津軽の人で、柳宗悦を通して浄土真宗の思想的な信者になったという場合もあります。棟方は、自分の絵は、北陸の熱心な門徒のおばあさんが、片方では嫁いじめをしていながら、お寺にきて法話を聞くときには、溶けるようにして「南無阿彌陀仏、南無阿彌陀仏……」と言っているような絵だ、とみずから言っています。たしかに棟方さんの芸術というのは、浄土教のなかでも、もっともきつい〝お他力さん〟の臭いがあります。

浄土真宗の坊さん用語で熱心な信者のことを「お他力さん」と言います。他力というのは阿彌陀如来のことで、世間でよくいう他力本願のことではありません。しょっちゅう新聞に、大臣などが「他力本願はいけません」という度に、本願寺が抗議を申し込んでいますが、実は他力というのは大文字のゴッドのことで、つまり阿彌陀如来のことです。浄土教では唯一神で、他に神仏を認めませんから、それを他力といい、明治後は絶対他力といったりします。しかし坊さんは〝お他力さん〟を自分の商売の飯の種だけれども、あまり熱心すぎる信者はやっぱりものういのか、ちょっとからかい気味に〝お他力さん〟という場合もあります。

これは、上等な言葉で言いますと、鈴木大拙の言う〝妙好人〟です。鈴木大拙は加賀旧藩領の出身ですが、その一望の野に加賀門徒がみちみちていて、室町以来の浄土真宗の金城湯池の地帯でした。

鈴木大拙とか、彼の友人西田幾多郎（一八七〇〜一九四五）などが出る風土は、浄土真宗によってつくられたわけです。

大拙は禅宗のほうにいくことになったのですが、彼が生いたった風土は浄土真宗にあったために、禅と浄土真宗を交差させたわけで、そこに鈴木大拙の思想のいちばんの面白さがあると思います。その交差した接点が「妙好人」です。つまり、棟方志功が言う、溶けていくようなおばあさん、それは禅の悟りを開いた覚者と変わらないというのが、大拙の展開した日本仏教だと思うんです。

私は、清沢満之の弟子だった暁烏敏《あけがらすはや》（一八七七〜一九五四）という人に戦後会うことができました。よほどの高齢でありました。

「西田幾多郎さんを介して、大拙さんは清沢満之の思想をよく理解していた」

といわれました。

清沢満之は明治の初年に尾張の貧しい足軽の家に生まれたため、秀才ですが、大学に行く金がありませんでした。しかし、僧侶の家ではなく、単に浄土真宗の門徒でしかなかったのにもかかわらず、東本願寺が学資を出して東大に入学させました。そのときに純粋哲学、ドイツ哲学を学んだのです。

彼は、東本願寺という紐さえついていなければ、時期的に見ても、日本におけるドイツ哲学研究の元祖になったことは間違いありません。ところが紐がついていたので、僧侶にならざるをえず、卒業してはじめて本願寺という、思いもよらなかった世界に入りました。違和感こそかれの出発の最初のイメージでした。現実の本願寺が持っている浄土教が、自分が在家として勝手につくりあげてきた浄土信仰や、またドイツ哲学的な思弁性にうまく合わないのです。それよりも親鸞（一一七三～一二六二）を読むと、いきなり合ってしまう。つまりドイツ哲学を経た自分といきなり合ってしまうことを知ったのです。

親鸞というのは、『教行信証《きょうぎょうしんしょう》』という一種の聖典を書きました。論理をととのえたかれにとっていわば正統な教義の書で、本願寺もこれを表看板にしてきました。『教行信証』とは違い、親鸞が関東からやってきた唯円《ゆいえん》という人に気楽に語った速記録がべつにあります。その唯円が文章化したものです。それが『歎異抄』なのです。

これは教団のバイブルには非常になりにくいものです。十五世紀、本願寺教団をこんにちあるように創りあげた蓮如（本願寺八世・一四一五〜九九）は、「これは、みだりにひとに見せてはいかん」と、いわば秘密の書にしました。蓮如は親鸞を教祖にしたのですが、『歎異抄』をみると、親鸞は教祖になるような人ではありません。かれは大むこうを意識して思想展開をした人ではなく、あまりにも個人にこだわりつづけた思想家だったのです。「念仏は他人のためにあるのではない。親鸞一人のためにある」などというくだりは、じつにはげしいものです。親鸞自身、一人の弟子も持ち候わずと言って、教団をも否定してしまっているのです。

このなかで唯円が「南無阿彌陀仏を唱えまいらせると極楽に行けますか」と聞くと、「極楽に行けるかどうか、自分にはわからない。ただ自分はいい人だと思っていた法然からそう聞いた。法然という人がいい人だから、私は信じているんだ」と答えています。

これは信仰とはなんぞやということの基本だと思います。

そして、親鸞は、法然（一一三三〜一二一二）の前に誰それ、誰それがいると、浄土教の系譜を言い、そして最後に釈迦を設けて（釈迦は浄土教ではありませんが）、それがもしそうじゃないとしたら、私を彼等は騙したことになる。彼等が騙すはずがないから、信ずるのだ、というレトリックを用いて、断定はしませんが、極楽に行けるんだろうと思う、と言っています。

また、同じ『歎異抄』で、唯円が、お念仏を唱えまいらせると、非常に阿彌陀如来の本願というものがよくわかって、こおどりしたくなるという話を聞きましたが、自分は実を言うと、どうもそんなふうにはならないんです、それはどうしたことでしょうかと、親鸞に聞いています。親鸞は、唯円坊もそうか、実は自分も、ちっとも嬉しくならないんだ。阿彌陀如来というものは、こっちが逃げて逃げて逃げても追っかけてきて救って下さる。それが阿彌陀如来の本願だときいている。その場合、人間というのは嬉しさのあまり歓喜踊躍（これを坊主読みすると、カンギユヤク）するということも聞いているけれども、おかしいことに自分は、この歳になっても、お浄土に行くということが、そんなに嬉しいとは思えないんだ、そのように言っています。

こういう本では教団のバイブルにならないので、信徒には見せるなと、秘密の本にしていてさきにのべたように『歎異抄』は本願寺にとっては内緒の本だったのですが、明治になり、清沢満之がそれを読み、すごい本だと、ヘーゲルと結びつけていったわけです。もっとも晩年は、ヘーゲルよりもソクラテスに近づきました。ソクラテスが死の問題をあつかっていたからです。終始、親鸞とはなにかということが、清沢の基調主題でした。清沢の生涯は四十年しかなく、その間、いきなり信に入るような〝お他力さん〟の時代はなく、あくまでも哲学的に親鸞に近づこうとしたものです。それでは信仰に対して近似値を得るだけというおそれがあるのですが、清沢は初期イエズス会士のように倫理的な厳粛主義をとり、自虐的なほどに禁欲的でしたから、宗教の中に自分を浸《つ》けようとはしていました。死の五年前に清沢に回心の現象がおこるのです。その回心の契機が、仏教書でなく、ローマのストア学派の哲学者エピクテトスの『語録』だったことが清沢らしいと思います。人間はすべて神の子であるという博愛主義、人間には神の一部をなす理性があたえられているから神の支配に参加適合することができるというエピクテトスの思想は、神を阿彌陀如来に変えるだけで、親鸞とつながるものになります。

清沢がそのような作業をへたために、大正・昭和の知識人にとって『歎異抄』が身近な本になったのです。むろん暁烏敏のような大インテリも、鈴木大拙もそう思い、そして岩波文庫の発行後ほどなく『歎異抄』が加えられ、その後、昭和初年の左翼運動から転向した人々をも救ったのです。その意味で、清沢満之というのは大きい存在でした。

◉浄土真宗の風土◉

浄土教のなかでも親鸞の浄土真宗の自覚的なお坊さんは、靖国神社には参らないし、お稲荷さんにもむろん参りません。それはつまり浄土教は多神教じゃないからです。いまはお盆をやりますが、お盆は一種の迷信ですから、それも浄土真宗けやりませんでした。江戸時代は、他の宗派の信徒達、普通の檀家の百姓達がそれを見て、「門徒もの知らず」と言ったのです。

しかし私は門徒というものは、一つの生活の規範を持っていた。他の宗旨にはなかったが、日本仏教のなかで、門徒だけは文明の一条件ともいうべき「生活の規範」を持っていたと考えています。

私の友達で、もう亡くなりましたが、サラリーマンの税金訴訟で有名だった大島正（一九一八〜八四）という同志社のスペイン文学の教授は、かれは福井県の出身で北陸門徒です。この人から、そんなことが近代日本の一隅にあったのかという、戦前の話を聞いたことがあります。

大島さんは兵隊に取られずにすみましたが、彼の福井中学の同級生の多くが兵隊に取られました。その友達から聞いたらしいのですが、華南の戦場で、さあ突撃だということになったら、軍曹以下が、南無阿彌陀仏、南無阿彌陀仏と唱えて行くんだそうです。

日本陸軍はどの部隊もステロタイプの文化をもっていて、どの部隊も同質の規律の中にありました。ですからそんな話を聞いたことがなかったんです。おまえのとこは、不気味などこなんだなあと言うと、それは唱えるべきものなんだというのです。

越前では、出征兵士を、駅頭へみなで送りにくる。そのときも母親が必ず窓を叩いて、息子が太郎なら「太郎、お念仏を忘れるなっ」と叫んだそうです。日本の他の地方から聞くと、異様な感じがするかもしれませんが、これは当時普通だったというのです。

大島さんの年齢はいま元気なら六十八、九ですが、そのぐらいの年齢の人で、そういう越前門徒ぶりというのは絶えたのではないでしょうか。

また安田章生《あやお》（一九一七〜七九）という歌人、彼も私の古い友達でこれも亡くなりましたが、歌人としても、国文学者としても藤原定家（一一六二〜一二四一）の研究でたいへん意味のある一生を送った人です。彼は播州門徒の家に生まれ、いま生きてたらやはり六十七、八だと思います。中学生のときに彼がハエをバンと叩いたら、おじいさんが、そんな殺生をしたらだめだといったそうです。

門徒には規範があったというのはこれで、門徒はもの知らずだけど、殺生はしないのです。

またあるとき、安田家にハエ取り紙がぶら下がっていて、ハエがいくらでもくっついているんで、あれはどうなるんだと、おじいさんに聞いたら、あれはハエから寄ってきたんだからしようがないんだ……。

つまり、いずれにしても、積極的に殺生するなということですが、しかし、殺生すると罰が当たるという意味ではないのです。門徒には仏罰というような迷信はありませんから、阿彌陀如来が本願を立てて、せっかく悪人といえども、残らずお浄土に連れていってくださる、それに感謝する意味を込めて、生きものを殺さないんだということなのです。

そのくせ一見矛盾しているかのようですが、浄土真宗の僧侶は、親鸞以来、肉食妻帯を（肉食というのは魚を食べることですが）原則としてきました。

近江は非常に浄土真宗の盛んなところで、だいたい檀家が五十戸ぐらいで、息子を大学にやるぐらいの経済力をもっている寺が多かったようです。浄土真宗の場合、お寺の息子で、お寺を継ぐ人を、江戸時代にも京都に大学相当のものがありましたから、檀家が金を出して留学させました。貧しい百姓が、年貢を払ったうえに、一カ寺を維持して、さらにその寺の息子を大学まで出していたのです。

そういう世界からいい例をあげると、外村繁さん（一九〇二～六一）という作家がいました。この人のは、私小説ですけれども、まさに浄土真宗的小説です。

外村さんはお寺の子ではなくて門徒の子です。奥さんとの間のエロチシズムを書いていますが、やはり浄土真宗の文章です。つまり煩悩を大肯定しているわけです。

また、滋賀県ではありませんが、三重県の寺の出身の丹羽文雄さん（一九〇四～）の初期の作品、とくに母親のことを書いた作品は人間の煩悩というものを書いており、やはり浄土真宗のなかから出た文学だろうと思います。

空海（七七四〜八三五）も、煩悩は肯定していますが、煩悩を軸にして即身成仏するというのが、空海のセオリーでした。しかし親鸞はちょっとちがっていて、どうしようもなく煩悩があるから人間だという、普通人間認識から出発しています。

新幹線でも、東海道在来線でも、滋賀県を通ります。田園の広がる近江平野を眺めていると、大きな屋根のお寺を一カ寺囲んで家々があるのが目につくはずです。あれが、滋賀県の景色で、同時に浄土真宗の景色です。

その浄土真宗のお寺は、他宗の寺と違い、いっぺんにわかります。中世の一向一揆のさなかに出来てゆくかたちなのですが、要するに砦なんです。屋根を大きくしてあれば、戦争のときに、城を焼くための火箭が飛ばされても、屋根に落ちますから、瓦は燃えない。ですから、屋根の部分、上部構造を非常に大きくしているわけです。

これに似た屋根は、想像図にある安土城の天守閣の屋根、黒田屏風にある大阪城の天守閣最上階の屋根で、私はひょっとすると、このかたちは室町時代に蓮如が発明したものではないかと空想したりします。

ともかくも、戦国のころ浄土真宗は寺々が砦でした。ですから浄土真宗のお寺は、遠目にもひとめでわかります。近江商人の発祥の地のひとつ、五個荘町、さき程の外村さんの生地も非常に熱心な真宗門徒が多く、そういう浄土真宗の一カ寺を囲んだ景色のあるところです。

なぜ中世の浄土真宗が、そのように布教に熱心だったかと言いますと、領地がなかったのです。

おなじ浄土教でも浄土宗と浄土真宗が際立って違っていたのは、浄土宗には領地があり、どんな寺でも小さな田圃か山林を持っていることでした。つまり浄土宗は農地地主として寺を維持していました。

というのは、家康は江戸を開府すると、権威のために、東叡山寛永寺を建てます。これは、幕府は京都の天皇家に対抗する存在であるべきで、しかも江戸を新しい首都にするためには、日本仏教のオーソリティである天台宗の叡山が必要であったということです。一方、自分の宗旨の浄土宗を大事にして、天台宗と同格にし、増上寺を造り、これを将軍家の二大菩提寺にしたのです。

ところが、一方の浄土真宗というものは、そんなものはなかったわけですから、信徒をもって田圃にする。そのことを古くからある仏教用語で福田（フクデン）と言いました。

私のところも信徒でしたから、私の戸籍名福田（フクダ）は、フクデンからきているわけです。播州の亀山の本徳寺というところの門徒であったことを喜びにして、福田という姓にしたそうです。はじめ戦国時代は三木という姓だったんですが、江戸期には福田ということにして、明治以後、お上に届け出たそうです。要するに門徒だということを喜んでいるという変な姓です。

◉非僧非俗の正統性◉

本願寺の僧侶は発祥のころは正規の僧侶ではありませんでした。つまり、本来の意味で正規の僧侶であるということは、奈良時代、平安時代の基準で言いますと、厳密な僧侶は、東大寺か叡山かで戒を受けなければいけないのです。例えば、西行は勝手に坊さんになっているだけですから僧侶じゃないのです。戒を受けるのは高等文官試験みたいなもので難しいものでした。

ですから奈良朝の日本では鑑真和上が持ってきた戒というものを基準として官僧の試験をおこない、それに合格してはじめて一ヵ寺の主になる資格をあたえました。それでも一ヵ寺の主は、奈良朝、平安朝のころは国家から食い扶持をもらいます。さらには僧位僧階を持つことになります。

一説に、東北地方、白河以北に正規の僧侶が行ったのは、元禄時代だと言います。それには異論があると思いますが、だいたいが東北の仏教というのは、羽黒山あたりの修験者が支えていたんです。伊達政宗が生まれるときに、伊達政宗は、いまの山形県の土着の貴族ですから、安産の祈願とか、いろいろご祈禱を頼みますと羽黒山の修験者のような人が来ます。正規の坊さんではないのです。羽黒山の修験者は民間宗教なものですから、正規の僧侶ではありません。その正規の僧侶でない人を、敬称を付けて、どう呼ぶのかと言うと、「上人《しょうにん》」と呼ぶのです。

いまは、日本語が紊乱しまして、上人と言うと、偉い人のようにきこえますが、上人というのは資格を持たない僧への敬称であって、たとえば空海上人とは言いませんし、最澄上人とは言いません。最澄（七六七〜八二二）も空海も有資格者だからで、無資格者に対してはたとえば親鸞上人というふうに敬称します。ただ親鸞の場合は、ときに聖人《しょうにん》と書きます。聖と言うのは乞食坊主のことです。

聖と賤は紙の表裏だとよく言いますが、聖というのは、普通、中世の言葉では、正規の僧の資格を持たない、乞食坊主のことをいいました。だから尊くもありました。

親鸞の師匠の法然の場合は、ちょっと微妙です。法然は正規の戒を受けて、正規の叡山の僧侶であったにもかかわらず、それを捨て、黒谷の里に下りて来て、大衆に説法したということで、当時、評判だったのです。

だから、当時の人は「知恵第一の法然坊」とよく言いました。それは要するに高文を通った人が、そのへんで乞食しているという意味です。その驚きと尊敬を込めて、法然に対しては上人と言います。

以下はたいへん文化人類学的な、あるいは民族学的な話ですが、仏教の葬式は、なんといってもお坊さんが出て来なければ形がつかないように見えますが、お葬式屋が主です。お坊さんは葬式屋に連れて来られます。代々の東京の人はお寺がありますが、はじめて東京に来て肉親を亡くした人が、お葬式屋を頼むと、宗旨はなんですかとか聞かれて、その宗旨のお坊さんが適当に連れて来られたりします。

そのお葬式屋は坊さんに対して、形の上では尊敬していますが、呼びかたが、お上人なのです。私は、東京で普通の町寺の坊さんを中世の言葉、お上人様と呼んでいる例を知って、びっくりしたことがあります。

これはどういうことかといいますと、日本の仏教は正規の坊さんが、葬式の主役であったことは本来ないんです。だいたい仏教に、葬式というものはありません。お釈迦さんが、葬式の世話をしたり、お釈迦さんの偉い弟子達が、葬式のお経を読んだという話も聞いたことがありません。またずっと下がって日本仏教の、最初の礎であった叡山の僧侶が、関白が死んだからといって、お葬式するために出かけて行ったということもありません。

いまでも奈良朝に起こった宗旨は、お葬式をしません。たとえば奈良の東大寺の管長が死のうが、僧侶が死のうが、東大寺のなかでお経をあげません。そのための坊さんが奈良の下町にいて、それを呼んで来て、お経をあげさせる。それはお上人ですから東大寺の仲間には入れていません。

葬式をする坊さんというのは、非僧非俗の人、さっきのお上人・お聖人でした。つまり親鸞のような人です。また叡山を捨てた後の法然も、そういう立場の人だったわけです。つまり非僧非俗、つまりお医者で言えば、無資格で診療しているようなものです。さきほどの東北の羽黒山の修験者も浄土真宗と関係ありませんが、非僧非俗では同じといえます。

だから日本仏教には、表通りには正規の僧侶がいて、裏通りには非僧非俗がいて——つまり官立の僧と私立の僧がいて——どっち側が日本仏教かということも、思想史的に重要な問題です。私は鎌倉以後は非僧非俗のほうが日本仏教の正統だったと思います。

もう少し歴史的な景色を申し上げますと、室町時代ぐらいまで、平安時代も含めますが、京都あたりの鳥辺山とかいろんなところに焼場、葬儀場がありました。そこに墓もあり、葬式の列が行くと、食い詰めた人たちが、非僧非俗の坊さんの形になって、南無阿彌陀仏の旗を持ち、亡くなった方に供養のお経をあげますよ、と言ってまわるわけです。遺骸をかついでいる遺族たちは彼等をわずかなお鳥目で雇い、お葬式のお経をあげさせていました。

戒を受けた立派な僧侶は、そういうことはしませんでした。

日本は、室町時代ぐらいから、非僧非俗の人がお葬式という分野に入りこみはじめたのです。それはほとんど時宗という宗旨の徒（時衆）でした。これは僧にあらず俗にあらざる集団でした。

◉時衆にみる日本人の階級意識◉

鎌倉の日本仏教興隆期に法然、続いて親鸞が出てきますが、同時に南無阿彌陀仏のほうでは一遍（一二三九～八九）がでてきます。

一遍上人、これは非常な巨人だと思います。ただ惜しいことに自分の文書を死ぬときに皆焼いてしまいました。ですから『一遍上人法語集』というのがありますが、思想はどうであったのかよくわからない人です。ただ『一遍上人絵巻』とか、いろいろ残ってますから、業績はよくわかっています。

一遍上人は、松山市の道後のあたりの出身で、河野氏という古い大名の家に生まれた名門の出だということは、よく知られていますが、それが武士である身分を捨て、しかも官僧にならず私度僧《しどそう》になり、お念仏を奨励するために一生旅をし、一人も弟子を持たず、更に寺も造らずにすごしました。

教団を形成しなかったために、一遍の名は重んじられなくなるわけですが、ただ例外として藤沢に遊行寺という寺があります。これは一遍上人宗旨のただひとつのお寺と言ってもいい、珍しい古くから形のあるお寺です。こういうお寺を持つことは、一遍の望みではなく、一遍は、ただ人の心に念仏を植えて歩くというだけを思っていた人でした。

さきほど、歓喜踊躍《かんぎゆやく》という言葉を使いましたが、一遍は踊念仏《おどりねんぶつ》というのをはじめました。ほうぼうで踊を芝居の興行と同じように興行して、そして皆で、阿彌陀如来に救われるのが嬉しいということで踊るわけです。

親鸞の関東における弟子である唯円が、念仏を唱えると、踊りたくなるような気持になるそうですが、と親鸞にきいたのは、一遍が教えたことが頭にあったからだろうと思います。

一遍も、京都・鳥辺山の念仏の商人も、要するに時宗の人でした。当時は時宗が流行り、時宗の人というのは名前でわかりました。ひとつ文字を上に付けて、それで阿彌陀仏という名前にする、それが時宗のクリスチャンネームでした。

ですから能の観阿彌（一三三三～八四）、世阿彌（一三六三～一四四三）は、正式に言うと観阿彌陀仏、世阿彌陀仏ですが、時宗の人だったのです。なぜ彼等が時宗の徒であるかというと、これは日本の浄土思想と社会秩序の問題ですが、彼等は非僧非俗であり、阿彌陀仏という名をつけただけで、無階級の人間になれるのです。すばらしいことだと思います。無階級のことを方外《ほうがい》と言い、そういう人を方外の人といいました。方外の人になれば、将軍と同座して、お能の話とかできるということになるのです。

室町時代の将軍は、銀閣をつくった東山（足利）義政（一四三六〜九〇）もそうでしたが、義政はお庭をよく造りました。その庭師はほとんど、阿彌が付いていました。あれは将軍と対等というか同じ場所で、石をどうしますかとか話さなければならない。それには阿彌を付けて方外の人にならないと、お大名でもできないのに、将軍と対等に作庭について意見を交換することはできません。義政は自室に「和光同塵」という扁額をかかげていたといわれます。〝仏の前では自分をふくめて衆生はみな平等だ〟という仏教語です。

室町時代に成立する重要な思想は、社会秩序の変革と念仏、それにかすかながらも個人が成立します（『歎異抄』の中の親鸞のことばに、念仏は親鸞自身のためにあるのであって、父母の供養とかみなのためとかにあるのではない、というのがあることに注目されたい）。義政のこのあたりにもその気配がうかがえます。

義政の思想家としての魅力は、みなおなじ塵じゃないか、といったところにあると思いますが、同時に、そう言わせるような雰囲気が室町時代にあったことを思わざるをえません。いまだに続いている日本人の独特の階級意識と関係があると思います。

時世時節を間違って、あなたはいま伯爵だけれどももとは、というところが日本人にはあります。関ヶ原で、あなた方が勝ったから武士で、負けたから私どもは百姓だという意識が、江戸期の庄屋階級にありました。とくに江戸期の土佐の庄屋には濃厚でした。会社の自動車部の人などで、専務が乗って来ても、専務より社歴は俺のほうが古いんだと威張っている人がどの会社にもいます。

日本人は、割合と上下感覚のうるさい民族で、私は日本人の少しいやなところは、そこだと思っていますが、そのくせに腹のなかには無階級――和光同塵――という意識を持っています。

西洋の貴族と普通の民衆の間には、中世の貴族と民衆の関係が継承され、いまだに貴族の家、貴族の意識というものは、なかなか壊れないでいます。そのかわり貴族というのは、身体も庶民と喧嘩しても勝たなければいかんとか、自分自身の体力その他を作り出すのになかなかしっかりしています。第一次大戦が起こると、ケンブリッジの学生は、まっ先に志願して兵隊に行くなど、尊ばれているものはそれだけの義務がある、とイギリスでよくいわれたように、結局、貴族は、たとえばイギリスで言えば、下町言葉を使っているような連中と自分たちはちがうんだというようなところがあります。それは日本にはありません。

日本には、東大の法学部を出たら、本人次第で大蔵次官まではだいじょうぶ、というところがあります。ところがオックスフォードの法学部を出ても、はたして、下町のコクニーをしゃべっている家の子が——サッチャー首相の例があるから、近頃は違っているかもしれませんが——まだ普通ではないでしょう。

そのように、別に階級意識があるから悪いとかいいとかの問題ではなく、日本人の、猥雑なほどのこの無階級意識というのは、どうも室町時代にできたようです。

室町期でのそういう社会的な気分を大きく膨らませたのは浄土教だと思います。浄土教のなかでも（浄土真宗は室町期には、まだ初期の段階ですから）とくに時宗の徒でした。それは鳥辺山でも活躍していましたし、能をやっている者、将軍の茶坊主、能役者、造園家など、上下を自在にゆききしていました。

ですから日本人の階級意識をみるのには、室町期に、爆発的に広がった時宗の徒の活躍を見なければなりません。これも浄土思想の社会秩序への作用のひとつとして考えていいと思うのです。

◉シルクロードに生まれた阿彌陀教◉

浄土思想のなかでとくに浄土真宗の親鸞について語りすぎたように思います。平安時代の浄土信仰を宇治・平等院を中心に考えてみるというのが、こういう主題の常識であるべきだからです。

しかし平安時代の浄土信仰は、情緒でありすぎます。日本の主知説的な傾向は十三世紀の鎌倉時代からはじまるといってよいかもしれません。親鸞はその時代の人でした。さらには日本思想史のなかで最初の思想家らしい個性として親鸞を重んずることで浄土思想を考えたかったのです。親鸞は日本史のなかでは最初の思想家らしい人物でした。その思想は独創的でありましたし、さらには仏教とは何か、を最初に悩んだ人でもあります。じつのところ、仏教というのはあまりにも多面的で、あまりに夾雑物が多すぎ、よくわからない思想でした。釈迦とは何かということについても、じつは想像せざるをえなかったのです。私は親鸞の想像力を買いますし、また事実、想像を非常にすばらしく働かせた人だと思っています。

ご存知のように、お釈迦さんは、原則として不立文字《ふりゅうもんじ》だったわけです。お釈迦様はあれだけの家の出の人で、サンスクリットの文法にも通じていました。サンスクリットは考えたり議論をしたりするための人工語で、非常に精密にものが言え、論理的に修辞的に言えるわけですが、お釈迦さんはこの言葉をつかうことをきらい、また文字によってその思想を残しませんでした。

キリストのように救済を目的とし、かつ啓示でもって教義をつくりあげる宗教者なら不立文字はなりたちません。かれはひとびとに、こうしてはいけません、こうしなさい、と教えを説きつづけました。マホメットもそうであったように、肉声を感じさせるようなことばでもってひとびとにいろんな規範をあたえ、倫理を明確にしたりして神によろこばれる方法をさとしつづけます。

釈迦はキリストのように救済は説かなかったのです。釈迦は解脱《げだつ》を説いたのです。解脱は禅宗の悟りと同じで、それは文字を用いたり、言葉で説明したりすることでは、果たせないのです。ですから、釈迦が何を言ったか、釈迦はどういう思想を持っていたのか、よくわからないのです。

百年後にお経ができて、我かくの如く聞くという「如是我聞《にょぜがもん》」というお経ができます。たいていの古いお経は「如是我聞」からはじまりますが、それがお釈迦さんの思想だったたかどうかはわかりません。

仏教は、発祥地のインドで衰弱してゆきます。その理由の大きな一つは、平等を説きすぎたからでしょう。釈迦はインド的な差別制度であるカーストをみとめませんでした。そのことがインド人にとって魅力だったという時代がすぎ、カーストを認めないことに、逆にそれじゃ空想じゃないかというとりとめのなさを感じさせる時代がはじまったのだと思います。

仏教は北上します。

北上してゆくうちに、かつて西のほうからやって来て定住していたアレキサンダーの兵隊の子孫、いまのアフガニスタン、パキスタンあたりに住んでいた連中と出会います。彼らはヘレニズムをもっていました。特技はヴィーナスを作る能力で、つまりは人間とそっくりの物を作れる彫刻家をもっていました。そこへ非常に形而上性の高い仏教が北上してきて、混じり合ったときに、土地の人が、そんな難しいこと言われてもわれわれにはわからない、その仏様はどういう形だ、教えてくれれば私たちが彫刻や絵画にしてみせる、といったであろうことが、仏像のはじまりだと言われています。

これがガンダーラの発祥で、ギリシャの造形能力とインドの思弁能力や形而上性とが合致したわけです。その場所から仏教と仏像が、日本に向かって歩きはじめたわけで、ずいぶん歳月がかかっています。

日本にむかって歩きはじめた途中、こんにち流行りのシルクロードのあたりで、どうやら阿彌陀信仰やお経ができたようです。ですから、浄土教というのはお釈迦さんとも関係なく、仏教そのものの正統の流れともじかの関係はありません。

釈迦は、みなさん自分で解脱しろ、という。

ところがそうしなくてもいいと阿彌陀如来はいうのです。つまり阿彌陀如来には固有の本願というものがあって、人を救わざるをえない、人が逃げだしても救ってくださる、そういう救済思想が、仏教の名を冠して登場してきたわけです。

仏教における救済思想の誕生は、キリスト教と関係があるのか、あるいはペルシャのゾロアスター教の刺激をうけたか、ともかくも救済宗教が既存した土地で阿彌陀教が成立したんだと思います。

このことはすでにもう明治時代に言っている人があります。明治時代どころか、江戸時代の富永仲基（一七一五〜四六）という人も、浄土教だけでなくそれをふくめた大乗仏教そのものが（大乗の諸経典をむろんふくめて）仏説にあらず、つまりお釈迦さんの教えにあらずと言っていますが、これはたいしたものです。

しかし宗教というものは思弁的なものであって、歴史学的なせんさくを必要としないものです。いずれにしても、こうして阿彌陀教ができ、やがて中国に行き、中国語訳されて日本へ伝わって大きく花をひらかせることになります。

阿彌陀さんというのは、インドの土俗のなかの一つの神としては、お葬式を司る人だったそうです。それが、阿彌陀経を書いた無名の天才によって大きく格上げされ阿彌陀仏とか如来とかの高い位の者になりました。

さらには阿彌陀如来が浄土教の教主（釈迦が教主ではありません）でありながら、教主そのものが真如《しんによ》という普遍的真理になってゆくのです。そして絶対者になります。キリスト教の絶対者は万物を創造しましたが、阿彌陀経の絶対者（如来）は宇宙やこのあたりの草木、空気、塵にいたるまであまねくみちみちているのです。私ども人間も阿彌陀如来の一表現であるともいえます。

阿彌陀如来は唯一の無限者です。私ども有限者がその無限者と交渉をもつのは、感謝をあらわすだけでいいのです。それが南無阿彌陀仏というお唱名というものです。そういう思想がはじまったのです。

＊ここで「阿彌陀経」といったのは通称のつもりです。正しくは「浄土三部経」で、「観無量寿経」「阿彌陀経」「大無量寿経」のことです。

◉華麗な落日に浄土を想う◉

平安貴族が造った平等院の鳳凰堂のきれいな建物の中心には、金箔におおわれた本尊の阿彌陀如来が座っています。この鳳凰堂の窓が開いていて、西日がさすと、阿彌陀如来がかがやくようにできています。つまり、自分が死んだら、阿彌陀浄土に行けるようにという、平安貴族の願いがこもっているわけです。

ただし、この場合は、まだ浄土教も、たいへん造形芸術的であって、思想的にはあまりたいしたことはありませんでした。つまりお金があって、平等院を造れる人は、お浄土に行けるけれども、乞食のような人とか農民とかは行けない、あるいは鳥を捕ったり、魚を捕ったりして、暮らしをしている人、殺生しているものですから、ましてこれは行けないという、まだ素朴な段階にあったわけです。

けれども、面白いことは、阿彌陀如来を信じていると、仏教以前からあるインド思想そのもの、仏教の基本だった輪廻の思想が薄らいできます。

これは、ちょっとこまる思いがします。お釈迦さんから離れてゆく思いです。ついでながら輪廻は釈迦以前からあり、釈迦以後の他の土俗宗教（ヒンズー教など）もすべて輪廻が基本になっています。浄土教はその意味でも、インド的なにおいが濃くありません。

しかし宗教というものはそういうせんさくについても巍然《ぎぜん》としていて、相対的な批判をこばむところがあります。ともかくも阿彌陀経によって西方浄土ができたのです。西の方に浄土があるということになりますと、私どもはお浄土へ行くだけです。行って、そこで極楽で暮らすということだけで、もう一度、下界に生まれ変わり、牛になったり、犬になったりする輪廻はしないことになります。それが他の仏教の教説との大きな食い違いでしたが、あまりその食い違いを意識しないままで、平安時代はおくりました。

以下、平安時代の、もうひとつの浄土教的な風景を言います。大阪に上町台地という、大阪では、ただひとつの地盤堅固なところがあります。上町台地が南北にナマコ型にあり、その北のほうに大阪城があり、南の端に、古くから聖徳太子が造ったという四天王寺がありますこの四天王寺は、六世紀末の日本の、それも海浜の大田舎にしては壮麗すぎるほどの大伽藍でした。

大阪の市域のほとんどは、大和川と淀川が運んで来た土砂が沖積してできた土地で、万葉時代はまだほとんどが海でした。いまの上町台地のナマコ型が岬になっていて、ナマコ型の西は、万葉時代は渚でした。ですから、いまの心斎橋筋は海の底で、いまオモチャ問屋のある松屋町筋というのは、上町台地に並行して走っている古くからの道で、渚の線だったことになります。

四天王寺は、その上町台地の南端にあり、唐、新羅以前、中国や朝鮮の船が着くと、目の前に、すごい建物がある、日本は思ったより文明国だ、そういわせるためのものだったと思います。飛鳥、奈良朝のころの日本は、対外的にはずいぶん見栄っぱりでした。ところで四天王寺は平安時代に入りますと、叡山の管轄下に置かれることになります。叡山の末《まっ》になったのです。教学的にも当然天台教学になりました。

ところが四天王寺の坊さんを眺めていますと、室町ぐらいになると、半分ほどは浄土教でした。叡山にも阿彌陀経がありますし、阿彌陀思想がありました。叡山というのは西洋流に言うと大学ですから、密教学部もあれば顕教学部もある。顕教学部のなかに法華経学科もあれば、阿彌陀経学科もあれば禅学科もあるというようなものでしたから、四天王寺に浄土思想が入ってくるというのは当然です。

室町時代、大阪のナマコ型台地はかたい岩山で、水流はなく、ネギが植えられた程度で水田はありませんでした。自然、この丘上に人家はほとんどなく、四天王寺が孤立している感じでした。

四天王寺はそういう寂しい丘の上の伽藍でしたが、ただ、見晴らしはすばらしいものでした。とくに四天王寺から西を見ると、大阪湾越しにいまの神戸の一ノ谷が見えたのです。

いまはスモッグでだめですが、水蒸気の具合とか、いろいろな具合でそうなるのか、一ノ谷に沈む夕日が、ちょうどマニラ湾の夕日のように綺麗だったのです。

それで、四天王寺は、室町時代、〃お寺のくせに〃、春分の日にストンと鳥居の真中に夕日が落ちるような位置に石鳥居を造りました。いまでも西門という石鳥居にストンと落ちます。そしてお坊さんがその日没ごとに「日没偈《にちもつげ》」という節のいいお経をあげています。

鎌倉期から室町期にかけていろいろな国から、この土地の落日を見つつ「日想観」という瞑想の行《ぎょう》をやろうという人が集まってきました。落日というのは華やかですけど西方に沈んでいく。まことに華やかで明るくもあります。古来、人間は東は暗く、西方はあかると思っています。落日はその西方浄土に沈んでゆくのです。それを見ながら阿彌陀浄土を想うという行があったのです。観というのは天台教学のなかでの行の部分でいちばん大事なもので、瞑想という意味ですが、四天王寺がその「日想観」の名所になったわけです。

そうしたら、ああいうへんぴなところに、特に春分の日、人がいっぱい集まるようになりました。室町時代にすでにそうでしたから浄土思想がいかに盛んだったかがわかります。

◉講にみる日本のヨコ社会◉

親鸞というのはようやく暮らせる程度で一生を終わりました。しかし、勝手に法義を立てているということで叡山からは迫害されますし、その子孫というのは、いまの京都の大谷の地に住んで、やっと食べられる程度でつないでいったのです。そういう窮乏の家に、室町時代、蓮如が現れます。

蓮如というのは、この家に生まれずに他の運命をたどったとしても、容易ならざる存在になっていたでしょう。蓮如と同時代に一休和尚（一三九四〜一四八一）がいて、京都の二大名物というか、サルトルがいてマルローがいた時代のフランスのように、当時の京都の人にとって、一休さんがいて、蓮如さんがいるということは、ひとつの華やぎでした。そして二人は非常に仲のいい友達だったそうです。

一休は天皇の落としだねだという説があり、おまけに禅宗ですから正規の宗教で僧位僧階もありましたが、蓮如は怪しき新興宗教の家系の生まれです。本来ならば卑しめられるべきところを、それを友人にした一休がえらかったといえるでしょう。本願寺はこの挿話を誇りにしていて、蓮如と一休さんの仲が良かったというのは、自分のなかにある正統性についてのちょっとした寂しさが、そこらへんでまぎれるということもあったかもしれません。

蓮如は布教のためによく旅をしました。かれは親鸞の思想を、広めやすいように凹凸をつくりました。蓮如流のアクセントをつくったり、蓮如流の取捨選択をしました。親鸞の思想というよりも蓮如の宗教になったのです。たとえば『歎異抄』を禁書にしたことも、それです。

蓮如が登場するころ、室町時代には草っ原だった加賀の地が、やっと水田化しはじめて広大な水田地帯になりました。日本の水田史でいいますと、鏡のような大平野というのはかえって水田化しにくかったのです。たとえば、関東平野の水田化の成立も十一世紀と大変遅れていました。

つまり、それまで平野で稲作をする能力がまだなかったのです。平野は悪水が溜まり、それを水はけする技術がまだじゅうぶんでなかったのです。それより山地のほうが、段々畑をつくり、山水を上からずっと流しこんでいけば、田圃に水が溜まりますから稲作しやすい。それが平べったい鏡のような平野だと、悪水よけをするために大工事をしなければいけないので、放ったらかしてあったのです。

関東平野がひらかれたのは十一世紀、加賀平野は十二、三世紀だと思いますが、日本の代表的な穀倉が拓かれたのはずいぶん遅れたということになります。それを全部拓いたのは、一町歩の土地を持っていたら、甲冑を着て郎党一人ぐらいを従えているといったような零細なひとたちでした。

当時は農民も侍もなく開拓農民＝武士でした。加賀の武士はみな父親か祖父の代が、そうした開拓農民達でしたが、そこへ鎌倉の任命で加賀国に富樫という守護大名がきました。これはあの「勧進帳」の富樫ですが、ひとびとのだれもが富樫なんかに税金を納めたくありません。

富樫なんか追いはらいたいと思っているところへ、蓮如の教団が入り、ワッと広まったのです。

蓮如は大変俗才もある人でした。浄土真宗独特の屋根の広い城郭建の寺院を設計したのも彼ですし、領地は要らない、信徒のなかに福田を求めるというのも彼の思想です。少しずるいのは、非常に有力な地侍、要するに大型の開拓農民に、あなたの次男坊を真宗に差し出しなさい、あなたの財力でお寺を一つつくりなさいというわけです。お坊さんになっても、肉食妻帯を禁ずる他の宗旨と違い、浄土真宗は俗生活できるわけですから、その次男坊はお嫁さんをもらう、そして子供も生まれるわけです。そのようになる家を狙い撃ちして、一族郎党全部を真宗門徒にしていったわけです。

そうなれば、加賀人にすればもともと富樫は嫌いだったから、いっそお寺を造って、そのお寺にお米を納めようというふうになります。そうしたら富樫は困ります。蓮如も一つの平衡をもった人で、富樫という地上の権力をおびやかすまでに宗教のパワーがふくれることを恐れた人でした。その点は近代的な人物で、坊主が大名になるようなことは望まなかったわけです。

しまいには、蓮如がそそのかしたのではありませんでしたが、蓮如の秘書をしてた者が、山っ気を起こして、加賀の地侍にいっせいに火を付けて回りました。それで富樫を追っぱらい、織田信長が後世やってくるまで、だいたい百年ぐらい加賀は上下なし、地侍と坊主の連合した自治制が続きました。

話はそれますが、坊主という言葉は、他宗でも用いていたんですが、はじめは坊の主ですから尊敬された言葉だったのでしょう。ところが、後にキリシタンが布教のためにやってきて、――とくに真宗坊主に対してだと思いますが――坊主が邪魔だなどと、宣教師たちはローマやゴヤへの報告書に盛んに書きます。ボンズという発音ですが、それがボスになったという説があります。得体の知れない影響力を持つ人間のことをボスと言うのが、ヨーロッパではちょっとした俗語として流行り、やがて英語のほうに入り込んで、アメリカで広く用いられるようになったという説があります。ちょっと信じたくなるような説です。

真宗坊主と開拓農民である加賀地侍の合議制による政治が、百年間加賀平野一帯に行われていたわけです。ここではみな思想的な話ばかりしていますから、後に西田幾多郎や鈴木大拙あるいは暁烏敏を生むようになるのはむりからぬことでしょう。

蓮如の布教のやりかたは、寺を中心にするよりも、講を中心にしていました。講というのは、村々で、隣村とこっちの村とで連合してつくられる、信仰を語り合う場所でした。講は後に伊勢講だとか、富士講だとかいろいろな場合に使われていきますが、元は蓮如が発明した言葉で、同時に組織用語でもあったわけです。

それまでは村には小さな村落領主として地頭がおり、それと百姓との縦関係だけだったわけです。百姓としたら、講というあたらしい場のおかげで隣の何兵衛ともこの講を通じて友達になれるし、さらに別の大きな講へ行くと、またあたらしい友達ができる。日本人が横の関係を結べたのは、このときがはじめてでした。

日本の社会が、だいたいタテ社会だというのは、中根千枝さんの説のとおりですが、ヨコ関係も講を通じてか細く存在したのです。

◉浄土真宗のエスタブリッシュメント◉

江戸期の島津家の一特徴は、キリシタンのほかに念仏まで停止《チョウジ》したことです。念仏停止はいかにも薩摩の島津家らしいことで、島津家は完全な縦社会を望んでおり、横社会を認めたくなかったのです。念仏を入れると横社会ができる。キリシタンは幕府がそうせよと言うから停止したんで、キリシタンよりも、浄土真宗は講があって横に結ぶ、つまり大名の言うことを聞かなくなる心配があるので、キリシタン以上に浄土真宗を恐れていました。もし内緒で念仏を信じたりすれば、殺すか追っぱらうかどちらかというぐあいに、実に厳しく明治維新になるまでそれをやりました。

戦国期、本願寺の勢力は、近畿、中国、北陸、東海といった地方にひろまりました。家康の二十歳のころに、家康が信頼していた部下のほとんどがお念仏――本願寺――のほうに走り、三河一向一揆が起こります。これは家康の一代の難事でした。

家康は大政治家になる人物だけに、結局は丸めこんでしまいましたが、当初、家来の大半が寺方につきました。家康の門徒方に走った人達は、主従の契りは一世か二世、彌陀如来は永劫のものだというのです。しかし、家康は、脱走したほうの組合の委員長みたいな、鷹匠あがりの本多正信という——正信はその後一生ずっと家康の秘書長みたいでいましたが——をうまく籠絡し、そして終戦処理はいっさい目をつぶる、俺を戦場で追っかけたやつもおるけれども、それも目をつぶるといって、三河武士をやっとまとめました。

この大難はすでにもう諸国に伝承され、島津にもとっくに聞こえていましたから、島津は、念仏は毒のようなものだとして念仏停止というきつい禁教令を出していたのです。

薩摩の念仏宗の迫害で思い出しましたが、江戸時代の武士階級には、浄土真宗の門徒はまずまずいませんでした。大名に召し抱えられると他宗にくらがえしました。これは、島津同様にどの大名も横社会をおそれ、浄土真宗を恐れたからです。

しかし、中津藩の福沢諭吉（一八三四〜一九〇一）の家は珍しく熱心な門徒で、諭吉も真宗の教義に極めて明解でした。彼は、偶像崇拝はいけない、しかし絵像ならよい、これが真宗であるといっていますし、いま、ハワイの真宗教団にも、仏の彫像も絵像もありません。

明治になり、ドッと隠れ門徒が入ったものですから、いまは薩摩にはたくさんの真宗の寺があり、滋賀県で五十戸ならば大学へやらせられると言いましたが、鹿児島県では門戸千戸くらいのゆたかな寺もあります。

江戸時代に、肥後熊本の細川領は念仏は許されていたので浄土真宗のお寺は細川領にたくさんありました。江戸期、細川領の真宗の僧侶が命がけで薩摩藩に夜行って、夜中にどこか森のなかに門徒が集まり、そしてお説教したりと、それはもう命がけでした。

肥後との国境近くに大口という町があります。そこの山々にきてたわけですから、大口には郷士、つまり侍階級を含めて、百姓だけでなくて、郷士にもずいぶん隠れ門徒がいました。それで明治になり、熊本から大きな寺がくると、いっせいにその門徒になったわけです。そういう開拓した家の孫ぐらいには、生き生きした学者が出、その大口の寺のなかに、十数年前の龍谷大学の学長星野元豊《げんぽう》（一九〇九〜）さんという非常に新しい教学思想を持った真宗学者が出ました。その星野元豊さんの寺の第一の門徒は、郷士で門徒の家だった海音寺潮五郎さん（一九〇一〜七七）の家です。

私は大口へ行き、星野元豊さんの寺を見、海音寺さんの屋敷跡を見て、浄土思想の極端に弾圧されていた場所の遺跡を見る思いをしました。

さらには、歴史の流れを思いました。室町のころの京の鳥辺山で商売坊主が時宗念仏《じしゅうねんぶつ》を売るようにして死者の葬式をしていたということが、やがて蓮如が出ることによって、時宗まで浄土真宗になるのです。時宗はそのとき滅びたに近く、かつての時宗の徒は浄土真宗の坊さんになったり、また他宗の住職までも寺ぐるみ転宗したりして、浄土真宗化していくわけです。あれやこれやで、それから浄土真宗はお葬式をするようになったのです。

親鸞は『歎異抄』でいっています。「親鸞は、父母《ぶも》の孝養《きようやう》のためとて、一遍《いつぺん》にても念仏まふしたることいまださふらはず」。お葬式に念仏をつかうというのは、親鸞の本来の思想ではなかったのです。

しかし、お葬式はやはり大教団としては浄土真宗からはじまる、といわざるをえません。ところで、浄土真宗は正規の僧侶でない、と言われることが嫌だったので、いろんな手を用います。その前にのべねばならないことは、戦国時代、織田信長の勃興期には、すでに浄土真宗は、いまの大阪城の前に、石山本願寺を造っていたことです。これを全国の中心としました。八十歳を越えてから、蓮如が、流浪のあげく石山にきて本願寺を造ったのです。

やはり大阪城の場所に造るというのは、蓮如にはよほど城郭の感覚や土木建築の観念があったと思わざるをえません。あるいは戦略的な、地政学的な感覚のある人だと思います。

蓮如の文書には、大阪という言葉もなく、ここは摂津の国生玉郡で、なにもないところだ、在所の名は石山だというふうに残っています。だからほんとうに石ころだけの山だったんでしょう。そこに堂宇を造った。これはまたたく間に流行り、全国の中心になりますが、それを設けたというのは、南の端に四天王寺があって、そこに日没偈を読む人、日想観をする人、そして春分の日は西の谷に沈む太陽を拝むために集まる善男善女、それは要するに浄土教の一つの聖地だったので、それも一緒に吸収したんじゃないでしょうか。つまり非常に体系的な教学を持った蓮如が、雑草のようないろんな浄土思想を――さっきの時宗も含めて――吸収していったんじゃないでしょうか。石山に本願寺を置いたのは、ここに四天王寺があったからだろうと思います。

蓮如は、キリシタン僧侶の報告書なんか見ますと、実際、キリシタン僧侶の手紙を借りなくても、客観的にそうですが、信長と匹敵する当時のチャンピオンで、戦国期の最後のタイトルマッチが、石山合戦だったような印象です。当時、顕如《けんにょ》という人の時代でした。

信長は本願寺に手こずり、最後に紀州へ立ち退かせるわけですが、その前に、本願寺は貧乏している京都の御所に金を出しまして、門跡《もんぜき》の位をもらいます。

門跡というのは、ミカドの跡と書きますから、親王か、公卿の子が僧侶になったときだけを門跡といいます。だから本願寺は、公卿になったわけです。顕如もその後の法王も御門跡様とよばれるようになりました。

そうすると、これは公卿にして僧であるという人の位ですが、その下の坊さんも、いちおうは叡山とは別の体系だけれども、エスタブリッシュメントになります。これで非僧非俗であることが終わったわけです。へんなもので、その非正統性は政治的に解決されたわけです。

◉西洋概念の善人、悪人◉

浄土思想の思想的な部分にはあまりふれずに、社会学的な浄土思想ばかり言ってきましたが、要するに浄土思想というのは、輪廻の思想が日本人に合わなかったので、鎌倉期ぐらいでストップした、そして浄土思想に転換したんだろうと考えています。

浄土思想は、地理的に西のほうに浄土があり、そこへ行くんだというだけですから、輪廻はそこでストップするのです。輪廻というその場での形質の変転でなく、地理的に——あるいは絶対的に——ゆくのです。これがずっと江戸期を通じて、いったい浄土はあるのかというのが、教学上の問題でした。結局、明治に清沢満之のみずみずしい説得力によって、それは、ある、ないは相対的なものだが、絶対的なものなのだから、ある、ないというものではなく、あるんだと、要するに絶対論的に説明しましたから、いまそれは思想的、論理的には安定したんですが、同時にそれだけ思弁的になって衰弱したともいえます。

キリスト教において、天国はあるか、ないかというようなことは、あるのに決まっているというように、どこか思っています。しかし、日本の浄土仏教は、華南の戦場で越前兵が南無阿彌陀仏を一分隊全部が唱えて突撃して行ったという、異様な光景を最後にして、戦後、大いに衰弱します。浄土は絶対的なものであって、相対的なものじゃないという思弁的な言いくるめをするようになってから衰えたのか、それともその問題を、清沢満之というような天才的な知性のみに乗っかからずに、その後も知的に発展させて、もっとわれわれにわかるようにすることを怠ったか、どっちかで浄土信仰というものは、だいぶ薄れてきたわけです。

ただ、薄れきってないと言えるのは、京都の社寺観光停止というところに、本願寺は入っていませんし、法然の知恩院も親鸞の本願寺も依然として観光客が、仏さんを見るのに、あるいは境内を見るのに、お金を取っていません。浄土教の財政が信者の上に立っていることは間違いありません。両本願寺、とくに西本願寺は宝物がたくさんありますが、それは見せてもらおうと思えば見せてもらえます。観光でやらなくてもいいというだけの力は、まだ強弩の末らしい力は持っています。

思想史としての浄土思想よりも、浄土思想の社会的な性格にふれてきましたが、最後に一言だけ思想的なことを言いますと、親鸞上人『歎異抄』のなかに「善人なほもて往生をとぐ、いはんや悪人をや」という、有名な言葉があります。

昭和二十三年に私は京都の進駐軍――四条烏丸の当時〝大建ビル〟といったビルにありました――に呼ばれて、宗教記者だったものですから、それを説明しろと言うのです。説明しろといっても、キリスト教は倫理宗教ですから、倫理的に言って悪人といったら悪い人間、善人はむろん倫理的に言っての善人を思っているわけです。

それで、これは違うんだ、仏教にはキリスト教のような倫理というものはないんだと言うと、顔色変えて、倫理のない宗教というのがありうるかと言うのです。ここから説明しても、向うに仏教についての素教養がないんですから、ちょっと無理なんですが、倫理というのは、時世時節によって変わるんだ、仏教は不変のものを求めているので、そういう時世時節の取り決めは、仏教の教義のなかにないんだということを言っても、かすんだような顔してるのです。

要するに、悪人というのはどうなんだと、こう言うわけです。これは結局、私はいまもそうですが、語学力は当時もなくて、字を書いたりして、まず善人ということから説明していたら、二世の兵隊がやってきて、その人物も仏教を知らなくて、正確に通訳しない。それで結局、進駐軍に、もう帰れと言われました。

叡山の僧侶で、非常に秀才で学問があり精神力と体力のある人は解脱できる。これを善人と言うんです。

しかし、親鸞は、そんな人は絶無かめったにいないと思っている。いくら学問があり、いくら精神力があっても、解脱できるような人間というのは、これは一千万人に一人です。

禅で悟りとかなんとか言いますが、これも一千万人に一人の天才の道であるということは、親鸞はよく知っているわけです。あり得べからざる人間、それをもって善人としているわけです。悪人は、親鸞自身のことを言っているわけで、どうしても魚が食べたい、奥さんがほしい、道を歩いていても、アリをどうしても踏んでしまう。稲作の害になるイナゴはこれは殺さねば農民は生きてゆけない。猟師は、兎を捕ったり魚を捕ったりして殺生せざるをえない。これ全部悪人なんです。そのときの用語なのです。

明治以後われわれもキリスト教的になり、悪人、善人を、クリスチャンでもないのに、西洋概念で見るようになりましたが、親鸞のころの悪人、善人というのは、言語内容が違うのです。

善は、いまの言葉で言えばとびきり良質の人間、悪は、いまの言葉で言うと普通の人間という意味です。

さらにいえば、人間は全部、原罪を背負った悪人である、まれに釈迦のような善人が出るが、全員が釈迦にはなれないんだと親鸞は言っているのです。

まことに長いはなしでした。

――談話速記――

（「季刊　アステイオン」第二号一九八六年十月一日刊）

蓮如と三河

仏教の目的は、解脱《げだつ》にある。解脱とは煩悩《ぼんのう》から解放されることであり、煩悩とは人間の生命と生存に根ざす諸欲をさす。とすれば、生きながらにして人間をやめざるをえない。親鸞は、そのことに疑問を感じたにちがいない。

小乗にせよ大乗にせよ、仏教は解脱の方法を解く体系である。方法として、戒律もあれば、行もある。持戒し、修行すれば、おのれのしんともいうべき自我《アートマン》が高められて行って、ついには宇宙の原理と一つになりうるという。しかしそれを成就できる人はこの世に何人いるのか。いるとすれば、何千万人に一人の天才（善人）ではないか。

——仏教は、そういう善人（天才）たちだけのものか。

と、若いころの親鸞は悩んだかと思える。善人たちだけのものとすれば、人類のほとんどが無能力者（悪人）である以上、かれらはその故をもって地獄に堕ちざるをえない。言い換えれば、仏教は人類のほとんどを地獄におとすための装置ということになってしまう。

――釈尊がそうお考えになるはずがない。

と、親鸞がおもった瞬間に、かれは絶対の光明である阿弥陀如来という「不思議光」の世界がむこうからきたかと思える。

親鸞はその光明につつまれることにひたすらな感謝をのべる気息《きそく》としてお名号《みょうごう》をとなえた。

師の法然はもともと聖道門の秀才だった。その意味においては法然は「善人」だったかもしれず、そういう資質のよさもあって、「悪人でも往《ゆ》きて浄土に生まれる（往生する）ことができる」といった。いわんや善人をや、という。

が、親鸞はそういう修辞を正しくした。

「善人でも往生ができる。いわんや悪人をや」

そのように理解せねば、右の光明が平等で、しかも宏大無辺であるという本質が出て来ないのである。〝変った人間（善人）でも往生できるのだ、まして普通の人間（悪人）ができぬはずはない〟ということであろう。インド以来の仏教はここで、天才や変人・奇人のための体系であることから、普通の男女という大海へ出たのである。

英国人がよくいうことに、英国そのものを採るかシェイクスピアを採るかとなれば後者をとる、という言い方があるが、これを私は日本と親鸞に置きかえたい衝動をしばしばもつ。とくに『歎異抄』を読んでいるときに、宗教的感動とともに、芸術的感動がおこるのである。

親鸞は弟子一人《いちにん》ももたず候。

ということばなどは、昭和十八年、兵営に入る前、暮夜ひそかに誦唱《ずしょう》してこの一行にいたると、弾弦の高さに鼓膜がやぶれそうになる思いがした。

私の家は戦国の石山合戦以来の浄土真宗の家系で、江戸期は播州亀山の本徳寺の門末としてすごした。おそらく代々の聞法の累積のおかげで、この感動があったのにちがいない。そのことは、蓮如（一四一五〜九九）のおかげともいえる。

親鸞は教団を否定したが、その八世におよんで蓮如が出、教団をつくった。蓮如が存在しなければ、親鸞は埋没していたろう。

私事だが、去年の秋、三河の岡崎旧城下の川ぞいの宿に二泊した。三日目の昼、家に帰るべくタクシーをひろって名古屋をめざしたが、途中、戦国期の永禄六年（一五六三）この野におこった三河一向一揆のあとをたずねたいと思い、短時間ながら、二、三の門徒寺《もんとでら》(浄土真宗の寺)をまわった。

「上佐々木の上宮寺《じょうぐうじ》」

と、タクシーの運転手さんにいうと、一般的な名所とは言いがたいのに、すっとその門前につけてくれたのには、おどろかされた。

三河一向一揆は徳川家康の満二十のときにおこった反領主一揆で、家康の家臣の半ばが一揆側について——門徒であったために——家康と戦い、家康はときに馬頭をひるがえして逃げたり、またその鎧に銃弾が二個もあたるというほどのさわぎだった。後年、忠誠心のつよさで天下に鳴った三河人にすれば、異様というほかない。

むろん、この現象は江戸期の強固な主従関係やその道徳から遡及して見るべきではなく、小領主の自立性のつよかった室町・戦国という中世の社会をじかに見て考えねばならない。その社会では、三河だけでなく、西日本のほとんどの村落は〝惣《そう》〟という強固な自治制でかためられていて、当然ながら惣は収税機関である守護や地頭をきらっていた。

幸い、戦国期になると室町体制の守護・地頭はあらかた亡びるが、有名無実にまで衰えていて、そのぶんだけ惣の自衛はつよくなっており、さらにいうと惣における農民のほとんどは弓矢や長柄《ながえ》をもち、他からの乱入者は容易にはよせつけなかった。室町中期ごろから戦国にかけての日本は、惣の時代だったともいえる。

たいていの惣には、大いなる農民がいた。農民にとって頼りになる（当時の言葉でいえば〝頼《たの》うだる〟）存在で、かれらを地侍《じざむらい》といった（のち戦国型の領国大名が発達するにつれて、かれらは丸抱《まるかか》えの家臣武士を城下にあつめ、それが近世武士の先祖ともいうべき存在になるが、かれらの供給源の多くは、この地侍層だった）。

地侍のさらに大いなる存在のことを国人《こくじん》といった。まだ松平姓だった家康の家も地侍から出発して国人に成長し、この時期、三河の国人層の盟主（主人とは言いにくい）とみなされていた。松平家は国人・地侍をその影響下に置いていたものの、近世型の主従とはいいにくい段階にあったから、三河一向一揆の場合、地侍や惣の農民たちが忠誠心の対象として家康よりも阿弥陀如来をえらんだところで、なんのふしぎもなかった。

さて、蓮如の時代は三河一向一揆よりも前の世紀である。

ただし、すでに惣とか地侍・国人が大きく力をたくわえてきていた。

ここに、おもしろい記録がある。

蓮如と同時代の人だった奈良興福寺大乗院の尋尊《じんそん》（一四三〇〜一五〇八）が、諸国の情勢や情報をあつめた記録として『大乗院寺社雑事記』というものを書きのこしているのである。

その文明九年(一四七七)十二月十日の項に、公方《くぼう》(将軍のことだが、守護をふくめた政府機関といっていい)に年貢《ねんぐ》を上進しない国を列挙している。

北陸では、能登と加賀(いずれも石川県)、さらには越前(福井県)

近畿では大和(奈良)、河内(大阪府)、それに近江(滋賀県)

また、飛騨と美濃(いずれも岐阜県)

さらに東海では、尾張と三河(いずれも愛知県)、それに遠江《とおとうみ》(静岡県)

この記事は、私どもにさまざまな想像をさせる。たとえば右のいずれの国も惣の力がつよく、従って地侍と国人の勢力がさかんだったということである。この税金をおさめない地帯から、戦国末期、織田氏や徳川氏という強大な勢力ができあがって行ったというのも、おもしろい。

蓮如が濃密に歩き、教線を扶植したのもまたこの国々だったのである。

蓮如は、惣に働きかけた。

仏教渡来以来、寺というものは、最初は国家がつくった。平安期には豪族が私寺をたてたり、官寺に荘園を寄進したりしたが、要するに寺というのはきわめて貴族的な存在で、庶民から超然としていた。

蓮如が地侍をふくめた諸国の惣に働きかけたとき、日本史上、最初のそれもおびただしい数で、民間寺がうまれた。

さらには、この寺々の惣のきずなの結び目になり、その建物は自衛のための砦《とりで》になった。また同信のよしみで一国の門徒が、横にむすびあうようにもなった。

有名な加賀の一向一揆（一四八八年に勃発）は、蓮如の本意ではなかったとはいえ、惣という村落自治が加賀一円にひろがって、守護の富樫《とがし》氏を追いだすにいたったという奇現象である。

しかも約百年にわたって、国主なしの自治体をつくりあげた。親鸞における平等主義と、惣が自分の寺を持ったという蓮如的構想があってのことであったろう。

加賀一揆のとき、三河の門徒も地侍団を中核にしてはるかに応援に出むいた。その後、加賀共和制の影響のもとに三河一向一揆がおこったわけで、これらのことは、室町後期に大いに騰《あが》った日本の農業生産の高さとも考えあわさねばならない。

中世のめざましさの一つは、庶民が真宗を得て、日本ふうの〝個〟をはじめて自覚したことであった。ついで、蓮如の構想による「講」をもったことで、タテ社会だったこの世に、ひとびとをヨコにつなぐ場ができた。

さらに大きいことは、日本の庶民がはじめて仏教という文明を得たということであろう。もう一ついえば、庶民が、日常の規律である「風儀」をもったことも大きい。そのことは、宗教的感動とともに、人が美しい高度な文化をもったともいえるのである。「風儀」の扶植ひとつをみても蓮如は偉大だったとおもわざるをえない。

(「三河の真宗」一九八八年四月十日刊)

日本仏教小論——伝来から親鸞まで

主題は「仏教とは何か」あるいは「日本仏教とはなにか」ということである。短かくお話しします。

おそらく、これほど厄介な設問はありません。なぜといえば、日本仏教というそれ自体がはっきりしていないからです。中央アジアの崑崙《こんろん》山（Kun lun Shan）の北にあるタリム（Tarim）盆地では大きな湖そのものが、酔っぱらいのようにさまよっていました。探検家のスウェン・ヘディンによって〝さまよえる湖〟と名づけられたロプ・ノール（Lop Nur）のことです。いまは、湖そのものが消えてしまっています。日本仏教の源流はどうやらそのあたりでうまれたらしいのですが、ロプ・ノール湖と同様、正体がはっきりしないのです。

正体のはっきりしないものを語るのは、学者や歴史家にはふさわしくなく、おそらく詩人が——私は残念にも詩人ではありませんが——それにふさわしいだろうと思い、俄《にわ》か詩人としてみなさんの前に立っています。

日本仏教を語るについての私の資格は、むろん僧侶ではなく、信者であるということだけです。不熱心な信者で、死に臨んでは、伝統的な仏教儀式を拒否しようとおもっている信者です。プロテスタンティズムにおける無教会派の信徒とおもって頂いていいとおもっています。

ただ私の家系は、いわゆる〝播州門徒〟でした。いまの兵庫県です。十七世紀以来、数百年、熱心な浄土真宗（十三世紀の親鸞を教祖とする派）の信者で、蚊も殺すな、ハエも殺すな、ただし蚊遣《かや》り（smudge）はかまわない、蚊が自分の意志で自殺しにくるのだから。ともかくも、播州門徒の末裔であるということも、私がここに立っている資格の一つかもしれません。

日本仏教は、いわゆる「大乗仏教」です。

小乗仏教が、丸木一本でただ一人が川をわたるとすれば、大乗仏教は百人乗りの筏という意味です。

大乗仏教は、釈迦の仏教とは断絶したものです。ひょっとすると全くちがったものかもしれません。

紀元前数百年のむかしに死んだとされる釈迦は、その偉大さが語り継がれただけで、かれの思想の内容はよくわかっていないのです。ただ現世は一切空《くう》であるとし、その苦しみからぬけ出す（解脱《げだつ》する）方法を説いた人であるということは、たしかです。

言葉をのこさなかったのは、かれがひらいた仏教はキリスト教のような啓示《けいじ》（revelation）の宗教ではなかったからです。釈迦の上には、ユダヤ教の神のような、あるいはイエスの神のような絶対者がいませんでした。だから啓示をうけることもなく、従って『聖書』はなかったのです。いまとなれば、不便なことです。釈迦はどんな思想家だったかわかりにくい。釈迦にとっての最高の観念は、神ではなく、空《くう》でした。その修行法はみずから空《くう》になることによって解脱しようとしました。ついでながらインドにおける空の観念には、多分、インド人が発見した数学上のゼロというイメージが入っていたでしょう。あらゆるプラス数字もマイナス数字もゼロの中に入っているという意味でのゼロです。すくなくとも仏教における空を、数学上のゼロを哲学化したものだと思えば、わかりやすくなります。

釈迦没後、数世紀のあいだ、仏教は仏像という説明者をもたない形而上学のようなものでした。信者たちに残された形而下的なものといえば、釈迦を火葬にしたあとに残った遺骨だけでした。仏教は衰えつつ北上しました。

やがて紀元一世紀から五世紀のあたりに到着します。ガンダーラのあたりです。そこではじめて仏教が仏像を持つようになります。仏教が、はじめて目で見える景色になったのです。そのぶんだけ、釈迦の原始仏教は変質したといえるでしょう。

ガンダーラのあたりには、古代世界における彫刻の名手たちであったギリシア人たちが住んでいまして（おそらくアレクサンドロス大王の兵隊の子孫だったでしょう）、かれらが、南からやってきた言葉だけの抽象的な仏教に、仏像という具象性をあたえたのです。仏教という文明がさまよっているうちに、変質したのです。

その変質は、インドの外域でおこりました。大乗仏教が、誕生してしまったのです。「釈迦は解脱つまりサトリの方法を教えたが、とても自分たち平凡な者がサトリをひらけるものではない。それよりもサトリをひらいた人をほめたたえ、礼拝しよう」というのが、大乗仏教の出発点でした。すぐれた人になるよりも、いっそすぐれた人を拝もうというもので、釈迦の思想とはちがった新思想が誕生したというべきでしょう。

ところが、大乗仏教におけるすぐれた人というのは、なまみの人間ではなく、真理そのものでした。真理、つまり空《くう》に、一種の人格をあたえ、菩薩とか如来とかという名をつけ、それを讃え、ひとびとはひれ伏したのです。

むろんそれでも、初期大乗仏教には、原始仏教以来の理論や実践というものは残っていました。

そのぶんだけ、ひたすらに鑽仰《さんぎょう》するという大乗の思想にやや不透明な要素がのこったといえます。その不透明な部分をとりのぞいてひたすら鑽仰するという姿勢をとったのが、十三世紀の日本の親鸞だと思います。そのことは、あとでのべます。

ところで、仏像です。

ガンダーラの地で、紀元一世紀から五世紀にかけてさかんにつくられた仏像は、東へゆきます。人間が、歩いて仏像を運んだにちがいありませんが、詩的にいえば、仏像が歩いて東にむかったのです。中国にゆき、朝鮮にゆき、ついにはじめて海をわたって——仏像にとって船に乗るのははじめてだったかもしれません——日本にきたともいえます。

仏像が日本にきたのは、公式的には紀元五五二年ということになっています。幸いにも、八世紀に国家によって編纂された『日本書紀』という編年体の歴史書——国家の日記帳のようなものです——に記録されています。もっとも、仏教渡来はそれより十四年前だったという説もありますが、ここでは年代のせんさくが目的ではありません。ときの天皇である欽明《きんめい》が、仏像を見て驚嘆しました。

「仏《ほとけ》の相貌《かお》端厳《きらぎら》し」
ということばを発したというのです。もっともそれだけなら子供ですが、多少の経典も付属していまして、これをもたらした百済《くだら》（Baekje）の使者が内容を説明しますと、欽明は大いに感心しました。しかし、仏像を見たことでの衝撃にはくらぶべきもなかったでしょう。

この仏像は青銅の釈迦像で、金鍍金《きんめっき》されていました。「キラギラシ」というのは、きらきらとかがやく黄金の色という印象と無縁ではなかったでしょう。

なにしろ、日本はいまもむかしも孤島です。川でときどき発見される黄金の粒には無関心でした。ユーラシア大陸では、黄金が貴金属として貨幣として用いられたり、道具として工作されたりしていることを、日本では六世紀の段階でも、十分には知られていなかったのです。

日本における金属文化については、紀元前に青銅が伝来し、鉄については、四世紀ごろから国産化されました。しかし、金《きん》という、生活に必要のないものについては、鈍感だったのです。話が二世紀もあとの世紀のことになりますが、日本の東北地方で砂金が発見されるのは七四九年のことでした。国家が懸命に金をさがした結果のことでした。国家が金をさがしたのは貴金属としてではなく、奈良で造られつつある大仏に金鍍金をほどこす材料としてそれが必要だったからです。その結果、東北の地から金が出ました。

その後も、日本ではながく金を通貨としては使うことがありませんでした。ただ、八世紀、九世紀のころ、中国に留学する日本人は、必ずといっていいほど、砂金を持って行って、物と交換したという事実があります。どうもこのときの印象ですな、〝黄金の国ジパング〟というのは。中国人にとっての日本人の印象は、金と結びついたものになったに相違ありません。

むろんこの伝説ははるかのち、十四世紀、マルコ・ポーロ（Marco Polo）によって世界に紹介されます。

話が、道草を食う（loiter）ことをおゆるし下さい。日本において金が正式に通貨になるのは、ずっとあとの十七世紀初頭、徳川時代になってからです。

それまでは、日本では金《きん》は、加工用のメッキの材料にすぎませんでした。このオトギバナシのような事実ひとつをとっても、日本がヨーロッパ世界からみれば、孤立した存在だったことがご理解いただけるかと思います。

話を、六世紀の〝仏教渡来〟にもどします。

「キラギラシ」

ということばについてです。この日本古代の形容詞は、単に金鍍金におどろいたという
ことだけでなく、それ以上の内容をもっていました。欽明天皇は、宗教的感動をもったと
いうよりも、もっと初歩的な感動を持ったはずです。
それまでの日本の人物彫刻というと、〝埴輪《はにわ》〟のような素朴なものだけでした。仏像の
リアリズムにおどろいたにちがいないのです。〝人間とそっくりの形をしているじゃない
か〟と。
つまり、思想よりも、目にみえる〝文明〟におどろいたのです。気どっていうと、芸術
的ショックをうけたのです。
十九世紀の半ば、アメリカの艦隊をひきいて〝鎖国日本〟にやってきたペリー提督に、
蒸気機関車の模型をみせられたようなものです。もっとも十九世紀半ばの日本人は自動的
に動く車に驚きつつも、じつはオランダの物理学の書物によってその原理は知っていまし
たが。
さて、古代に話をもどします。その後、二百年間、日本国は、〝造寺造仏〟に精《せい》を出し
ました。大乗仏教は、釈迦の時代の原始仏教とはちがい、大寺という建物をつくり、仏像
を鋳造せねばならないので、お金がかかるのです。〝国家仏教〟たらざるをえませんでし
た。

この〝造寺造仏〟は、七〇八年、奈良の都という新首都が建設されるころに、頂点に達します。ただし、この首都はわずか七十七年間で捨てられました。

僧侶たちが暴慢になったからだといわれています。

一例で言いますと、大仏造営に熱心だった聖武《しょうむ》天皇（七〇一〜五六）が、自分は三宝《さんぼう》（仏教）の奴《やっこ》（奴隷）である、と宣言したことがあります。こんにちの法解釈でいえば、地上の王権の上に仏法がある、というようなものです。このため、大寺が横暴をきわめるようになりました。

日本の仏教は、インドからじかに入れたものではなく、中国仏教を受容したものでした。中国から宣教師がやってきたのではなく、日本から留学生を派遣して学んだのです。

そのための経費として、さきにのべた砂金が大いに役立ちました。

以下は、道草です。

中国から経典を船に運ぶとき、猫も船にのせたといわれています。日本列島に山猫がいたことは六、七千年前の遺跡から骨が出たことでわかっていますが、エジプトを発祥地とする飼い猫が日本にやってきたのは、じつに遅く、九世紀のおわりごろだったようです。経典の紙をねずみに食べられないように、いわば猫が守りながら海を越えてきたのです。

このことは、日本が文明圏からみて孤島だったということを知ってもらうために、例として挙げたのですが、もっとも猫の例は役に立たないかもしれません。ヨーロッパに飼い猫がやってきたのもそんなに古くはなく、八世紀ぐらいだそうですから。

首都が京都に遷《うつ》されたのは、八世紀末でした。さきにのべたように、奈良の都はわずか七十七年で捨てられました。

あたらしい都の京都では、仏教に対しては用心ぶかい態度がとられました。まず奈良方式の国立の大寺を、あたらしい都の京都では、市内で建てるということをしませんでした。奈良で、こりたのです。

それと、政府は二つのあたらしい仏教（平安仏教）がおこるのを歓迎しました。これによって、奈良時代の仏教は、一挙に博物館の陳列品のように過去のものになりました。もともと奈良仏教はよく言えば学問的で、わるくいえば断片的でした。すくなくとも個人の心の救済に役立つというような大きな体系ではありませんでした。

九世紀のはじめ、最澄と空海は一つの船団に乗って中国へゆき、それぞれ別の体系の仏教を持って、あたらしい首都の京都に帰ってきました。

それより前、中国では、解脱よりも救済に重点を置いた天台宗という体系ができあがっていました。最澄は、それを日本に輸入したのです。九世紀初頭の段階の日本は中国文明に依存していました。それが全く日本化するのは、輸入から四百年経った十三世紀の鎌倉時代まで待たねばなりません。

八〇五年に帰国した最澄は、じつに多忙でした。

もち帰った経典などの整理をするいとまもなく、それらを叡山《えいざん》という山の上に置いたまま、旧仏教（奈良仏教）からの論戦に応じねばなりませんでした。またかれのもたらした新仏教には密教的要素がすくないということで、これを補充するという作業もせねばなりませんでした。

「密教」

というのは、サンスクリットでいうタントラ（Tantra）のことです。呪術性のつよい宗派です。その根元《ルーツ》は、釈迦とはまったく無縁のものであったでしょう。なぜなら、釈迦は呪術を否定し、弟子たちに禁じていたからです。密教の原型はインドの古い層に根ざしたもので、たとえば南インドのドラビダ族（Dravidian）が密林でおこなっていたような雑多な呪文や呪術のたぐいが原形になっています。それらを知的に総合し、その上、大乗仏教的な宇宙観や論理を加えることによって、思想化され、体系化されたものでした。四世紀か五世紀ごろ、インドにおいてほぼ精密な形態をとりました。

密教においては、呪文やしぐさを象徴として用い、修行を積むことによってその象徴が宇宙そのものになるという考え方をとります。これに対し、仏教は釈迦以来、人間固有の欲望を捨てるという態度でつらぬかれています。ところが、密教にあっては俗世での欲望を保持したまま悟《さとり》をひらくことができるというのです。密教には一歩まちがえば淫祠邪教になりかねないきわどさがありました。それだけに初期密教は、刃物の上を素足でわたるような危険性をもちつつ、緊張した論理で構築されています。

インド密教は北へ行って八世紀にチベットにおいてラマ教になり、また東にむかって、中国に入り、一時期栄えましたが、ほどなく衰えました。中国には道教という似たような土着の呪術があり、西方から密教がやってくると、道教は密教の思想的内容をとり入れて体力をつよくしたために、密教は中国人の土着感覚に訴える力をうしないました。

空海は、日本史上の何人かの天才のなかに入るでしょう。

かれが唐の首都の長安において密教の伝授をうけたときは、中国における密教の衰亡期にあたっていました。かれは天成の論理家であったために、密教の非論理性に論理の縫針を入れて整合性を高め、いわば結晶のような体系をつくりあげて、日本で展開しました。

密教が出現したために、〝ふつうの仏教〟つまり最澄がもたらした天台宗などは、顕教とよばれるようになりました。密教は、宇宙の言語としての象徴的所作を用います。それに対し顕教とは、人間の言語によって表現し得る思想のことを言います。

ときの宮廷は、密教を好みました。密教は、ひとびとにとって、実利面が魅力的だったのです。病気をなおし、妊婦がぶじ男の子を出産しますように。……

宮廷の要請によって、顕教である最澄の天台宗も、その部門を設けざるをえませんでした。こんにちの大学でいえば、医学部をつくるようなものです。

最澄の死後、その弟子の円仁が宮廷から命ぜられて、八三八年、あらためて密教の一切を中国で探すために中国に入ります。その十年の旅行記が『入唐求法巡礼行記《にっとうぐほうじゅんれいこうき》』です。この唐末の中国のさまざまを、外国人の目という、高感度のレンズを通して書かれた旅行記は、明治時代、三上参次《みかみさんじ》博士によって京都の東寺《とうじ》で発見され、一九五五年、エドウィン・ライシャワー博士の研究〝Ennin's Diary——The Record of a Pilgrimage to China Search of the Law〟によって世界的存在になりました。この旅行記は、七世紀に中国からインドに行って経典を移入した中国僧玄奘《げんじょう》（Hsüan-chuang）や十三世紀のヴェネツィア人マルコ・ポーロらの旅行記とならぶ人類の財産だという意味のことを、たしかライシャワー博士がいわれたと私は記憶しています。円仁は、とくに密教が好きだという人ではありませんでした。官命によって、いわばいやいやながら行きました。その九世紀の旅行記が二十世紀になって評価されたのですから、人間はなにが幸いになるのかわかりませんね。

私の話は終りに近づいていますが、しかしまだ申しあげようとしたことを言っておりません。十三世紀のマルコ・ポーロという名が出たことでもあり、一挙に、十三世紀の鎌倉時代に入ります。

当時、叡山というのは、日本最大の大学でした。

もっともすばらしかったのは、学祖である最澄が、中国から持ちかえった経典や論、あるいは仏書といったぼう大な書籍を叡山の山の上に置いたまま、梱包《こんぽう》を解く時間もないままに死んだということです。

もし最澄が、これらの資料をぜんぶ整理して、いちいち注釈を加えたとしたら、叡山の学問はその後ほどには発展しなかったかもしれません。

整理は結果として弟子たちがやらざるをえませんでした。

弟子たちは、最澄が置き去りにして行った梱包を解き、書物を我流で読んだり、討議したりしました。読むための外国人教師――つまりインド人や中国人――はいませんでした。独学そのようにして、その後、三百年、無数のひとびとによって読まれつづけたのです。日本仏教の特異性の一つは、そのような事情からうまれたのです。

十三世紀の親鸞も、叡山という一大図書館で、みずからの流儀でテキストを読んだひとびとの一人でした。

私は独学が好もしい形式だとは思いませんが、親鸞の場合、独学のおかげで大乗仏教が本質的に理解できたと私は思っています。

叡山はむろん、修行の場です。修行は、当然ながら仏に近い自分をつくりあげる方法です。親鸞は二十年、叡山で修行をしました。ところが、すこしも〝善人〟になることなく、〝悪人〟のままでいるという自分を発見したのです、この発見が、日本文化の一部を変えたといえます。

親鸞のいう〝善人〟とは、私の解釈では、うまれつき生存上の欲望がすくなく、ずばぬけた頭脳と体力、精神力をもった人という意味です。さらにいうならば、既成仏教の究極の目的である解脱が可能な人という意味です。釈迦の原始仏教はむろんのこと、紀元前後から数世紀のあいだに出来あがった大乗仏教でさえ、一方で救済の思想を入れつつも、なお解脱をもって仏教の目的としていました。解脱できる人など、この世にいるでしょうか。いるとすれば千万人に一人ぐらいではないでしょうか。仏教は天才のみにゆるされた法なのかもしれません。

親鸞はそんな表現をもちいてはいませんが、すくなくとも自分にかぎっていえば天才でないどころか、凡庸な人間だということを生涯言いつづけています。当時の仏教は、凡庸な人間は地獄に堕ちるとされていました。

親鸞の用語では、解脱が可能ではない生れつきの人を、自分をもふくめて、

「悪人」

とよんだのです。仏教の基準からみての出来そこないの人という意味です。

しかし人間が生物であるかぎり、ほとんどの人が悪人ではないでしょうか。たとえば仏教では釈迦の当時から大乗仏教にいたるまで一貫してつらぬいているのは、殺生戒ということです。動物を殺したり、動物食をたべたりしてはいけない、ということです。この戒からいえば、むろん漁師や猟師は、地獄に堕ちます。

一般のひとびとも、野菜だけ食べてくらさねば浄土へゆく資格をうしないます。もっともそれは不可能なことではなさそうですな。いまでもインドのヒンドゥ教徒の多くはヴェジタリアンですし、釈迦もそうでした。叡山の多くの僧たちもそうでした。

釈迦よりも古い時代の西方の人であるピタゴラスが菜食主義《ヴェジタリアニズム》をとなえました。ひょっとするとインドの原始仏教の遠祖は釈迦でなくピタゴラスではないかとおもえるほどに、

かれが自分の教団で教えていた修行法は、それに似ていました。肉食を絶ち、沈黙のなかで自分の魂を見つめよ、清浄を守り、知恵の探求（フィロソフィア）をせねば輪廻転生の輪から永久にぬけ出せない、というのです。

菜食主義についてはソクラテスもプラトンもそうだったということですし、古いキリスト教にも一時期その傾向がみられたといいます。

しかし、普通の人にとっては容易ではありません。またたとえ殺生戒を守って菜食主義をとっていても、道を歩いていてアリを踏み殺したりすることもあります。それほどにすくなくとも、親鸞は自分には出来そうにないと思いました。自分は〝悪人〟だと思ったのです。

そういうかれが、数ある大乗経典のなかで、阿弥陀如来に関する三種類の経典を読んだとき、ただの人間でも救われるということを知ったのです。

阿弥陀如来（サンスクリット語Amita）は、浄土（極楽）の主宰者です。むろん、架空のいわば哲学的・宗教的存在です。阿弥陀如来については、八世紀ごろには日本に伝わってきていて、どうも死者を弔うためのいわば葬儀の神のように思われていたふしがあります。

親鸞の思想は、かれ自身による全き独創ではなく、系譜があります。親鸞にとっては、師の法然の思想を継承したものです。ただ法然の思想が多分に流動体《リキユード》の状態にあったのを、親鸞はそれを純化し、結晶体にしたのです。

経典によれば、阿弥陀如来は、〝残らず人を救い、浄土へ連れて行ってくださる〟というのです。そのことが、

「阿弥陀如来の本願」

だというのです。本願とは、本質的な機能という意味です。

すると、修行は要らなくなる。

感謝だけでいい、その感謝のことばが、

「南無阿弥陀仏」

です。親鸞によれば、そのことばをひとこと唱えるだけでいい。むろん、生きている日日、すきまなく感謝をしていればそれに越したことがありませんが。

親鸞自身、そうは言っていませんが、かれの思想は、「要するに人間は死ぬものだ。死ねば、肉体から解放される。となると、それが解脱ではないか」というものでしょう。

さらには、

「人は死に対して感謝せよ」

ということをべつな表現で言ったような気がします。

以上のようにいうと、みなさん気味わるく思われるでしょう。日本人は十三世紀の親鸞以来、死神《しにがみ》を信仰してきたのか、と。むろん、そうではありません。

親鸞は壮年期を関東ですごし、六十歳をすぎて生れ故郷の京都に帰り、九十歳で没する二年前まで著述の生活をすごしました。その間、死ということばは、ほとんど使いませんでした。死という言葉でなく、往生《おうじょう》、つまり（浄土に）往《ゆ》きて生《い》くということばを多用しました。私の勝手な解釈でいえば、親鸞のいうことは、大きな空《くう》からみれば生も死もない、ということでしょう。〝生とは単にそのことに囚われているだけだ〟と親鸞はみたのでしょう。親鸞は空《くう》を大いなる光明と見たのです。それに包まれていることにひたすら感謝し歓喜したいと親鸞は願いました。あるいはそうあるべくかれは努力しました。釈迦以来の仏教は、ここで極端なほどに単純になりました。単純という言葉が、キリスト教でも高貴で重要な言葉としてあつかわれています。

さて、『歎異抄』という親鸞が口述した書物に、唯円《ゆいえん》という弟子が、「往生――お浄土に往くこと――がすばらしいということについては、私は頭ではよくわかっているのですが、私の心はすこしもよろこばないのです。これはどうしたことでしょう」

と、たずねますと、

「唯円さん、あなたもそうか、じつは私もそうなのだ」

なんと正直な人でしょう。親鸞はすでに八十をすぎていました。いつ死んでも十分生きたのに、それでもなおいそいでお浄土にゆきたいという気がおこらない、と自分の教義に反するようなことをいうのです。

親鸞がいかに正直な人であったか、このことでもわかるような気がします。そのあと、親鸞の宗教論理が展開されるのですが、このことは省略します。

親鸞は一個の思想家であって、教団の教祖であることについては、自ら否定しました。市井の一学者というべき存在でした。むろん信奉者はいましたが、しかし教団をつくることはしないと宣言し、そのことを貫きました。また〝私の信仰は私自身のためのもので、他者のためのものではない〟ともいいました。さらには、自分の信仰は死者のためのものでもない、といったあたり、遠いむかしの釈迦の態度と重なります。釈迦は、僧が葬儀に関係することを禁じたのです。

また親鸞は、あらゆる迷信や礼拝形式《カルト》を排しました。このあたり、親鸞は十三世紀の人でなく、近代の人のようにも見えます。さらに、自分の教義についても秘儀を排し、〝自分が文字で表現したこと以外に、隠されたことはいっさいない〟としました。

『歎異抄』についてわずかに触れておきます。さきにふれたように、この本は関東の草深い田舎に住んでいた唯円という非僧非俗の人が、親鸞のことばを筆記したものです。唯円は仲間とともにはるかに旅をして京の親鸞をたずねました。目的は信仰上の疑問について質問するためでした。

じつにいい文章です。明晰な論理と、みごとな修辞に富んでいます。

ついでながら、十三世紀以前の日本の文章について触れておきます。日本は中国から見ればはるかに遅れて文明にむかって出発した国でした。従って日本語も未熟で、十三世紀まではは思想的な内容のものは、中国語（漢文）で表現されるのがふつうでした。

むろん、物語としては、十一世紀という早い時期に、日本語で書かれた『源氏物語』という長編小説がありましたが、日本語で思想がのべられたものとしては、十三世紀の『歎異抄』が最初のもので、しかも傑作というべき名文です。

私は二十歳になったとき、太平洋戦争に兵士として従軍しました。その直前、死について考えておこうと思い、はじめて『歎異抄』を読んだのです。最初に一読して、つまらないものだ、と思いました。あたり前のことが書かれていて、愚かな人のつぶやきとしか思えなかったのです。つぎに、声を出して朗読しました。すると、行と行《ぎょう》のあいだの沈黙のことばがひびきとして伝わってくるようで、最初のイメージが一変しました。同時にそのとき、むかしの人は、声を出して文章を書き、読み手もまた声を出して読んでいたことにも気づいたのです。

親鸞の思想が宗教といえるかどうか、多少の疑問がのこります。ほとんど哲学であって、大衆をひきつけるというものではありません。親鸞の思想をつきつめて考えますと、むしろん阿弥陀如来への感謝ということに尽きます。阿弥陀如来は空《くう》の別名であって、つまりは数学上のゼロの別名です。阿弥陀如来は、空《くう》というものの表札《ひょうさつ》にすぎないのです。親鸞は、阿弥陀如来は天にも地にも満ち満ちているといいます。私も阿弥陀如来、この水差しも阿弥陀如来。つまり空《くう》ということでしょう。

ですから親鸞は、阿弥陀如来の御名《みな》だけを唱えよ、と言います。礼拝の対象としては彫刻としての阿弥陀如来は好ましくない、あまりにも具象的だからです。せいぜい絵像にせよ、理想的にいえば御名を書いて拝んでおくだけでいい、と言いました。ガンダーラ以前の原始仏教にかえったというべきでしょう。しかしこれでは、哲学であって、宗教にはなりにくいのです。

紀元一世紀から二、三世紀にかけて、インドのほうで発生した大乗仏教は、もっとも純粋で、もっとも本質的なかたちで、十三世紀の親鸞においてもっともするどく単純化され、再生したと私はおもっています。

私の話は、十三世紀でおわります。

ここでまぎらわしいのは、十五世紀に蓮如という人が出て、親鸞の思想をもって本願寺教団という大教団にしたことです。こんにちなお、三万に近い寺々をもつ日本最大の既成教団でありますが、このような後世における形態をのべるのは、きょうの私の話の主題ではありません。

「日本仏教小論」と言いながら、禅についてなぜ語らないのかというご質問があるかもしれません。禅については、九世紀の最澄の天台宗にすでにその要素はありました。親鸞とおなじ十三世紀に栄西《えいさい》が出、また道元《どうげん》が出ました。

禅の美意識による日本文化への影響は計り知れません。とくに十五世紀の日本庭園は、禅が主題でした。茶道も禅の影響によるものです。しかし私は禅を語るには、よき語り手ではありません。禅は天才の道であって、私のような平凡な人間が踏みこむべき分野ではありません。

禅には、多くのアフォリズムがあります。たとえば「石上花ヲ栽《ウ》ウレバ生涯自《おのずか》ラ是《これ》春」という、はげしすぎるほどのことばがあります。意味は、悟りをひらくのは石の上に花を栽《う》えるように不可能にちかい、しかしうまく栽えれば生涯は春のようにおだやかな心ですごすことができる、というものです。禅もまた釈迦の原始仏教以来、プラティナのように光る法統を継いでいるものですが、私にかぎっていえば、禅がもつような、超人的な精神力の分野は、どうもにが手です。

仏教には、部分々々において哲学や精密な論理はありますが、キリスト教におけるような教義体系というものはなく、親鸞において最初にそれが成立しました。

以上で、日本仏教の一部は語ったつもりです。十三世紀以後のことは、述べません。

以下、にわかに日本文学の話になります。

日本は、一八六八年以来の明治になって西洋文明を受容しました。

明治の日本人にとってもっともわかりにくかったのは、西洋哲学あるいはキリスト教的な〝絶対〟もしくは絶対者という概念でした。

親鸞にとっての阿弥陀如来はキリスト教の神に似て唯一神ですが、しかしさきにのべたように阿弥陀如来が空そのものである以上、数学上のゼロが絶対とは言いにくいように、仏教の空《くう》はあくまでも相対的世界のものであります。科学が相対的世界の法則であるようにです。空《くう》は、キリスト教の神のように、超越することはありません。また万物を創造することもしないのです。

ヨーロッパにおいて神という存在はすべてに超越して絶対であり、さらに重要なことは、神が世界を創造し、いまも創造しつつあるという思想です。空は、創造はしません。変化はしますが。ともかくもキリスト教の神という観念は日本にはありませんでした。むろん、単に天地創造という神話は、どこの国にもあるように、日本神話にもありますが、それらは汎神論的な世界のおとぎばなしなのです。絶対者が君臨し、絶対者が創造し、絶対者が悪に対して検断するという思想は日本になかったのです。

ヨーロッパの偉大さは、千数百年来、神学者たちが——むろん哲学者たちをもふくめて、「神は——絶対者は——存在する」

ということを、糸巻きに糸を巻きつけるようにして営んできたことです。この知的作業は、おそらくヨーロッパ文明の基礎をつくる上で、決して徒労ではなかったとおもいます。このような作業の歴史は、日本だけでなく、仏教圏の国々にもありませんでした。空は科学と同様、相対的にとらえられるもので、それが存在するかどうかを考える必要のないものだったからです。

絶対ということです。

日本の近代文学にもかかわりがあります。絶対というものは、私ども相対世界に生きている者からみれば存在しないものです。もしそれが虚構であるとすれば、神（God）も虚構です。Godが大文字であるように、いわば大文字の虚構を中心にすえて叙述の糸を巻いてゆくという――つまりその作家の神学的世界を創るという――欧米の近代文学は、日本がそれを受容しようとしても容易なことではありませんでした。

日本の近代文学のなかに、「私《わたくし》小説」という特異な分野がうまれたのは、親鸞を生んでその思想を育てた日本の風土と無縁ではないだろうと思います。むしろ近代文学にあらわれた小さな――必ずしも志賀直哉は小さくありませんが――親鸞たちとみたほうが、理解しやすいように思えます。

文学の話は、これだけにしておきます。

以前、ドナルド・キーン博士が、私に、

「日本史をみていると、学問や思想上の巨人が出ます。しかし孤立しています。巨人が出て学問や思想が展開されたあと、そのあとの人々がそれを深く掘りさげるか、べつな方向にべつなものとして展開しそうなものなのに、その巨人だけで終りますね」

といわれたことがあります。とくに近代以前にその傾向がつよいということでしょう。私はそれを伺って、キーン博士に敬服してしまいました。私はいわれるまでそんなことを考えたこともなかったのです。

親鸞は親鸞で孤立しています。一九四八年ごろ、ある仏教学者が、

「日本仏教は十三世紀以後、停頓している」

といったことがありますが、親鸞の後継者は、親鸞からさらに別な思想を出発させることをおそれ、親鸞の教学を神聖視するあまり、冷凍庫に入れてしまいました。

近代以前の日本文化にあっては、宗教や学問だけでなく、医術、芸能から武術にいたるまで師の考え方を越えることは、禁忌でした。

このふしぎな風習も、日本仏教に由来していると思います。

さきに空海の密教にすこしふれました。空海の密教を凍結している冷凍庫は、本山である高野山であります。

密教にあっては、

「師承《しじょう》」

ということが厳格におこなわれます。一つの罎《ボトル》から他の罎《ボトル》に水が移されるように、水を

移すにあたっては、師匠の水の分量どおりに移さねばならないとされています。それが、師承です。芸能や武術、ときに医術でさえ、移された水のことについては誰にもいうな、親兄弟にもいうな、という誓約がかわされます。それが、師承です。

師承は、密教からはじまりました。密教にあっては、師匠は仏なのです。なぜなら、密教は即身成仏ですから、師匠になるほどの人は、仏になっているはずなのです。仏をおがむのと同じように、師匠をおがみます。これは、チベットやモンゴルのラマ教でもおなじです。

密教における師承の伝統が、あらゆる分野に影響した、と私はおもっています。明治以後は、師承の風習はなくなりましたが、余熱はのこりました。とくに人文科学において、師の教授の学説とまったく反対の学説をたてるということは、困難とされていました。いまも、多少はその余熱がのこっているかもしれません。

以上、伝来から十三世紀までの日本仏教と、その影響についてのべました。極東の小さな国の歴史、それも宗教史について語ったところで退屈なだけだろうと思っていましたが、熱心にきいて下さいましてありがとうございました。

＊この稿は、一九九二年三月五日、コロンビア大学のドナルド・キーン日本文化研究センター

で講演した内容に、多少手を入れたものです。

（「新潮45」一九九二年五月号）

報恩

「はい、左様にさせて頂きます」

「おかげさまで、元気にくらさせて頂いております」

こんな語法は、江戸文学の会話にはなかったようである。明治の東京落語の速記にも出てこないのではないか。

私見で恐縮だが、北陸、東海、近江などの真宗地域の語法だとおもっている。

如来に生かされて頂いている、仏恩のおかげで、先月も旅行させて頂いて、病気もせずに帰ってきた、というふうな気分から出ていて、如来とか仏恩とかが省略されているだけのことなのである。

「べつにあんたに私がなにかしたわけではない」

と、生っすいの東京の人で、ときにこの語法をいやがったりもするが、おそらく本来の意味がわすれられているからだろう。

私は、この語法は、近江門徒が大阪の船場で大商人として形成されてゆく過程で根づき、ひろまったのではないかとおもっている。ときに、日本語を学ぶ外国人が、当惑する。そんなとき、私は、

「あれは、思想語ですから」

と、答えることにしているのである。

（「ひとり ふたり……」第四十号一九九一年九月十五日刊）

恩師

昭和初年、大阪の難波に小学校がいくつかあって、そのうちの一つに入学した。受持は富田栄太郎先生だった。

お年は四十半ばだったが、子供の目にはずいぶんご年輩にみえた。それが子供ごころにも誇らしく、富田先生は教頭さんのつぎに年寄りだなどと、らちもないことを家で言い誇ったりした。

後年、私は漁業組合などを訪ねて、どのようにして漁を学ぶかときいてまわったことがある。何人もの老漁師が、少年のころ、お兄ちゃんぐらいの年上の先輩をみつけてそれにくっついたものです、という話をきいた。

そのおかげで、どうも子供には、〝お兄ちゃん崇拝〟ともいうべき心理があって、すこし年上の人から経験や知識を学ぶと頭や体に入りやすいという機微を知った。そういえば幕末の吉田松陰も塾生との年齢はさほど離れていなかったのである。

しかし私にとっての富田先生は年齢を越えた存在で、いまでも心のなかの特別な部屋に起居されている。

富田先生は当時の行政区分ふうにいえば大阪府中河内郡の古くからの素封家の当主で、農家ながらも自分で耕作せずに済んだために師範学校を出て教師になられた。当時は、そういう境涯の先生が多かった。

四年生まで担任してくださって、教職そのものを辞められた。

辞めるとき、子供を一人ずつ奉安室によびだし、ご自分の田で稔《みの》ったという稲穂を一穂くださった。そのときの悲しみは、いまもおぼえている。

富田先生は、私の四十代までご存命だった。

六、七人の同窓会も先生のお家を会場にし、奥様の手料理を頂戴した。ずうずうしい話だが、先生のご希望だったから、やむをえなかった。

先生は、無口なひとだった。なにを語られ、何を教わったかすこしも覚えていないくせに、どの瞬間の笑顔も思いだすことができるし、そのつど春の海のような気分になる。

文化勲章を頂戴したとき、皇居で、ふと奉安室での先生の笑顔を思いだし、緊張をしずめることができた。

（「文部時報」一九九四年二月号）

岡本さん

岡本博さんが、七十いくつになったという。そんなはずはない、せいぜい二十五、六じゃないのか。

まったく、年齢など、どうでもよい人なのである。ともかくも、

――人間として、人間は、どうすごすべきか。

ということを、軍艦乗りの戦争特派員のころから考えこんでいたのにちがいない。さんざん戦争の修羅場を見て、国家とか世界といったものはなにか、ということを考えこんでしまった。

五、六十代のころ、平和をねがうデモの列に、前後左右とまったく関係なく、ひとりっきりで、手製のプラカードを持ち、まっすぐに歩いていた。そのころでも、とびきり上等な旧制中学生のような顔をしていた。

といって隠者ではなく、世間のことは、隙間なくやった人である。大学を出て、毎日新

聞に入り、誠実に世の中のことを報道しつづけた。

学芸部長から、『サンデー毎日』編集長をつとめた。出世欲はなかった。社の内外の人々は、この人を見て、自分が生きている社会にこんなに心のきれいな人がいたのか、と自分がトクをしたような、すくなくとも生きていることの意義を感じさせられたりした。

独自の哲学を、思いつきでなく、きちんと整理してきた人でもあった。映像が好きで、そこからも、生きることについてのさまざまなものをひきだした。

定年になってから、美大の彫刻科に入学し、授業に出、若い学生とともに水泳までやった。まさか水泳部に入らなかったと思うが、ひょっとするとこの人のことだから、正規の部員だったかもしれない。

卒業して、インド文明圏に行った。大田舎で、石に仏を彫るのを手伝ったり、農家に逗留したりした。室町の旅の僧のようだった。

そこまでは私は知っている。

この人が七十をすぎてからは、日本にいるのか、ネパールにいるのか、火星にいるのか、よくわからなくなった。当方が、探索を怠っていたためである。

ごく最近、消息がわかった。

大学で教えていたという。若い人がすきというより、永遠の自分というものを、若いひとびとの中に見出しているのにちがいない。それを見つめて、対話して生きている。
そういうこの人を、学生（あるいはOB）が放っておくはずがなくして、この人の本を出すという。その世話役の若い元・学生さんからたのまれて、この文章を書いた。

（岡本博『思想の体温』序文一九九一年四月六日ゲイン刊）

私どもの誇りである人として

津志本氏がとほうもなく大きな存在であることは、昭和二十年代、大阪府の新家《しんげ》という在所で、小さな畑の土をくだいてバラを植えはじめたときから、傍目《はため》にはわかっていた。すぐれた実際家でありながら、夢のような表情をしていた。そのころ私が「津志本さんは園芸家というより作家ですね」というと、このひとは、なにやら深いためいきを一つついてから、かすかにうなずいた。

なにしろ、いいバラをのこして、ほとんどの花をすててしまうのである（この写真集におけるバラの炎のすがたをご覧ありたい）。その選択は、陶芸の名匠よりもきびしく、創作者というよりほかなかった。

津志本さんは、旧制中学を出たあと、当時自由な校風で知られた文化学院（現・文化学院大学）の洋画科に入って、画家を志された。

ところが、戦争がこの多能な人を戦場につれて行った。物の習練にもっとも大切な時期をこのひとからうばったのである。

ぶじ帰還したあと、八丈島のそばの無人島へ行って、みずから流謫《るたく》のくらしをされたらしい。多分、このときの瞑想が、この人のその後半生を決めたのにちがいない。

そのあと、泉南の故郷に帰ってきて、父君から、いくらかの田畑をわけてもらった。ついでながら、津志本家は江戸期の蘭方時代までさかのぼる泉南の医家で、代々徳望の高い仁術者を出してきた。

津志本さんは、はじめ山羊や緬羊を飼うということをされたが、このことは、多分にロマンでありすぎたかもしれない。つぎは、バラを作ろうとされた。画家がバラを作るのである。むろん園芸のことはわからないから、京大農学部の並河教授のもとにゆかれて、教えを乞われた。

私がはじめて津志本氏のバラ園をたずねたのは、その後のことだった。さきにのべた新家という、急行のとまらない駅におりると、バラの香りが風の中でみちていたことをおぼえている。

津志本さんがみずから設計されたややスペイン風の住居は、まわりのバラたちの管理のための機関として存在していた。海をゆく三本檣《カラベラ》船の船橋のような感じもした。

「梅原（龍三郎）さんの絵の中のバラはすごいですね、やはりバラも一流ですね」

といわれたのには、おどろいた。梅原の絵を芸術として見るだけでなく、バラとしても見ておられたのである。

なにが一流のバラかというのは、凡眼ではわかりにくい。梅原龍三郎という人には、それが見えていたということなのである（たれが、こういう美術評を、梅原さんについて述べたろう。ついでながら晩年の梅原さんのバラは、津志本さんのバラだったといわれている）。

この時期から、津志本さんは、どうやら、バラについて梅原さんと同じか、それ以上の目をもっていた。

極度にふかい焦点をもった津志本さんの目に適《あ》わない花は、容赦もなくすてられた。ときに木も蕾も花も、炎の中に投じられた。

むろん、この人に採算計算などはない。だから、園芸家ではなく、作家というよりほかない。

ただ、当時の津志本さんをすくったのは、東京における国際化の進行のレセプションが、毎日のように東京のどこかでおこなわれていた。欧米人はバラにうるさく、その目に適《あ》うようなバラが会場に必要というような時代になっていたのである。

戦前の日本なら、とても津志本さんのような人を生むことができなかったろう。

戦後日本を評価する場合、当然、幾人かの顔がうかぶ。私など、そのときいつも、作業衣姿の津志本さんの顔を思いうかべるのである。

（津志本貞『薔薇』序文一九八七年八月六日求龍堂刊）

土と石と木の詩

人類は、そのながい歴史を通じ、コトバを超えた詩を語りつづけてきた。ここでいう詩とは、石と木でつくられた土木のことである。それが荘厳であることとは、主として、食うために、生き継いでゆくためにおこなわれたということにある。

むろん、食うこと以外の動機によってもそのことはおこされた。たとえば、不可知なものへのおびえや畏れ、またそのおそろしいものと通話しようという願いが生じたときもおこされたのである。私どもが、古代祭祀遺跡を見るときにそれを感ずることができる。

さらには、万里の長城のように、自分たちの社会の外縁を大きくかこんで、外敵の侵入をふせごうとするときも、人類は土木をおこした。また、一都市や一地点を守るために営まれた日本の城、ヨーロッパの城市や砦も、その実用目的をうしなったとき、後世の私どもに、言語を越えて語りかける詩にかわるのである。

私は、さらに、日本における水田築造においても、痛いばかりの詩を感じてしまう。稲はいうまでもなく熱帯を原産とする植物なのである。それを、温帯もしくは亜寒帯にちかい日本に適合させるために、私どもの遠い先祖はさまざまな営みをしてきた。古代以来、山や谷の傾斜面に、棚田《たなだ》を築造した。田の面《も》を水平にすべく石垣や土畳を築き、箱のようなかたちをつくったのである。箱の底は、水もれがないように、たんねんに粘土でもってつきかためた。そこへ上から山の水を引いて泥水をあふれさせ、苗をうえるのである。それらの構造と仕組みをつくることによって、稲の原生地とされるインドの河口の状況を、そっくり日本にうつしかえた。

インドに雨季がある。その時期に稲が芽を出す。日本でも田に水を張って苗をうえる。やがてインドに乾季がくる。それと同じように、日本では田の水をぬいてしまう。あとは、烈日のもとで稲の茎からさかんに枝わかれさせ、穂がつくことをできるだけ多くしてゆく。それら、稲作の源流の地の状況を農業土木的につくりあげたのが、古来の日本の稲作であった。

その状態を、たとえば、私どもは、土佐の檮原《ゆすはら》（高知県高岡郡檮原町）の千枚田《せんまいだ》においてみることができる。ここをひらいたのは、平安初期の伊予からの逃亡者たちだった。逃亡者とは、律令体制という、農民にとっては農奴としか言いようのない体制からの脱走者たちのことで、当時、官用語で「浮浪人」とよばれた。そういうひとびとが、みずからがなっとくした開発《かいはつ》のために、私的な首領を一人推戴し、その人物に水の分配などの宰領権をあずけ、たがいに合議しあい、稲作の限界ともいうべき四国山脈の高地に水田を築造しつづけていったのである。

私は、以前、檮原水田の起源をしらべ、その千枚田の写真をみたとき、万里の長城などに驚いてはいられない、とおもった。

この山間のひとびとは、カルスト台地の石を焼き、割り、くだき、それでもって土壌面をひろげ、くだいた石をもって石垣をきずき、田を水平にしてきたのである。水は、はるかな谷底から人の力で汲みあげてきた。一時期の新中国で〝農業は大寨《だいさい》に学べ〟などといわれて、政治スローガンになっていたが、私はその時期、中国へ行って、

「日本の檮原のほうがすごいですぜ」

といったことがある。むろん日本じゅうの古い水田地帯の構造水田は、大なり小なり檮原的であった。

私はその後、檮原へゆき、たんねんに千枚田を見てまわった。

檮原へゆく前、土地の人に、

「十一月末にゆきます」

というと、

「それより遅くなりませんように」

と、注意された。以下、その人は、いう。

「冬は、雪で孤立するのです。十二月か一月ごろから雪がふりはじめて、春まで雪ごもりになります。ちかごろは道がいいから、外界から入ることができても、あちこち歩くことはむりです」

土佐は、たしかに暖地なのである。

でありながら、伊予境いの高地である檮原の冬は、新潟県の山地とかわりがない。

この集をつくった写真家の高橋昇氏と編集の石川保昌氏は、大胆にも一月（一九八六年）に、この地を訪ねた。この地には〝三八《さんぱち》豪雪（昭和三十八年）〟ということばが残っているが、このとしはそれを思わせるような豪雪だったという。石川氏が私にくれた手紙では、

檮原の雪は、アゼン、アゼンと降り積もるのです。四時間ばかり駐車しておった間に、車の上には二〇センチも積もっていました。

とある。

水田を築いてきた私どもの先祖は、こういう地形をむしろよろこんで住んできたわけで、関東平野や加賀平野、河内平野のような平坦地は、なるべく避けてきた。古代、そういう平野の場合は、平坦地を避けて山ぎわの傾斜地に、田や農村をつくった。

大平野（大きな川の沖積平野）の場合は、河川の氾濫のために遊水がたまり、悪水になって、当然ながら、稲がそだたない。

平坦地における悪水を排除して、いい水を大きな水流からひき、さらに灌漑用水網を大展開させるにいたるのは、関東平野においては十二世紀、加賀平野では十三世紀、河内平野にいたっては十七、八世紀というごく近い過去だった。そのことを思いつつ、わが山河を見ると、人間のいとなみの場所として、けなげで、かつ痛々しさを感じざるをえない。

日本は、普請の国である。

普請は、土木のことをいう。ことばとしては十三世紀ごろに浙江省あたりから入った宋の音《おん》で、当初は建築ということもふくめてつかっていた。戦国時代になると、建築をきりはなして、これを「作事《さくじ》」とよぶようになった。城ならば、その土台のいっさいをつくる土木は、普請奉行がやる。その上にのせる楼閣などの建造物をつくるしごとは、作事奉行のうけもちである。

農業土木という言葉は、それよりも古くは、

「治《はり》（墾《はり》）」

といっていたのではあるまいか。あらたに農業土木をおこして新田になった土地を、今《いま》治《ばり》という。愛媛県北部に、げんにそういう地名の町がある。

さらに古代にさかのぼると、そういう概念語すらなかった。

ただ作業だけがあった。すでにのべたように、日本の稲作は、弥生時代から、軽度・重度の農業土木がかならずともなうのである。

数年前、日本農業土木学会の五〇周年の紀年的な総会があって、物好きにものぞいてみたところ、

「単に土木学でいいのに、わざわざ農業土木学と名づけ、そういう学会まで存在しつづけているのは、日本だけなんです。ですから、英語やドイツ語にそういうコトバがありませんし、外国人に説明するときにこまるのです」

という話を、関係者からきいた。このことは、日本人の営み（農業）の歴史を感ずる上で、むしろうってつけの事例になるのではあるまいか。私どもは、いちいちの小さな農民のレベルにおいて、石を積み、溝をひき、井堰《いぜき》をつくり、土壘を版築《はんちく》するというこまごま

とした土木を営んできたひとびとの末裔なのである。

さらには、灌漑と造田によって新田ができあがるたびに、社会も変った。小さくも変り、大きくも変った。日本史はそういう変化の連鎖だった。

私どもの先祖は、行基《ぎようき》（六六八〜七四九）という、かつて官寺に身を置き、のち意を決して、私度僧《しどそう》として民間に遊行《ゆぎよう》した人物を、菩薩としてあがめた。このことの理由の一つは、行基がさかんに池を掘ったということにあったろう。池を掘り灌漑用水を湛《たた》えることによって既存の水田生産が安定するだけでなく、新田も拓かれるのである。

公地公民を原則とする律令体制は、農民にとって自由がなく、苛酷なものだった。この「公民」であることから逃亡した「浮浪人」たちが、行基の盛名のもとに集まり、私的な水田をひらき、私民になることを乞いねがった。

「ここに池を穿《うが》とうではないか」

と、行基がいうだけで、無償の労働力があつまるのである。

ひとびとは池掘りに参加し、それによってひらかれる新田の私民になった。（ついでながら奈良・平安朝のころのひとびとは〝公民〟の束縛からはなれて〝私民〟になりたがった。この哀れな願望は、約五百年後の鎌倉幕府の樹立によって、晴れやかに叶《かな》えられることになる)。

右のカッコ内でのべたことを裏返すと、奈良朝・平安朝に〝公民〟としての農民にうまれた者の不幸は、五百年もつづいたのである。この気の遠くなるような時間の長さ。

この間、官がおこなった農業土木は、空海の人員動員力を借りた讃岐《さぬき》の満濃《まんのう》ノ池ぐらいのものしかないのである。

鎌倉幕府が樹立してから、私民が各地で農業土木をおこし、さかんに私田を開発した。その成果がみのるのは室町幕府の時代だが、室町幕府は応仁ノ乱の最中でもなお将軍義政が銀閣寺造営に熱中していたことが象徴するように、政治不在の時代だった。しかしながら、農業生産力は日本史上最高というにぎわいを示した。

社会が保有する食糧の余裕が、室町文化を生んだ。

能狂言、数寄屋普請、茶道、連歌《れんが》、美術工芸といった、その後の日本文化の源流となるものは、ことごとく室町期から発している。その基礎は、鎌倉幕府の樹立によって大きく弾《はず》みがついた新田の開発にあったといっていい。

つまり、農場主や農民が、みずからの利益のために石を積み、水を貯え、溝をうがち、水路をひらいたことの努力の上に、たくさんの非農民が成立し、その非農民の中から文化がうまれ、さらにすぐれた非農民の手でそれが発展したのである。

この稿では、もっと多くのことを語りたかった。

漁民や海商のための築港や、城郭、寺院についても言いたいことがたくさんあるのだが、本文にゆずりたい。

叡山についても語りたかった。

叡山は平安初期以来、織田信長による焼討《やきうち》までのながいあいだ、山上から山麓（いまの滋賀県大津市坂本）にかけての一大宗教都市で、巨大建造物が多かった。山上に建造物をつくるためには、土台の工事を必要とした。その技術は坂本付近の穴太《あのう》が担当し、ながい歴史の中で蓄積してきたのである。

戦国末期、信長の安土城が近江に出現しえたのも、この技術によるものだった。こういう技術を目近《まぢか》に見た近江系の人々（秀吉も近江長浜城主だった）の多くが、城造りの設計者になっていったというのは、うなずけるような気がする。近江出身の藤堂高虎《とうどうたかとら》、また秀吉の近江長浜城で成人した加藤清正が、当時の二大土木家だったことを考えると、叡山の工学的な影響は、まわりまわって測り知れないという思いがする。

また戦国末期の巨大建築は、大和の法隆寺付きの大工がこれをになったということも考えねばならない。かれらは法隆寺はじめ南都の諸大寺の補修をしつづけてきたために、天守閣や櫓《やぐら》を設計・施工することはさほどの困難であるとは思っていなかった。天平の技術は断絶せず、法隆寺村で蓄積されてきたのである。

文化は一朝にしてできるものではない。

遠いむかしから流れつづけてきたものが、構造物となって凝縮している。その構造を構成するたるき、瓦、石垣、あるいは小石一つでさえ、それぞれ語をもっている。かれらは、千年、数百年のあいだ、日夜語りつづけ、ときに聴く人を得るとき、はげしくよろこぶのである。

（高橋昇『人海　日本の普請』序文一九八六年四月十日ティービーエス・ブリタニカ刊）

米朝さんを得た幸福

私の小学生時代は、昭和初年である。

大阪のミナミで育った父親はとくに寄席好きだった。しかし連れて行ってくれたことがなかったため、私など落語はひたすらラジオで聞いた。そのころ生意気にも落語は東京落語にかぎるとおもっていた。そのことを父親にいうと、

「だれも、上方《かみがた》の春団治には及ばん」

と、いった。明治十一年（一八七八）うまれの春団治は当時まだ在世中だったらしい。ときどきラジオにも出ていたはずだが、私はきいた記憶がない。たとえきいたとしても、春団治の場合、所作や表情が芸の重要な要素になっていたため、耳からの印象がうすかったのかもしれない。

富士正晴氏に名著『桂春団治』（河出書房）があり、その序文（講談社版の文庫にはない）を桑原武夫氏（一九〇四年生まれ）が書いている。じつにいい文章である。氏は「三

高の末期から京大、とくに大学を出てから、新京極の笑福亭、富貴などへ通った」という。大正末年から昭和のごく初期のころである。

そのなかで、東京落語の小さん（三世小さん。一八五六〜一九三〇年）と上方落語の春団治をくらべているくだりがあるのだが、このあたり、この偉大な芸術鑑賞者の重要な部分でもあり、またのちにのべる私の米朝論にも匂いが及ぶので、引用させてもらう。

当時、落語の名人といえば、小さんというのが定説であった。私は現物を聞いたことは二度しかない。もちろんうまいが、江戸ッ子という言語的制約のしからしめるところか、さっぱりして枯淡ですらあったが、私が一流の芸術には不可欠だと思う一要素、ぬるっとした艶っぽさ、内分泌という言葉がふと頭にうかんでくる、そうした感じのものに欠けていて、これを至芸などといっている江戸ッ子文化とは、薄くはかないものだという気がした。東京の寄席などに通じているある先生に一度春団治をお聞かせしたが、いっこう感心されなかった。芸術に国境なしとはいえないので、あの微妙で猥雑な上方弁がわからなくては、春団治は味わえない。

私事にもどす。私は、長じて、東京落語のネタのほとんどは江戸期から明治にかけて上方で創作されたものだと知るようになってからも、それを芸として磨きあげたのは江戸・東京の噺家たちだ、と思っていた。この時期——当然なことだが——、米朝さんはまだ出現していないのである。

さらには、主として大正期に活躍した右の春団治についても、当人の個性そのものが炸裂的に面白いのであって、世態人情を客観的に描出する芸のほうはどうだったのか、とこわいもの知らずの勝手な疑問をもっていた。このことはいまも氷解せぬままでいる。

ところで、米朝さんとは私が二歳上で、ほぼ所属時代が重なっている。というより、どちらも上方落語を軸としていえば、その衰弱期に少青年期を送ったことになる。

落語ファンとしての私のなげきは、演じ手の米朝さんにもあったらしい。『米朝落語全集』(創元社・全七巻)の第七巻「あとがき」は、このひとの五十六歳のときの文章だが、以下のような悲痛なくだりがある。

昭和三十年前後の上方落語は、それは情ないものでした。「上方落語……、へえ、まだ滅びずにあったのかい」——まあ、そんなものでした。殊に東京では、一部の人を除いて、関西にも東京に対比すべき落語があるなどとは思って貰えなかったと言って良いでしょう。

米朝さんは、私の記憶では兵庫県の秀才中学（旧制）である姫路中学を出て、東京で漢学の学校に学んだ。このことが、その後、すでにほろんでしまった古いはなしをさがし、かつ主題や骨格、あるいは情趣を考証するという考証学的な作業をこのひとがになう上で大いに役立ったろうと思われる。

むろん米朝さんの功績は古いはなしを発掘させたという学問的なことだけではない。この人の天分は、はなしの中の死者たちに息吹きを入れて、現実の私ども生者以上にいきいきとした人間にしたてあげたのである。

しかもその天分は、明治・大正の春団治のそれではない。春団治は、いわば私小説の稀世の名手なようなもので、自分という素材を芸術化したといえる。米朝さんのばあい、固有の含羞《がんしゅう》がつよすぎて、自分自身を曝《さら》すことがない。むしろ曝すに値いしない人間だという思いを頭からおもっていて、はなしの中の他者を愛しぬくことを芸の出発点とした。春団治のばあい〝落語の邪道〟とか、〝一人漫才〟などといわれたりした。宇井無愁氏は『上方落語考』（昭和四十年・青蛙房）のなかで、春団治の模倣者たちが落語を破壊した、という旨のことをのべている。ただその傾向に抗議する力が、当時（昭和初年）の本格派にはなかった、とも宇井氏はいう。

米朝さんを語るとき、その登場と成熟があらゆる意味で尋常でないことを思わねばならない。さまざまな分野を通じ、このひとのように復活と新展開という劇的な活動をひとりでやってのけたひとは古来幾人いるだろうか。

くどくいうようだが、米朝さんは上方落語を春団治以前にもどし、さらには、桑原武夫氏のいうところの「一流の芸術には不可欠だと思う一要素」をその芸にたっぷりそなえさせたのである。

私は、ここ六、七年、東芝EMIのカセット『桂米朝上方落語集』四十数本をくりかえし聴き、その芸から人間の皮膚や粘膜質にふれて感じる湿り、ぬめり、きめや温度をふくめたあらゆる触感をたんのうした。

しかも演者の精神が高く、このため、たとえば『景清《かげきよ》』に出てくる濡れ場までが、ずきりとするほどに品がある。これも「一流の芸術に不可欠なもの」にちがいない。

ついでにいうと、『景清』のなかに上等の邦楽をきかされているような一瞬があり、失明した主人公が清水《きよみず》の石段をのぼってゆく。のぼりつつ主人公が鼻唄をうたうのだが、登るにつれて息が切れ、足もともよたよたしてくる感じが、長い石段の実感とともにこちらの五官に伝わってくるのである。米朝さんの中でしばしば出てくる古典的な物売りの売り声などとともに、落語の基礎であるところの音楽的要素のたしかさを思わせる。

そのような基礎の堅牢さがあればこそ、米朝さんの人間描写はじつに自由なのである。その透きとおった自由さが文学的感銘になって、私どもの心を怡《よろこ》ばせるしんになっている。私は子供のころから小説を読むことがすきで、いまにいたるまでかわらないが、米朝さんほど心をよろこばせるという本質的な機能をもった文学作品に出あうことは、そう多くはない。

私は、上方落語の不毛期に育ち、成人し、人生の晩年になって米朝さんという巨人を得た。この幸福をどう表現していいかわからない。

（桂米朝『米朝ばなし』解説一九八四年十一月十五日講談社文庫刊）

多様な光体

前衛陶芸家の八木一夫（故人）が、薩摩苗代川《なえしろがわ》の沈壽官《ちんじゅかん》家にやってきて、
「先祖みたいなもの、蹴とばしてしまえ」
という意味のことをいったらしい。十四代沈壽官氏は憮然《ぶぜん》として沈黙していたそうだが、この挿話は陶芸というものの重要な課題をふくんでいるだけに、さらには私としては両所を知っているためことさらおもしろい。

八木一夫については、かれの無名時代から親しかった。八木は自分の陶芸を「用」から独立させ、彫刻のように、造形としての自己完結性をねがいつづけた人である。八木一夫の父の一艸《いっそう》は茶陶の世界の人だった。八木としてはそこからぬけ出さざるをえず、そのため眼前の一艸とたたかい、これを全否定するところから始めねばならなかった。八木としては、当然、こういう暴言を吐かざるをえなかったのだろう。

ここで、べつの挿話を思いだす。作家の火野葦平（故人）が、永井荷風を評し、おれな

んぞは一代で奮戦しているのだが、荷風は先祖代々が寄ってたかって書いている、衆寡敵《しゆうかてき》セズだよ、といったという。工芸もしくは造形芸術と文学とはちがうものとはいえ、十四代沈壽官氏のことをおもうとき、ついこの挿話を思いだす。

伝統工芸は、九割までが技術で、あと一割が魔性《ましよう》である。その魔性がどう昇華するかで作品がきまってしまう。右でいう技術は近代技術のように普遍化しがたいものである。言いかえれば学校などで教えがたいもので、理想としては累代の家系にうまれて毛穴から数百年のなにごとかを吸いとってゆくのに越したことはない。

吸いとるためには、ちまちました自我の反発をおさえ、豊醇なロマンティシズムを成立させねばならない。この大いなる気分をもって家系をくるみ、アジア史をくるみ、また日本的美学そのものもくるみこみ、最後に、熔けた自我を再結晶させて宝石化する以外にない。

十四代沈壽官氏の作品群は、そういう壮大な背景のあげくに滴《したた》ったものである。そのかがやきの中に伝統を見るのもよく、他面、このひとのすぐれた造形感覚の結晶のみを見つめるのもよい。あるいは茫々とみて——私などそうだが——多様にかがやく光体を感ずることもできるのである。

（「沈壽官展」図録一九八六年九月十一日刊）

サンペイさん発達史

サンペイさんと私とは、齢でいえば、私のほうがすこし上だとおもいます。

——坊やのような顔のひとだ。

と、失敬にも初対面のとき感じたんです。眉があがって、口もとが意志的で、体も陸上競技の選手のようにがっちりしているくせに、出来あがったばかりの五月人形のような青年でした。

というより、紺のサージの服に白い襟を出して歩いている少年が、街角をまがったとたんに青年になってしまった、といったような童話的な感じがしました。そのくせ、声がバスなのも、ふしぎでした。

もう三十年ほど前のことです。

そのころ、私は大阪の新聞社の文化部にいました。私の職場生活の中で、いちばんいやだった時代でした。新聞記者の最初の五、六年を京都支局ですごし、自分のもっているエネルギーをつかいはたしてしまったような感じがして、そのあげくが、隠居仕事のような大阪の文化部のしごとで、デスクに毎日はりついて暮らしていました。

そんなときに、サンペイさんが毎週きまった日に、部にやってきました。その新聞社は、主たる新聞のほかに、わりあい伝統のある別の名前の夕刊紙を一つ出していて、その夕刊紙のしごとも、一つの部で兼ねていました。その夕刊紙には、毎週、マンガの特集欄が編集されていましたが、その欄のつぎの週のテーマをきめるために、毎週、在阪の漫画家たちがあつまっていたのです。

私は、漫画の係ではありませんでした。その編集は、極度に神経質な部長さんと、その部長さんがただひとり心をゆるしている別の次長の聖域のようになっていて、何だか、このことは他に伝えにくいふんいきなのですが、私どもを近づけないようにしていました。このため、私は、サンペイさんに好意をもちつつも、部長さんの神経に敬意を払って、コーヒーを一緒に飲んだこともなく、できるだけ素知らぬ顔ですごしていました。

その漫画家集団のなかで、ひとりだけきわだって齢の上の方がおられたのですが、あるとき、私はそのひとに、不用意にも、

「漫画も文章も、もとは同じですね」

といってしまったのです。それだけならよかったのですが、

「いい漫画家は、みないい文章を書きますね」

と言いかさねました。この考えは、いまでも私の中で変っていないのです。げんに私は、一コマや四コマの漫画に、三十枚のコントも及ばない作品をいくつも見てきたのです。文学が、人間や、人間がつくっている世間への理屈をこえた情趣や、あるいは論理でもって言いあらわしがたいなにごとかを言語で書くものだとすれば、漫画はそれを絵で表現する、ということは、たいていの人が納得してくれるのではないでしょうか。しかも、人間の心と行為と、その総和である世間における愛すべき不条理さを、漫画家も頭のなかで、最初は言語としてとらえているのではないか、と思っていましたし、いまもそう思っています。

ところが、その長老さんは、

「そんなこと、ありませんよ」

と、顔色を変えて反発してきました。そのとき私は、そのひとが文章を書けないひとだということに、きわどく気づいたのです。私はあわてて自説をひっこめ、自分のしごとに戻りました。

そういうこともあり、その長老さんにも遠慮して、いよいよサンペイさんには疎遠なふりをしつづけていたのです。

しかしサンペイさんの作品や、描写力には、深い尊敬を抱いていました。前記の漫画と文章とのかかわりについての我説が、サンペイさんの資質やしごとにそっくりあてはまるからでもありました。

サンペイさんの作品についてのそのころの印象は、もひとつあります。理科系の頭のひとの漫画だな、ということでした。構成が力学的で、正反合が積木のようにくっきりしていたという意味です。漫画にとっての文体はいうまでもなく絵ですが、文体の飄逸さだけで成立する短編小説もありますけれども、当時のサンペイさんの場合はそうではなく、誤差を覚悟していうとすれば、初期の菊池寛のテーマ小説のように、構造的だったように思います。

いまの国立京都工芸繊維大学は、戦後の学制改革以前は、京都高等工芸といわれていました。サンペイさんの母校です。東京の高等工芸（千葉大工学部）とならび、たとえば窯業とか、機械デザインといったような芸術的工業もしくは工業的芸術を教える学校でした。戦前は、多くの画家も出したが、上野の美術学校ふうの絵とちがい、どこかタッチや構図が理科的だといわれたものでした。たとえば、その理科的な感じのみごとな結実が、東京高等工芸の出身者である風間完氏のエッチングでしょう。

さらには、同種の学校の京都のほうの出身であるサンペイさんの「案」にも、発想から構成において、力学的な感じと、堅牢な描写力を感じます。

このことは、話を漫画の元祖の岡本一平にまでさかのぼって比較すると、よくわかるかと思います。一平は文人風の発想と俳画を思わせる描写の上にかれの偉大なしごとを成立させました。欠点としては、ときにそれにもたれて情趣に流れてしまうところがありました。

サンペイさんは、まったくちがう場所にいます。たとえば、「フジ三太郎」も「夕日くん」も、すぐれた文学性をもちつつ、描写力や気分にもたれたり、流してしまったりするところがありません。つねに主題という電池ががっちり入っていますし、構成の力学性はみごとというほかありません。三十年前の初期は、サンペイさんは機械論的なユーモアだと私は感じましたが、その後のこのひとには機械に電流が流れはじめたのです。

つまりは、弱電というふしぎな作用のものが入ってきて、人間と世間への解釈に、変幻自在な世界が展開しはじめたのです。サンペイさんの脳波と電流とがチカチカするところに、この人の作品のふしぎさがうまれるといっていいのですが、それだけでも漫画は十分なのに、この人はそれだけではありません。

この人の漫画の光源には、気品と都会的感覚というえがたいものが、初期以来、動くことなく存在しつづけているのです。まことに稀有《けう》な人だと思います。

そうだ、言いわすれていました。漫画は人間のみを表現するものですから、たとえば飛んでいるジェット旅客機まで微妙に人間くさくなくてはならないと思っています。サンペイさんのジャンボ・ジェット機がそうじゃありませんか。リアルでありながら、おどけて素ッ飛んでいたり、地上に、よっこらしょと這いつくばっている感じです。たっぷり湛えられた愛情が、ごく自然に擬人化させるのでしょう。

（「波」一九八四年十月号）

三十余年

私にとって流政之《ながれまさゆき》は、流転する影のようでもある。

似たような印象を持つひとに、乾由明《いぬいよしあき》がいることにおどろいた。「流さんというのはほんとうに不思議なひとだね」といっておられる。

乾は私よりすこし年下である。この人が美術について発言をしはじめたのは一九六〇年代だったようで、対談でのことによると、そのころすでに流政之という芸術家は、「伝説的な存在だった」というのである。

私は乾さんよりほんの二、三年前、新聞社で美術をうけもっていたが、その頃すでに流政之を伝説的人物として聞き知っていて、仲間に、「流政之という人は何者だろう」と聞いたりした。作品だけは、世間の要所々々に残しながら——実体は影のようだった。

補足するが、ここでいう、〝何者〟とは、ことさらに日本的把握でいっている。まことにいやらしい把握法で、東京芸大を何年に出たかとか、二科会の会員であるかないかといった程度のことである。つまり、東京美術学校で誰と一緒だったかと言えば、その作家についての全把握が完了して、その人物が、〃固体〃になるといったやり方であり、いまも芸術家の多くがそういう履歴づくりにあくせくとしている。そういう〃固体〃にならないかぎり、日本では〃気体〃として遇されかねず、こんな風土ではとても世界を圧倒するような大芸術は生まれにくい。

年譜をみると、流は私と同年である。一九五五、「京都にて作陶」というくだりがあり、そのころ八木一夫と親交が深かった。

たまたま、似たようなころ、私も八木一夫と知り合い、その芸術に魅かれるようになるのだが、当の流政之とは相会うことはなかった。

その直後、流にとっての石の時代がはじまり、私のほうも、流の作品を写真によって知ることになる。

おそらくアメリカでの作品だったにちがいないが、日本ではじめて大空間を鎮めるに足る彫刻が出現したといったふうなつよい印象をうけた。が、依然として当の流政之は、〃影〃だった。

その後、この〝影〟が、香川県の半島で石を刻んでいるということも知り、さらにはその後の作品の写真をいくつか見る。どの作品も飛翔の衝動を秘めつつ、深々としずまり、重量感をもちつつも、どれもが、無重力の世界を夢見ているようだった。

としを経るとともに、〝影〟についての私の知識もふえた。

私の四十代、五十代は、『坂の上の雲』という作品を書くことで手がいっぱいだったが、その時期登場する正岡子規の大学予備門時代を知るため、同窓生のことをできるだけ調べるというみのりのすくない作業にあけくれていた。

その作業のなかで、のちに立命館を創設する中川小十郎もそのなかにいることを知ったのだが、知ると同時に、その子息流政之についても思ったりした。小十郎は一八六六年のうまれで、太平洋戦争の敗戦の前年一九四四年に死ぬひとだから、流政之が一九二三年うまれながら、幕末以来の心をもった父君に薫育されたことになる。

小十郎というひとは本気でその子息に武士教育を施したようで、このあたり、流政之という人は生いたちそのものが奇跡のような観がある。流はすでに昭和に就学期を迎えているのである。でありながら、青少年期に、あたかも古人のように古武道を習ったり、刀鍛冶の弟子になって刀工の修業をしたり、研ぎを学んだりして、時計がさかさにまわっているようだった。

幕末うまれの人を父君にもち、しかも流自身、この父君によく則したという奇しい条件がなければ、とてもこんな履歴のふしぎは成立しない。他の少年たちが受験勉強をさせられているとき、刀鍛冶の向う槌を打っているようでは、少なくとも、この〝影〟は公務員や銀行員にはなれないのである。

流政之における常人らしい履歴といえば、立命館大学に籍をおいていたことであった。さらには一九四三年海軍予備学生を志願していて、軍役についていたことぐらいである。学業途中で軍役につくのは当時ごくふつうのことで、私もこの時期に陸軍にとられた。ひとはふしぎに思うし、自分でも信じがたいが、私は戦車兵だった。ただし希望したのではなく、お仕着せだった。

その点、流政之はちがっていてこの人は戦闘機乗りであり、こればかりは志願の上さらに選抜されてのことだった。流における天賦としかいいようのないかんのよさと運動神経がそのことに適していたに相違ないが、察するにそれは卓越した資質だったにちがいない。そのことは、作品をみればわかる。精神が無類の機敏さを秘めつつ、しかも静止しているのである。

明治以後の、われわれの国は、厄介なものだった。西洋に追随することにいそがしくて、独創を育てるゆとりがすくなかった。

創造だけがいのちである学問と芸術さえ、多分に模倣だった。例えば彫刻の世界では八木一夫の出現をみるまでは独自なものを生むことがまれだったのではないか。

ただ、その八木一夫も、日本の得意芸である陶芸の中にいたために、作品が置物になり、都市空間を支配するという性質のものとはべつだった。そのことは、流政之という〝影〟めかしい創作者が出ることによって、ちがった幕があがった。空間が都市であれ、岬であれ、どんな空間にも耐え得る造形が創造されたのである。その作品は早くから外国で大きく評価され、沈潜した風土性とあふれるような普遍性をひとびとに感じさせた。それが日本に上陸したとき、三十代の私などが知り、二十代の鋭敏な乾が知ったのだろう。

私は、この創造者の〝実物〟をながく知らなかったが、大阪の十日戎《とうかえびす》の雑踏の中で、この影にはじめて会った。

さらに、私が京都の祇園「つる居」にいたとき、私にとって三十余年来の〝影〟であるこのひとがひとりで入ってきた。

（やっとつかまえた）

という、三十余年来の感動があったが、当方も年をとってしまったために、覚悟の上では山の岩を割ったときのみずみずしい石肌をもたず、なにやら老いた木樵のようにくぐもって、この影と対峙した。

でありながら、いい時間だった。同席した家内だけが、脳細胞がまっさらになったような表情で、この影を見つづけていた。

（「流政之展」図録一九九〇年五月十日刊）

大きな自己

吉田彌壽夫《やすお》がすぐれた歌人であることは、昭和三十年ごろ、「白珠」の主宰者だった安田章生《あやお》氏からきいた。

「あなたの学校の同級生だと思いますが」

安田さんはそう言い、いくつかの歌を示してくれた。

「私のほうが、いくつか年上かもしれません」

そうつぶやいて、示された歌を一首ずつ、口のなかでとなえてみた。

光が水面に射しこむと、水の中で屈折する。

私がひそかに理解している「白珠」一般の歌風はその屈折を詠んだもので、たとえば虚空で唐竹が真二つに削《そ》ぎおちる断面、あるいはその音をとらえたというような単純なものではない。

私は、歌意の単純さを愛するほうである（じつはそれしかわからない）。だから、章生歌と同様、彌壽夫の歌も、イメージを結ぶのに難渋した。
「むずかしい歌ですね」
当時、三十歳そこそこだった私は、そのようにお手あげの感想をのべた。

しかし年を経て、もう一度ながめてみると、その感想がうそだったように、どの歌も一個のいきもののように、くっきりと見えてくるのである。

年の功というのはあるものらしく、人生を全体像としてとらえる訓練ができてしまうものらしい。

どの歌にも、若い吉田彌壽夫が、けなげに息づいていることに目をみはる思いがした。外界と調和できずにくるしんでいる内面の屈折が、きしみの音とともに芸術化されているのである。

問題を他へ転換したり、退避したりせずに、貝が自分の傷口を甜めてカルシウムの珠をつくるようにして、歌のなかでもがいている。

すでに故人になった安田章生氏がもし世に在れば、もう一度吉田彌壽夫の歌をあいだに挟んで、「こういう青年が、昭和二十年代の苦しかった時代に、いたんですね」という感動から、とりあえず語りはじめることになるにちがいない。

人が生きるというのは、岩造りの牢をいくつもぶらさげていることなのである。そのいくつもの牢の中に、幾人にも自己が、のがれるすべもなくてうずくまっている。ただし、実務的な人間には、うずくまる人間というのが理解しがたいようで、——あそこに窓があるじゃないか。どうして仲間を組んで、人ハシゴをつくって、ぬけ出さないんだ——と、ふしぎがる。十九世紀に確立された近代文学は、実務家のものではない。

歌の中の著者はつねに岩の牢の中にいて、物事が相対的なものだとは決して思わない。かれにとって牢はつねに絶対の壁で、窓などは決して見えないし、見ようとはおもわず、絶対という名の壁を、素手で、ときには頭で割ろうとし、血を流し、脳漿を垂らしつづける。その過程を芸術化したものが、多くの場合、文学というものであり、この短歌群も、そそりたつその島嶼《とうしょ》のなかに棲んでいる。

兵たりし日に育ちたる性質ならむ逃亡をつねに希ひて眠る

決して作者は逃亡するという行動に出ることはないのだが、ただそのように行為を夢想し、自分の中に自分でくるまって眠る。「兵たりし日」は典型的な密室（先刻の岩牢のこと）で、そのなかに私もいたことがあるが、この一首の中に感ずる吉田彌壽夫の自己の大きさをおもうとき、自分のサイズの小さかったことをおもわざるをえない。

瓦一つ復原しつつ拓本に湧くかなしみを人にはいはず

むずかしい歌ですね、と私が安田章生氏につぶやいたのは、こういう徹底した独白の歌だったような記憶がある。復原の作業をしているというのは、水面上にいる〝手仕事をする人〟としての自分である。手仕事そのものは人間を水面下の晦渋から一時しのぎにすくってくれる、いわば空気のなかを直進する光線ともいうべきものだが、その光が自分の内面に入ったとき、自分でも説明しがたい、もしくは説明する必要もないほどに屈折しているのである。

水面上でたのしげに手仕事をする自分が、水面下では岩牢にいる、手仕事のたしかさを詠まずに、岩牢のなかにうずくまる自分を詠んでいる。そういう歌だということがわかったのは、私にとって、さきにのべたように、年の功といえるものである。

君と会ひてこころ稚き素直さをうべなひてわが幾日かたもつ

この歌によって、巨大なる自己をもてあぐねているこの人がわかるようである。

昆虫は黄色がすきといふ言葉美しと思ひながく記憶す

早春には、タンポポや菜の花など黄色の花から咲きはじめるのは、野の摂理なのである。それを、この歌では端的に「昆虫は黄色が好き」とのみ言いきっている。ここでは、めずらしく虚空に削ぎおとされる唐竹の単純さが出ていて、私などはほっとする。

この歌集の最後の歌が

おちこみし暗き眼のぞき刃物もち髭剃るにわが日課はじまる

であることが、きわだって象徴的である。

古い牢が去って、あたらしい日課がはじまる。その日課はひげそりという手仕事で象徴されるが、それが楽しいとは決して吉田彌壽夫の〝自己〟はいわないのである。彌壽夫という大きな〝自己〟は、すでにあたらしい牢を予感しているか、あるいは――おそろしいほどのことだが――期待しているかのようである。

ひさしぶりで、わが友吉田彌壽夫の歌を味合うことができた。蕪辞をつらねたが、あえて読みかえすことをせずに、版元に送ることにする。

（吉田彌壽夫歌集『曇り日の塔』跋文一九八七年十二月二十五日雁書館刊）

私事のみを

唐突なようだが、ギリシア語で象徴ということは割符《わりふ》のことだという。まことに情けないことだが、作家は割符を書く。他の片方の割符は読者に想像してもらうしかないのである。どんなすぐれた作品でも、五〇％以上書かれることはない。

小説は、いわば作り手と読み手が割符を出しあったときにのみ成立するもので、しかも割符が一致することはまずなく、だから作家はつねに不安でいるのである。

（ひろい世間だから、自分とおなじ周波数をもった人が二、三千人はいるだろう）

と、私などは思い、それを頼りに生きてきた。しかし割符の全き一致など、満員の地下鉄のなかで自分とそっくりの顔や姿の人間をさがすようなもので、本来、ありえないことにちかい。

私の場合、谷沢永一氏がそれを示してくれたということを言いたいために、このように平素は口にしないことを書いているのである。私は私事や私情を文章にしないように心掛けてきたが、谷沢永一という人についてふれねばならぬ場合にかぎって、このように手前味噌を書く。

建築家なら建てた作品がすべてで、余蘊《よう ん》はない。画家の場合も、画布や絵具という物質が、最低限、自己主張をしてくれる。

小説は言語の集積にすぎず、言語は相手の大脳の中に入ってはじめて生きはじめるものなのである。

だから、いつもこの道の者は割符を持って沙漠を歩いているようなものである。私の場合、幸運だった。沙上でにわかに出くわした人が谷沢永一氏で、

「これ、あんたのだろう」

といって、割符の片方を示してくれた。割符は、巨細となく一致していた。こんな奇蹟に、何人の作家が遭うだろう。

以下、私事を言いかさねる。

戦時中の二年間、私は戦車に乗っていた。

その鉄の箱は、世界の普遍性からおそろしく後退したもので、その鉄の厚さは敵よりもうんと薄手で、敵を決してやっつけることのない古ぼけた火砲を積んでいた。

この素朴な物理装置のなかにいると、彼我のことが際限もなくわかった。それでもなお

日本国は政略も戦略もない自滅的な多面戦争をつづけていて、ささえているのは、正義体系《イデオロギー》だけだった。

敗戦の日は、私は二十三歳の誕生日をむかえて八日目のことだったが、そんな小僧でも、なんとばかな国にうまれたのだろう、とおもった。

（明治や、それ以前は、こんなふうな国ではなかったのではないか）

と、思ったりした。この自問に答える能力はなかったが、四十歳前から、二十三歳の自分に対して手紙を書くようにして小説を書くようになった。そのような小説は、小説という概念の列内からは外れたものだったのだが、あえて列外を歩く覚悟をした。自然、作法《さくほう》は手づくりたらざるをえなかった。

小説というものは、人が唯一神である神を思いついたように、絶対の虚構を中心にすえるべきものである。

絶対の虚構以外に、人間という際限もなく普遍的な存在の底の底まで掘りぬいてゆく力はない。

が、私の場合、絶対虚構を据えるのではなく、無類の歴史的事実という火山灰を積みあげ、最後にできる火口のような空虚な部分を空虚なままにして、読み手の洞察にまかせた。その部分だけが、真実という絶対虚構のつもりだった。

谷沢永一氏はこのような創作の一切を見ぬき、火山灰の土質まで検分して、精密な割符をつくって、みごとに符合させてくれたのである。

知己《ちき》の恩というほかない。

（谷沢永一『完本　読書人の壺中』巻末月報一九九〇年十二月十五日潮出版社刊）

「銅」との無駄話

江戸時代の長崎に小曾根《こそね》という豪商がいて、父を竹影《ちくえい》（一八〇〇～六三）、子を乾堂《けんどう》（一八二八～八五）といい、ともに高雅な趣味人だった。

とくに乾堂は、篆刻《てんこく》で知られた。

篆刻というのは、元末におこったあたらしい趣味で、士大夫たる者の四芸のうちにかぞえられた。要するにハンコ彫りのことである。

幕末、小曾根の家に、長崎海軍伝習所時代の勝海舟が下宿していて、その家の娘と艶話があったという話をご子孫の方からきいたことがあるが、あらかたわすれた。坂本龍馬も海援隊を長崎でつくったとき、貿易やら海運業について、小曾根家から伝授されたようである。

明治になって、新政府は乾堂に「大日本国璽《こくじ》」と「天皇御璽《ぎょじ》」を刻ませた。

二年経った明治六年、おなじく乾堂の篆書でもって、青銅製の御璽と国璽を彫らせた。

それを青銅に鋳造したのは、初代秦蔵六《はたぞうろく》（一八二三〜九〇）で、当時京都にいた。幕末、徳川慶喜の「征夷大将軍」の印を鋳造したのも、この人であった。

私は、『竜馬がゆく』を書いていたころ、それらのいきさつを、孫にあたられる三代目秦蔵六氏からきいた。昭和四十年代で、三代目がちょうど大阪の大丸で個展をしておられる最中だったから、会場へ出かけて行って、立話しでうかがった。

当然ながら、会場のまわりを見まわすと、作品がならんでいる。

殷代の怪奇な青銅器なのである。すべて三代目蔵六氏が復原された。とっさには、私は復原の意味がわからなかった。

殷代の青銅器なら住友家（住友家は江戸初期以来、産銅を家業としてきた）が多数所蔵していて、いま京都の鹿ケ谷《ししだに》の泉屋博古館《せんおくはくこかん》に展示されている。また上海の博物館にも、ぼう大な展示品がある。みなほんものである。

「わざわざ復原なさる必要があるのでしょうか」

つい、子供っぽい質問をした。

「業《ごう》ですな」

初代からそうで、幕末、大和地方を歩いて古青銅の研究をし、二代目と三代目は中国の古青銅を見つめつづけ、その復原につとめてきた、といわれる。

「……しかし」

と、私はいった。現代の金属分析や冶金工学をもってすれば簡単に復原できそうなものじゃありませんか。

「そうは参らぬものでして」

合金のぐあいが玄妙不可思議で、とても冶金工学の手におえるものではなく、経験とかいんだけがたよりだという。もはや病みつきですな、といわれた。

私には、収集癖とか愛玩癖というのが皆目なく、それに玩物喪志という素朴な自戒だけがあたまにある。

が、そこまで苦心談をうかがって立ち去るわけにもゆかず、そのあたりの一つを購《もと》めることにした。〝尊《そん》〟という銅器であった。殷のころの大がかりな酒器である。

三代目蔵六さんは、そういう私を気の毒がってくださって、〝爵《しゃく》〟というやはり殷代から春秋ごろまで用いられた酒杯を、〝これは差しあげましょう〟と、無造作に添えてくださった。小ぶりで、脚が三本ついている。

以後、銅を見るのが、すきになった。

博物館の美術品だけでなく、凹んだ薬罐や長火鉢の銅壺、いびつな灰皿にいたるまで、赤銅《しゃくどう》であれ青銅であれ、相手かまわずにながめてしまう癖がついた。むろん、手もとに置くわけではなく、ただ眺めるのである。やがて肌合《はだあ》いのよさは、どうやら私の中の古代人がそうさせているせいだと思うようになった。

たれでもそうだが、室内が木など生きた材でできている酒場や喫茶店にいると落ちつく。うっかり合成の板にかこまれた店内に入って、プラスチックの皿でカレーライスでも食わされれば、大げさにいえばダッチ・ワイフと見合いさせられているようなもので、ぐあいのわるいものである。

海底の魚群が、海藻の林のなかで憩うように、人も、古代以来つきあってきた素材のそばにいるのがいいのかもしれない。

となると、土、木材、石材、革のほかに、銅が加わるのではないか。おなじ金属の仲間でも、人間とアルミニウムとではまだ百数十年にすぎないが、銅とは六千年なのである。

先日、細菌学者の藤野恒三郎先生（魯迅の『藤野先生』のモデルの甥に当られる）から、甥が銅についての本を書いたという旨の手紙を頂戴した。

著者の藤野明博士は、専門は原子力である。銅との間柄は、いわば老後のお遊び相手らしく、ひょっとすると、小さな恋でも語るような本ではないかと思って、いまから楽しみにしている。

（「波」一九九一年五月号）

魚の楽しみ——『湯川秀樹著作集』が出ることをきいて

よくいわれることだが、湯川さんがノーベル物理学賞を授与されるという外電ほど、占領下の日本をあかるくしたことはなかった。昭和二十四年（一九四九年）のことで、まだ日本じゅうが焼け跡だらけの時代だった。

そのころ私は駈けだしの新聞記者で、しかも京都大学がうけもちだったから、このために変にいそがしかった。なにしろノーベル賞というのは西洋人がもらうものだと思っていたので、賞そのものについての基本的な知識さえなかった。

当の受賞者は滞米中で（プリンストン高等研究所客員教授など）会うことができず、このため理学部構内を歩いて、同じ学問のひとたちをつかまえては話をきいた。会う人のたれもが、いい笑顔で応じてくれた。いまでも、私の当時の記憶には、これらの笑顔がいっぱい詰まっている。

そういう笑顔の一つに、湯川さんとは別系統の履歴をもつ工学部の物理学の老教授がいて、私のような門外漢に対し、〝あなた、何もごぞんじないのも、あれでしょうから〟と、数日にわたって、湯川中間子理論にいたるまでの理論物理学発展史について嚙みくだいて教えてくださった。胸が痛くなるようなありがたさだが、これも、日本じゅうが上機嫌になってしまったことの余慶だったともいえる。

もっとも、そのあと湯川さんが一時帰国したときは、京都駅前で歓迎のイヴェントがあったり、自邸まで車の列がつづき、夕食の献立まで書く地元紙があったりして、弥次馬としての私の気分が冷えてしまった。

当の湯川さんに親炙《しんしゃ》するようになるのは、そのころではなく、なにもかも過ぎて、二十年近くたってからである。すでに物理学者としてよりも、この人の本質である思想家としての風骨がたかだかとそびえるようになっていて、じつにいい景色だった。そのころ、専門の分野ではこの人の「非局所場理論《ひきょくしょばりろん》」が過去のあつかいをうけ、それについての不満をのこしておられたものの、ともかくも思想における独創とはなにかということばかりを考えておられた。

「三浦梅園（江戸中期の哲学者。三十歳のころ自然に法則があることを知り、それを証明すべく思索し、著作に『玄語』などがある）はほんものですね、なぜならざらざらしているからら」

と、あるときいわれた。

ざらざらしている、というのは、体系や論理に、致命的ではない程度の矛盾がある、という意味である。それらがカンナでかけたようにきれいに整合されるのは二番手になってからで、ともかくも独創的なしごとにはざらざらがつきまとう。そのことはむしろ梅園にとって名誉なことだというのである。あるいは、前掲の「非局所場理論」についての学界の評価がひややかだったことに対する不満も、反映していたかもしれない。

またこの人は、空海（九世紀に密教体系を展開した僧）が好きだった。

空海は独創的だったとする。その論証としては、空海の著作から検証するよりも、視覚と心象あるいは直観からとらえるというやり方で、その点、きわめて湯川好みの密教的把握というべきだった。

この人は、あるとき東寺《とうじ》を訪ねたらしい。京都の東寺は、空海が、新体系である密教の一大根拠地とした寺で、怪奇で悪魔的とさえいえる仏像が、ひしめいている。

とくに五大明王とよばれる五体の明王像は、遠い天平や近い鎌倉の救済的な仏像からみれば、とても容れられるものではない。五大明王のうちの降三世明王《ごうざんぜみょうおう》にいたっては牙《きば》をむき三つの目をかっと見ひらき、おそるべき忿怒《ふんぬ》相を示しつつ、そのくせ裸形《らぎょう》は女人のようにふくよかなのである。もっともその裸形も、それを否定するかのように青黒く塗られている。どれが正でなにが反であるかはわからないうちに、見る者は四つの顔におどろかされ、八つの腕に持たれた武器におびえてしまう。武器は正義の象徴かと思ううちに、足もとに仏像らしいものが踏みしだかれているのを見るはめになる。踏まれているのは、インドにおける最高神のシバ神とその妻のウマ妃なのである。

この降三世明王の姿にはむろん教学的な説明はある。しかしそれはカンナにかけられて整合された知識であって、ひらべったくなってしまう。

それよりも、無心に、このおそろしい像における多様な価値の激突をみているほうがおもしろく、そのほうが降三世明王の構成から空海の宇宙表現を感じとれるのではないか、というのがこの人の感受性だった。

「空海は独創的やね」

と、いった。私はただちにはうなずけなかった。これら密教の諸仏や諸天あるいは明王たちは、空海が長安の恵果のもとから持ちかえった儀軌《ぎき》(真言密教の型)にもとづくもので空海の独創ではないと思えるのだが、そのような態度は、さきにのべた〝ざらざら〟ではなく、すでに二番手として整理され、カンナで仕上げられたものをよろこぶ側になるのかもしれない。

「霊魂はありますか」

と、たれかがきいたとき、湯川さんは、

「あるともないともいえない、というのが科学的ということじゃないでしょうか」

と答えた。それに類したことを「おりにふれて」というみじかい文章の中で書いている。

それに、この人は『荘子《そうじ》』が大好きであった。その第十七篇「秋水」のなかで、荘子《そうし》が、橋上から魚のむれをみて〝ごらんよ、魚がおよいでいる。魚にとっておよぐことが楽しみというものだ〟とつぶやくくだりがある。同行していた友人の恵子《けいし》（紀元前三七〇〜同三一〇）が反論して〝君は魚じゃない、魚の楽しみがわかるはずがないじゃないか〟といった。

恵子は博識かつ議論ずきで、つねにいうことは理路整然としている。だから、魚でもない荘子に魚の楽しみがわかるはずがない、とする。これに対し、荘子は別次元から問題を展開して〝だから橋上から見たとき、私には魚の楽しみがわかったのだ〟とした。

ふつう恵子の態度のほうが科学的もしくは合理的ということになる。降三世明王像についても、空海の独創ではなく、長安の恵果があたえた伝承的な儀軌にもとづくものだろうと考えるのが、恵子の態度である。私などは恵子に安心をおぼえる。

が、湯川さんには橋の上の荘子のほうが魅力的なのである。

「……私自身は科学者の一人であるにもかかわらず、荘子の言わんとするところの方に、より強く同感したくなるのである」

と、湯川さんはその文章の中でいうのである。

このあたりが、湯川さんの考え方の尽きざるおもしろさといっていい。

その文章は、つづく。この人は、科学的思考法につき両極端があると設定する。一方の極端は「実証されていない物事は一切、信じない」という考え方である。まことににべもない態度を、多くの科学者はとってきた。

他の極端は「存在しないことが実証されていないもの、また起り得ないことが証明されていないことは、どれも排除しない」という考え方であるとする。湯川さんは、こちらに近く、そうであることがこの人にとって湧きつづける泉のような〝場〟になっていたのである。

もしも科学者の全部が、この両極端のどちらかを固執していたとするならば、今日の科学はあり得なかったであろう。デモクリトスの昔はおろか、十九世紀になっても、原子の存在の直接的証明はなかった。それにもかかわらず、原子から出発した科学者たちの方が、原子抜きで自然現象を理解しようとした科学者たちより、はるかに深くかつ広い自然認識に到達し得たのである。「実証されていない物事は一切、信じない」という考え方が窮屈すぎることは、科学の歴史に照らせば、明々白々なのである。

（「おりにふれて」）


まことに、橋上の荘子である。

もっともつねに荘子的な次元にいたわけではなく、四六時中、事物の正体という恵子のレベルのことを知りたがり、なにごとも世の中に出てきたばかりの少年のようにめずらしがった。

「京都のふるい料理屋は、むかしから初対面《いちげん》さんを入れないといいますね、あれはなぜですか」

と、清水の古い料亭で、おかみさんをつかまえて、きいたことがある。あどけないほどの笑顔だった。

おかみさんのほうもこのあどけなさに気圧《けお》され、ついしきたりという神秘的な膜を張ることなく、明晰に答えた。

ごく簡単なことだった。いちげんさんは、帰るときに現金で勘定したがる。しかし帳場では勘定の基礎的資料がないために応じられないというのである。魚屋も酒屋も炭もみなつけで、かれらは翌月に請求書をもってくる。それらを合計してからでないと勘定がきまらず、従っていちげんお断りなのです、とおかみさんがいったときの湯川さんは、世にもうれしげだった。

　こういう店では、色紙はねだらない。ところが、おかみさんは湯川さんの文章が好きで、このとき、みごとに折り目をただして湯川さんにそのことを乞うた。湯川さんは勘定の話をきいた自分の笑顔につき動かされるようにして応じ、

「知《ち》魚楽《ぎょらく》」

と、書いた。魚ノ楽シミヲ知ル。前掲の『荘子』の「秋水」の最後の一句である。

　湯川さんは、長兄の貝塚茂樹博士や末弟の小川環樹博士などと同様、その祖父君から素読をならった。幼稚園に入ると、祖父君が隠居部屋によんで、教えるのである。

「紀州なまりの素読でした」

と、小川環樹博士はいう。

　湯川さんの生家は小川姓で、この祖父君は紀州藩士として長州征伐のとき、退却のときの殿《しんがり》をつとめたというほどの勇者であった。その後、慶応義塾に入って、新しい学問をならったという。この祖父君による素読は、湯川さんらの父小川琢治博士もふくめて三代つづいた。

　『荘子』はむろん儒学の本ではないから、後年になって湯川さん自身が愛読書としてえら

んだものである。素読でならう『論語』などは思考の型がきまっているせいか、あまり好きでなかったという。『荘子』が儒書ではないとはいえ、それに親しむことができたのは、紀州以来の家学ともいうべきもののおかげだったにちがいない。

（「図書」一九八九年四月号）

風蘭

私は母親の里が葛城山麓だったから、半ば奈良県人のつもりでいる。

奈良県は温暖で天災がすくない上に、江戸時代は天領だったために税が安かった。人情のおだやかさは、そういうことと無縁ではない。

そんな——いわば無為にちかい——土地柄のなかから、折口信夫や保田與重郎、さらにはわが前川佐美雄といった、他と比較を絶した詩魂がうまれたのは、ふしぎな気がする。共通しているのは、いずれも大和の土《くに》の霊に根ざし、人というより、巨樹をおもわせるところである。

前川佐美雄氏の場合、たとえば、葛城のふるい杜《もり》に棲む雷《いかずち》の宿のような木に似ている。樟とも椎ともつかず、ナニ科《か》とも分類できず、比較をこばみ、ただ一樹で杜をなし、古金《ふるかね》のような根を地面に隆起させ、さらには樹下に立つひとにだけ梢をわずかに騒《さえ》がせて詞藻を降らせるかのようである。

だから、以下の風蘭についての出来事はおかしかった。

前川さんは唐突に、フーランという発音をしたのである。

「フーランってなんです」

私はそれが植物なのか鉱物なのか、見当もつかなかった。前川さんのほうがびっくりして、

「フーラン、知らんの」

と、声をあげた。

かたわらで、緑夫人がこまったような顔で私をながめておられた。

ご夫妻が神奈川県茅ケ崎に移られたのは昭和四十五年だったとおもうが、その翌年か翌々年かのできごとである。

場所は京都ホテルの二階のロビーで、ニス色の質実な壁にかこまれて、午後三時ごろだったことをおぼえている。

偶然に出会い、私は久濶を叙し、茅ケ崎はいかがですと問い、こんどはどういう御用で、などとうかがうと、前川さんは、ひさしぶりに葛城のふもとの村に帰ったこと、古い鎮守の森の巨樹《おおき》の梢に人を登らせて、念願のフーランを採ったこと、その大切なフーランがいまこの包みのなかにおさまっていることなどをはなされた。そのあと、にわかに包みを示

され、だからどう、一つ要らん？　といわれたのである。

おもわず反問して、フーランって、なんです。

おかげで、いまとなればわかっている。『広辞苑』にも、こうある。「ラン科の常緑多年草。暖地の樹・岩上に着生。厚く細長い常緑葉をもち、夏、五《センチ》《メートル》ほどの花柄に、長い距《きよ》を持つ白色の不均斉花を開く」

私は前川さんの気前のよさにおどろきつつも、小生はまこと無趣味で、頂戴しても猫に小判です、などと申しのべつつ、なによりもおかしかったのは、私にとって巨樹である前川さんが、風蘭を持ちあるいていることだった。

きけば、こどものころから、境内の老木の梢のかげに風蘭がはえていることを知っておられたという。というより少年にとっての大切な秘密で、ひとり登ってはひそかに賞《め》で、他には漏らさなかった。もしもらせば、心ない大人どもが採ってしまうおそれがあったのだろう。

前川さんはこのとき六十七、八歳ではなかったろうか。私とは二十へだたっている。

茅ケ崎はからりとしていて、大和のように亡霊や怨霊のようなものが棲みついていない、などともいわれ、やがてふるさとを恋うかのようなはなしになり、風蘭におよんだのである。そういえば、老樹の樹皮の上の風霜をこやしにする風蘭も、土《くに》の霊が着る衣帯《いたい》のひとつと思えなくはない。

少年のころの前川さんは、自分が見つけた風蘭を決して採ることはしなかったが、老いて相模の浜風のなかでふるさとの忍海《おしみ》の里をおもうつど、文字どおり忍ぶ草になったのかもしれない。

「まさか、ご自分でお登りになったのではないでしょう」

「……いや、もうボクは」

登ってもらったのは若い人でした、といわれた。

このときの前川さんは河原町通りから射す西陽のなかにおられて、老いの寂びはなく、少年のような笑顔のままで、まことに尊げだった。

前川さんの歌は、ひとことでいえば光だったのではないか。


（「日本歌人」一九九一年七月号）

本の話――新田次郎氏のことども

もう古い話で、江戸時代かなんぞのように思うが、私が三十代だった昭和二十一、二年のころである。私は大阪の新聞社にいて、文化部のしごとをしていた。

その新聞社は、「大阪新聞」という夕刊紙もあわせて発行していた。

その連載小説のお守りも、私の仕事の一つだった。もっとも、どなたに執筆をたのむなどという高度なことには、末輩の私はあずからなかった。

ただ一度だけそういう会議に出席した。たまたま自分の案が通って、東京へ出張したことがある。なんだか晴れやかな気分だった。

もっとも、ことわられた。

相手は、藤原寛人《ひろと》という名の気象庁の課長さんで、気象官としてのその前歴半生が、知力と筋力と不抜な気力に満ちたものであることを、私はよく承知していた。

新田次郎さん（一九一二〜八〇）のことである。

私より十一歳上で昭和初期学校を出、早くに富士山頂の測候にも従事し、山岳気象の第一人者であることも、私は知っていた。

また、戦時下に満州国気象台に勤務し、敗北とともに抑留され、その間、夫人の藤原ていさんが、凄惨な引揚げ体験をされたことも、ていさんご自身の体験記である『流れる星は生きている』で存じあげていた。

新田さんご自身は、私が訪ねてゆく前年、白馬山頂に五〇貫もの花崗《かこう》岩の風景指示盤を運ぶ強力を主人公にした『強力伝』という作品で、直木賞を受賞された。当時、私はこういう、筋骨と精神力をともなう専門家が、小説を書きはじめたこと自体、明治後の小説家の歴史における異変だとおもっていた。

当時――いまもそうだが――私は東京の地理に暗かった。

幸い、気象庁は、私がつとめている新聞社の東京本社のそばにあったので、迷うことはなかった。

むろん、新田さんは、庁内で非公務の客に会うような不謹慎なことはしなかった。近所の喫茶店を指定された。

その店は、天井が高かった。頑丈な梁《はり》と柱が露出した質朴なつくりで、その黒っぽい室内構造そのものが、硬質のイスに腰をおろし、固肥りの上体を白いYシャツに包んでいる四十半ばの藤原技官の肖像のための額ぶちになっているように思われた。

余計な話はなかった。

なぜ自分はひきうけられないかという理由を必要にして十分に話された。数学の講義のようでもあった。一年は三百六十五日しかないというのが、聴き手の私の唯一の数学知識である。新田さんは、それを精密に区分した。

そのうちの睡眠時間と勤務時間をさしひいてみせたうえで、その残った時間が、創作の執筆の時間である、という。ところがその時間に、現在予定している仕事の必要時間を入れると、ほぼ詰まる。

伺いながら、すこし端数が残るようにおもわれた。そのことをかぼそく指摘すると、

「それはですね」

新田さんは、かすかに微笑された。

「私は、若いころから、年に平均して四、五回は風邪をひきます。ひくと、一回に四、五日は仕事に手をつけられない。そのために予備としてそれだけの時間を控えておく必要があります」

体系美を感じさせるような断わり方で、私はむろんひきさがり、店先の路上で別れたあ

と、どういうわけか、「詩三百、思ヒ邪《よこしま》ナシ」ということばが、脳裏にうかんだ。その後、二十余年、お会いする機会もないまま、亡くなられた。その間、私は読者でありつづけたから、べつにお会いする必要もなかった。

ときに、消息をきくことがあった。

「赤ちゃんがうまれたとき」

という逸話を、間接的にきいた。

以下が、どれほど確度のある話なのか自信がないが、私にとっては、折りにふれて思いだしているために、記念写真帖の中の一枚のように記憶にのこっている。

うまれたばかりの赤ちゃんが、母乳を吸う話である。力づよく吸う。誕生早々の赤ちゃんの口唇や舌にそれほど強い筋肉があるものかどうか、当時の新田さんは――おそらく新京（長春）時代――疑問をもたれた。ふと仮説をたて、ひょっとすると赤ちゃんは自分の舌で乳房の乳頭を巻き、真空《バキユウム》をつくっているのではないかということなのである。

それだけでなく、容積やら何やらを数字にして計算してみたという。

この話を又聞きできいたとき、新田さんにとって数学は詩のようなものではないかと思ったりした。

さて、この雑誌は、図書についてのサーヴィス雑誌だときいている。

私は、本ほどありがたく結構なものはない、ということを大いに書こうとして、つい新田さんのことを思いだし、話がこんなふうになってしまった。だから、まだ主題にはふれていない。

去年のことである。

枕頭で本を読んでいるうちに、飛びあがるほどおどろいた。

著者である数学者——お茶の水女子大数学科の教授——が、文部省の長期在外研究員として、数学の淵叢《えんそう》であるイギリスのケンブリッジにゆく。

そこで一年間、著者は家族とともに滞在した。そのことの実景と実感の文学的報告書だから、数学のことはなまでは出て来ない。

ともかくも、上質の文章が吸盤のように当方の気分に付着してきて眠ることをわすれるうちに、この本（『遥かなるケンブリッジ——一数学者のイギリス』新潮社刊）の著書の藤原正彦氏が、あの〝赤ちゃん〟ではないか、とふとおもったのである。

あわてて本の前後を繰るうちに、やはり新田次郎氏の息であることがわかった。巻末の略歴に、一九四三年のおうまれとある。

あの真偽さだかならぬ〝真空論〟に登場する新京時代の藤原家の赤ちゃんの著作を、七十を越えた私が夜陰夢中になって読んでいたことになる。

この偶会のよろこびは、世にながくいることの余禄の一つである。同時に、本のありがたさの一つでもある。えらい数学者になられたあの〝赤ちゃん〟のよき文章によって、つまりは時空を超え、一九八七、八年のケンブリッジの町を——文明としか言いようのない人びとの秩序のなかを——臥せながらにして歩くことができる。

数奇というのは、読書以外にありうるかどうか。

（「本の話」一九九五年七月号）

若いころの池波さん

池波正太郎さんは、ごく自然な意味での隠喩《いんゆ》がうまかった。

あるとき、池波母堂が上方料理の薄味について感想を洩らされたそうである。

「なんだか、白《しら》っぱくれてるね」

私は、池波さんからその表現をきいて大笑いした。

解説してしまうとせっかくの興を殺《そ》ぐが、言葉が意味重《がさ》ねになっている。わるいやつが、お白洲にひきだされても、白《しら》を切っている。悪党の赤っ面が白化《しらば》くれているのと、たべものの味の薄さとが唐突に鉢あわせして目から火が出そうである。

池波さんは、話のなかに人間描写をくわえる。母堂の話をされていたとき、ひょいと加えられたのが右の挿話で、むろん東西の物の味を論じているのではなく、人柄のはなしなのである。

おかげで、いかにも率直で正直で、つねづね切れのみじかいことばづかいをする母堂の小気味いい人柄をおもいうかべることができた。

私どもは、同年（一九二三年うまれ）である。震災のとしで、池波さんが一月、私は八月うまれだった。

当時、東京と大阪とでは、巷の風物やらなにやらが、だいぶちがっていた。

私のこどものころ、大阪では駄菓子屋に一銭洋食というものがあり、それが発展してお好み焼になった。

当時の東京に、一銭洋食に似たものとしてドンドン焼があり、私は少年雑誌で知るだけでどんなものかはわからず、なが年気になっていた。

「やってみましょう」

と、池波さんは拙宅の台所に立つと、機敏に手をうごかし、二十分ほどでつくりあげて、食べさせてくれた。

一銭洋食の味とはだいぶちがっていた。どちらも鉄板の上に水で溶いた小麦粉を流してうすくひろげる。その上にサクラエビやキャベツなどの具《ぐ》をのせ、半ば焼いたあと、小麦粉汁をかけて裏返してまた焼くというやり方は、双方、似ている。しかし味がちがうのは、ひょっとすると池波さんの我流じゃありませんか？

「正真正銘です」

池波さんのことばは、みじかい。

この人は少年のころ、ドンドン焼の屋台がやってくると、買い食いしただけでなく、おもしろがっておじさんの手伝いまでした。

小麦粉を練ったり、鉄板のうえで薄延べしたり、ついには代役をつとめるほどののめりこみようだったという。

有頂天のあまり、大きくなればおじさんみたいにドンドン焼屋になるんだ、といった。おじさんは、「よせよ」と大声を出して、

「こんな商売はいろんなことにしくじったあげくのやつがなるんだ。はなっからドンドン焼を志すやつがあるか」

と、説諭した。

だから、本職がつくったのとおなじです、といった。こんな挿話にも、多能で屈託のない少年がうごきまわっているのである。市中《いちなか》の物のにおいまでした。

池波さんとの頻繁な接触は、たがいにひまだった三十代の後半までのことで、その後、自然にゆききが疎になった。その疎遠になったことさえ、池波さんとの場合、いい感じが

している。

三十代後半の池波さんは筋肉質のいい体をもっていて、機敏だった。

いつも独り旅をしていて、京大阪や高野山などにくると、西区西長堀の十一階だての公団アパートの十階の拙宅をのぞいてくれた。

「高野山はいかがでした」

「ケーブルに乗りましたよ」

ケーブル・カーのなかに、ふざけて乗客にからんだりしていた男がいて、あっというまにその男の胸ぐらをつかみ、浮きあがらせてガラス扉に押しつけてしまった。

作中の人物とちがうのは、胸ぐらをつかんでもせりふがなく、悪態もつかなかったことである。相手はこまったにちがいない。

私どもは、兵隊にとられた世代である。

戦争がおわり、復員してきてしばらくのあいだ都庁につとめて税金のことをやっていたらしい。

あるとき、税金のことで練りテンプラ屋さんにゆくと、揚げた練りテンプラが大きなざるいっぱいにならべてあった。そのざる越しに池波さんが職務上のことをなにかいうと、テンプラ屋がふりかえって、

「たれのおかげなんだ、てめえなんぞがめしを食っているのは。——」
といったとき、池波さんはとっさには自分でもなにをやったのかわからず、気づいたときにはざるいっぱいのテンプラをゆかにぶちまけてしまっていた。あとで役所にデモがくるやら、池波を出せ、というプラカードが立つやらで、都庁に居づらくなり、やめてしまった。この話をきいたころ、池波さんは、恩田木工《おんだたくみ》という江戸期の信州松代藩の名家老のことを書いていたりして、ご自分の性分に似たような人を書いていなかった。おそらくこんな気性は小説にはならないとおもっていたのにちがいない。

私の記憶のなかの池波さんは、さきにのべたように、この人の四十歳前後までのことばかりなのである。

和服は用いていなかった。服装はいつも茶色っぽい開襟シャツに地味なセビロで、およそめだたず、あごが頑丈そうで、笑えば金属の義歯が一つ二つ光った。顔が、叩いてつくったようにしっかりした筋肉でできていて若々しかった。いまの若い人にあんな感じの顔をみたことがない。

いつも草をわけるようにして田舎を歩いていたが、気分としては東京がすきで、東京だけでなく、町育ちの者がすきだった。というより、町育ちの者がもっている遠慮とか気づかいとかといった気分がすきなようだった。

後年、映画評論家の淀川長治さんが大好きになったのも、たがいに映画ずきということがあったにせよ、淀川さんが神戸育ちらしい町の子という人柄をもっているせいだったにちがいない。

私は淀川さんには会ったことがないが、文章をよんだり、話をきいていたりすると、池波さんの感じとついかさなってしまう。双方無害な意味で好き嫌いがつよく、好き嫌いが、倫理的な体系にまでなっているような感じが、いかにも町がつくった人柄のようにおもえるのである。


池波さんのよさは、たれしも多少はある自己陶酔症《ナルシシズム》という臭い気体のふたをねじいっぱいに閉めていて、気《け》もなかったことである。江戸っ子ぶるなどは、およそこの人にはなかった。

あるとき、四国へゆき、大阪にもどってきたとき、愉快な人に会いましたよ、と数分喋《しゃべ》った。話がみじかくて、たとえば焼け火箸を水に突っこんで音がたつほどのあいだにヤマ場が済んでしまう。人物評やら論評やらはなく、演劇的情景だけを話す。白っぱくれる、と同様、「鄙稀《ひなまれ》」というのが、いわば題である。

私が受けうりすると、つい解説のほうがながくなるのだが、要するに旅先で出会ったのはＮＨＫの地方局の人で、江戸っ子が自慢のひとであった。

田舎がうとましく、多少は配所の月を感じていて、当時の池波さんの風韻をみるなり、自分のなかの故郷が過剰に出てしまったらしく、東京のはなしをしきりにした。

年はすこし上だったようで、ともかくもその地方を案内し、峠の茶店のようなところで、親子丼を注文した。その人は一箸口に入れるなり、「おっ」と笑顔をあげ、

「ひなまれでげす」

といったというのである。

話は、それだけだった。

ここでまた国語辞典的な解説を加えねばならないが、「田舎《ひな》にはまれな美人」という慣用句があって、それをつづめて、田舎で美人をみると、〝ひなまれ〟などといったりした。おそらく明治期の生半可《なまはんか》な東京書生のあいだではやったらしく、古い小説などに、ときに出てくる。

この話の昭和三十年代ごろでは、むろん死語になっている。

げすは、ですのことで、江戸末期から明治にかけて、芸人や通人、職人のあいだで用いられたりした。漱石の『坊っちゃん』にも出てくる。「画学《ががく》の教師は全く芸人風だ」とい

うあたりである。

この図画教師が〝坊っちゃん〟と初対面のとき、「扇子をぱちつかせて、御国はどちらでげす、え？　東京？　夫《そ》りゃ嬉しい、御仲間《おなかま》が出来て……私もこれで江戸っ子です」という人物で、〝坊っちゃん〟が、のだいこというあだなをつけた。

たかが親子丼に〝ひなまれでげす〟というような明治風の〝江戸っ子〟を、昭和三十六、七年ごろ、四国でみつけたことを池波さんはおかしがったのである。むろん、この人は江戸っ子自慢がきらいなのだが、そういうことをことさらにいわずとも、この寸景のなかに池波正太郎のすべてが出ている。

池波さんと私は縁がふかくて、おなじ年（昭和三十五年――私は三十四年の下期だが、授賞式は翌年だった――）に、直木賞をもらった。

受賞したときはすでに芝居を書くほうでは練達の人だったが、初対面の印象は江戸の錺《かざり》職人のようにさりげなくて、みごとなたたずまいだった。

人前に出ることはきらいで、そういう場合は、終始落ちつかなかった。

そのころ、文壇海軍の会というのがあった。

私は陸軍だから、陸軍にとられた他の人と同様、その時代を懐しまない。むろん文壇陸軍の会などはない。

その点、海軍には一種の文明のようなものがあったようで、往時を懐しむひとが多かった。顔を出すのはたいてい予備学生出身の元士官の人で、まれに池島信平さんや十返肇《しがえりはじめ》さんのように、社会人でもって水兵にとられてしまったような人もいた。

当然だが、下士官出身者はいなかった。

下士官は軍隊の職人頭《がしら》のようなものだから、学生や社会人からとられた素人《しろうと》出身がなれるものではない。

ところが、池波さんは海軍の何等兵曹だったか、ともかくも下士官で、終戦の前は山陰海岸にいたそうである。ああいう会合には出ないんですか、と答えがわかりきっているもののの、そうきいてみると、

「いや。――」

と、手を横に振ったきり、別の話をした。

私の記憶や知識のなかでは、江戸っ子という精神的類型は、自分自身できまりをつくってそのなかで窮屈そうに生きている人柄のように思えている。

池波さんも、そうだった。暮の三十一日の日にはたれそれの家に行って近況をうかがい、

正月二日にはなにがしの墓に詣で、そのあとどこそこまで足をのばして飯を食うといったふうで、見えない手製の鳥籠のような中に住んでいた。いわば、倫理体系の代用のようなものといっていい。

この場合、こまるのは、巷の様子が変ることである。夏の盛りの何日という日にゆく店が、ゆくとなくなっていたり、まわりの景色がかわっていたりすると、たとえば蛙の卵をつつんでいる被膜がとれてしまうように当惑する。

「いやですねえ」

池波さんは、心が赤剝《む》けにされてゆくような悲鳴をあげていた。

なにしろ当時、東京オリンピック（昭和三十九年）の準備がすすめられていて、都内は高速道路網の工事やらなにやらで、掘りかえされていた。東京は、べつな都市として変りつつあったのである。

池波さんは、適応性にとぼしい小動物のように自分から消えてしまいたいとおもっている様子で、以下は重要なことだが、この人はそのころから変らざる町としての江戸を書きはじめたのである。

それはちょうど、ジョルジュ・シムノンが『メグレ警視』でパリを描きつづけたようにして、この人の江戸を書きはじめた。この展開がはじまるのは、昭和四十三年開始の『鬼《おに》平犯科帳《へい》』からである。

メグレが吐息をつく街路や、佐伯祐三が描きつづけたパリの壁のように、池波さんは江戸の街路や、裏通りや屋敷町、あるいは、〝小体《こてい》な〟料理屋などをすこしずつ再建設しはじめただけでなく、小悪党やらはみだし者といった都市になくてはならない市民を精力的に創りはじめた。昭和四十七年からは、『剣客《けんかく》商売』『仕掛人・藤枝梅安《ばいあん》』などがはじまる。

かれらは池波さんが創った不変の文明のなかの市民たちなのだが、たれよりもさきに住んだのは池波さん自身だった。

「京大阪にうつりたい」

とまでいっていたこともあったが、このおかげで東京の変容をなげいたりする必要がなくなった。


このため、池波さんは大阪へ来なくなったが、べつに遠くなったわけでなく、私もまた『鬼平犯科帳』以後の池波作品の住人になった。いずれも不朽のものである。

晩年の池波さんの町への興味が、パリに移った。

当然なことで、東京も京大阪も、この町好きな人にとって違ってしまった以上、町らしい町といえば、パリへゆくしかなかったにちがいない。

パリは不変を志す町だから、その通りを歩いて、右へまがって左をみれば、かならずなじみの店がある。すると、その店の角をも一つ右にまがりさえすればドンドン焼の屋台が出ていて、うちわを持って火をおこしている甲斐々々しい正ちゃんに出くわさないともかぎらないのである。

（「小説新潮」一九九〇年六月号）

美酒としての文学

こんなことをいうと、巨人に対して失礼なのだが、この人は若いころ、可愛い顔をしていた。

丸顔で、唇が丸っぽくて形がいいというのは、多くの福建人に共通している。またこの人が目がくっきりとした二重瞼であるということも、〝双《シュアン》眼《イアン》皮《ピー》ハ浙江カラ南ニ多イ〟といわれるとおりで、全体が小作りでもあり、さらには聡明で行儀がよく、学問好きでもあり、たれもが一見して好意と敬意を感ずるような若者だった。

福建は、宋代以後、すぐれた思想家や官僚を輩出した。風土としての学問好きの伝統は陳家にも濃く影を落として、とくに神戸における華僑の名望家だった祖父君は、実業家ながら、学問のふかい人であったらしい。舜臣という名も、この人の命名である。さらには、この人は右の祖父君に福建語による素読を習った。このようにしてみると、陳舜臣氏は、大げさにいえば中国文明史上、読書人という階級のふんいきを最後に受けた人といえるのではないか。

先年、陳夫妻とともに福建省の山中をはるかにわけ入り、山峡を越えて山住まいの少数民族の村を訪ねた。思わぬ昼食の接待をうけたのに当方に手みやげの用意がなかった。同行の森浩一教授が智恵をめぐらし、陳氏と小生になにか揮毫《きごう》してここへ置いてゆけばどうか、と提案した。このとき目をみはったのは、陳舜臣氏の書と、みごとな七言絶句だった。山峡の風景を詠みこみ、急湍の音とその少数民族の風習である〝歌垣《うたがき》〟の声がともにまじって行間にきこえてくるような音楽的な詩だった。この人はむろん古人ではない。それだけにたちどころに韻がそろえられてゆくことが奇跡のように思われたので、わけをきくと、

「福建音は、古韻に近いから」

と、この人はみじかくいった。むろん、かれの福建語は母舌《マザー・タング》であるとともに、祖父君の素読によって、学問としてととのえられたものであり、ここにも、いわば家学が生きていることを知ったのである。

陳舜臣氏が、少年期から持続させている強烈な関心は、むろん人間についてである。人間というものは誰であれ、世を送ってゆく。その送り方のさまざまについての荘厳な思いや傷《いた》みが、なみはずれて多量にこの人にあり、それが陳舜臣文学の基調をなしている。

文学者としてのこの人が、学問を好むもう一人のこの人と、化学的な化合としか言いようのない絶妙なまざり方をしていることに驚かざるをえない。

文化というものを「人間の小集団が共有して、それぞれにとって自己同一性《アイデンティティ》を構成する有形・無形のもの」と定義するとすれば、この人はこの分野を少年のころから好みつづけてきた。

右の「文化」の基本をなすものは、言語といっていい。陳舜臣氏はインド語とペルシア語を好み、学校では卒業後、研究のための助手として残った。太平洋戦争の戦後、外国人が国家公務員である自分を持続できないという法令が出た（?）ため、学校を去った。

その後は、父君の貿易会社の一隅に机をもらって、外国から引き合いの手紙の返事を書くしごとをすることになる。多くは英語か中国語だったろうが、他の言語も入っていた。この人は、シャイな人だから、外国語のお喋りはしないが、多くの言葉の読み書きができた。あるとき、私は、

「陳君は、まさかロシア語は読めないだろうな」

ときくと、

「字引きさえあればな」

と、小声で答えた。いかに異文化への関心がつよいかが、この一事でも察することがで

きる。

それ以上に、この人の知性とロマンティシズムをとらえつづけてきたのは、文明であった。

文明というものを、ここで仮りに定義して「諸文化をもつ諸民族が、その文化の次元を超越して、どの民族のたれもが参加しうる普遍性とその仕組み」ということにする。人類史上、中国も大文明をもった。インドもそれとあらゆる意味で異質な文明をつくりあげた。すでに中国が体の中にある陳舜臣氏は、インドの異質さに憧憬《しょうけい》をもち、ついにはインド語を学んだ。

古代世界は、もう一つの奇跡を演じた。場所は、中国世界の西方でおこった。インド世界からいえば北方の場所である。そこの地へいま一つの大文明である西方のギリシア文明が、足をのばしてきていた。アレクサンドロス大王の東征によるものだった。この三大文明が、潮合《しおあい》している場所こそ、いわゆる西域であり、シルク・ロードである。

若いころの陳舜臣氏がペルシア語に熱中したのも、文明の潮合へのつよい感受性による。NHKがおそらく不朽ともいうべき名編『シルク・ロード』を編むにあたって、この人の学識とイマジネーションを借りたことは、容易ならざる選択眼だったといっていい。

この人は、右の文明の潮合のなかに浸りながら、下界の日常にあっては、おだやかで律儀な市民であり、よき家庭人であるというところがおもしろい。奇矯さは必ずしも天才の条件ではない。

逆にこの人のおもしろさは、自己は語るに足らぬものとしているらしいことである。ひたすら他者を書く。そのためには、自己の欲望や利害、あるいはときに好悪まで捨ててかからねばならないのである。理想的には、無私になってこそ、他者や、他者をとりまく物事の客観化の高い純度が得られるといえる。

もっとも単なる無私では小説も物事も見えない。

他者や物事を客観化するという作業は、思考の一過程にすぎず、最後に小説的展開というつぼに入るときは、ふたたび私《し》にもどらねばならない。この場合の私とは初原的な私ではないだけに、ちょっと説明しがたい。

こういう分野に入りこんでしまった者は、日常的に私心とか我執とかを抜きつづけていねばならない。といえば、なにかりっぱな風情《ふぜい》のようにきこえるが、そういう意味ではない。

晩年の漱石はうまいことをいったものである。「則天去私」という。この人はそういうぐあいに生きているのにちがいない。

言いわすれた。

前掲の文化という概念にちなむことである。この人ほど、緻密に日本文化のなかに生きている人もすくない。

かれが、その家族と中国を旅行するとき、日本うまれであるかれとその家族について、概念的な知識をもたない中国人たちは、かれらを日本人としか見てくれないというのである。わずかなしぐさ、歩き方、あるいは表情によって、かれとその家族が日本文化に属する人達であると決めてしまう。

民族とは、そういうものである。私どもモンゴロイドの場合、民族というものは、かれらが属する文化が決定する。その意味では陳舜臣氏とその家族は日本人以外のなにものでもない。

むろん、かれの知性と文学は、僥倖にも日本文学が所有しえたものなのである。

そのくせ、累代、僑居の人でもある。この複雑さは美酒としかいいようがない。


(『陳舜臣全集』第一巻月報一九八六年五月二十日講談社刊)

唐へのゆたかな誘《いざな》い

ローマは永遠だというが、唐の長安の余韻もつづいている。たとえば、葡萄の蔓にリスといった意匠は、いまなお日本人にハイカラなイメージを感じさせるのである。

こういう感覚は、奈良朝・平安朝の日本人にとっても同様で、こんにちにいたるまでいわば遺伝している。

「なぜ日本人はシルクロード（西域）が好きなんです」

と、中国人からしばしば質問される。大ていの中国人にとって新疆ウィグル自治区（西域）など、単なる田舎にすぎない。

が、遠いむかしの長安の人士にとっては、西域こそきらびやかな詩情の世界であった。「葡萄の美酒　夜光の杯」（王翰）で象徴され、また長安の辻で旋舞を踊る胡姫《こき》（イラン系の美女）に代表される。あるいは詩の一景として白堊に青瓦を置いた景教徒《ネストリアン》の寺が登場し、さらには、はるかに流沙が詩の中に横たわることによって、人生の別離のかなしみが深まる。

中国人にとって唐は歴史の連続のなかの一時代にすぎないが、日本人にとって唐代二九〇年はことさらに屹立《きつりつ》しているのである。建物・彫刻などの造形的な文化は奈良朝に移され、唐の詩文は、平安朝に伝承されたといっていい。

とくに遣唐使の廃止(八九四)以後は、文字に親しむ男女のすべてが『白氏文集《はくしもんじゆう》』(白居易――楽天――の詩文集)に傾斜し、その詩が『古今和歌集』や平安朝文学に影響したところははかりしれない。日本が唐の衰亡の前に縁を断ったことで、かえって唐が日本文化の中に生きつづけたのである。

唐詩は人類の遺産でありつつ、とりわけ日本人にとっては『万葉』や『古今』と同様、日本語世界の先祖の遺産ともいえる。

ところで、唐詩の数ははなはだ多い。

はるかな後代、清の康熙四二年(一七〇三)勅撰で編まれた『全唐詩』によって大体の数字が出たが、平岡武夫氏が作品ごとに番号をつけた結果、四万九千四百三首、作家の数は二千八百七十三人という数字が出た。

いわゆる『唐詩選』は、『全唐詩』より前、明のなかごろに編まれた。当時〝古文辞派〟とよばれる極端な復古的文学運動がおこり「文は必ず秦漢、詩は必ず盛唐」などと叫ばれ、その総帥として李攀龍《りはんりゅう》が出た。この選はかれが編んだとされる。

ただし、清朝のころにはすでに、後人がかれの名を騙《かた》って偽編したものだと決定づけられ、その後かえりみられなくなった。（中国人は、清の乾隆年間に出た『唐詩三百詩』によって唐詩をよむ人が多い）。

清人《しんじん》がすてた『唐詩選』は、作品四百六十五首、作者百二十八人で、偽編とはいえ、まことによく編まれている。ただ前述の盛唐偏重ということもあって、中唐の人である白居易は一首も入らず、また夭折の天才の李賀の詩もなく、杜牧の名もない。

そういういわく付きの『唐詩選』が、日本には江戸中期に入り、荻生徂徠の門下で第一等の詩人とされた服部南郭《はっとりなんかく》によって訓点がつけられ、江戸で出版された。

じつによく売れ、江戸期、漢学を学ぶ初等の人にとって『論語』とならぶ必読書だった。といって『唐詩選』には多くの名品が落ちており、さらには唐詩全体の概略を得るということにもなりにくい。

他に選がいくつもあっていいことなのだが、幸い、陳舜臣氏の『唐詩新選』（一月、新潮社刊）が本誌に連載され、毎号楽しむことができた。

当の陳氏も楽しんで選んでいる様子で、しかもこの人には『唐詩選』の領域を侵そうというたけだけしさがなく、重複する詩は一〇%に満たず、あとはみずみずしい新選の作品ばかりなのである。

たとえば「採蓮曲」という章を設け、江南の水辺で蓮の実や菱《ひし》を採る娘たち(採蓮女)を詠んだ詩を多く選び、岸辺に立つ若い男たちとの交情を涼風のなかでとらえている。

氏は酒を好む。華やいだ酒は盛唐によく適い、とくに李白がいい。酔って「我歌えば月は徘徊し　我舞えば影は零乱《れいらん》」。

また〝李杜〟といわれる一方の杜甫は私小説的で、どこの酒亭に行っても借金だらけというふうである。「毎日江頭に酔《すい》を尽して帰る　酒債《しゆさい》尋常行く処にあり」。

〝李杜〟の鑑賞は好みによってわかれるが、陳氏は杜甫を敬しつつも、李白の大輪の花のようなあかるさのほうを好んでおり、そのあたりが、新選全体の色調にもなっている。まことにゆたかな選で、しかも背景の説明が、ひとびとを唐代の事情通にさせてくれるのである。

ついでながら、氏は実作者でもあり、私家版として詩集がある。その実作の風は〝杜〟に近いのだが、選風はむしろ〝李〟に近い。そういうあたり、唐詩を多面的にとらえる上で、あらたな楽しみを与えてくれる。

(「波」一九八九年一月号)

俳句的情景

俳句のことなど、私にはそらおそろしい。

が、亡き藤澤先生と俳句のことを書け、と典子夫人からいわれ、いまくびをひねっている。

以下は、昭和三十年ごろの記憶である。

座談のなかで芥川龍之介の俳句についてしきりに感想をのべておられたが、やがて話の風むきがかわって、漢詩の話になった。なにかの漢詩のなかに〝青〟ということばが出てくる。

「芥川さんはその漢詩を見るたびに、青の文字が目に痛うて、たまらんようになる、と書いて（言うて？）はったが、えらい感受性やな」

むろん、芥川の話というよりも、ご自身のことを語っておられるようにおもえた。

そのころ、

「レモンを植えてん」

ともいわれた。藤澤先生好みで、檸檬と表記するほうが、よりあざやかかもしれない。あの光をふくんだ薄い黄が、そのコトバを発するつど藤澤先生の網膜をつよく刺激するかのようで、詩的閃光というべきものであった。

このような心理的網膜と色彩へのゆたかな感受性が、藤澤さんを俳句にむかわせていたかとおもえる。

橋本多佳子さんの句と人柄を尊敬しておられて、

「多佳子さんに、こんな句があるな」

などと、二、三度きいた。句会もなさっていたようで、当初小野十三郎氏が加わっておられた。やがて、

「小野君、辞《や》めよってん」

といわれたのが、なんともおかしかった。町内で子供たちが遊んでいて、一人、勉強のために帰ってしまったみたいな言い方だった。

このときいた話では、小野さんの言いぶんは、そんな句会でも、句会にゆくために平素俳句のことばかり考えんならん、あたまが俳句だらけになって詩の邪魔になってかなわんのや、ということだったらしい。

藤澤先生は、若いころ草野球に熱中していて、長沖一さんや吉田の留さんを誘って生国《いく》魂《たま》さんの横の空地で駈けまわっておられた、という。句会もそんなふうだったと思えるのだが、それを小野さんが急に真顔で辞退したのが、詩人の一情景としてなかなかよかった、というひびきなのである。

その一情景が気に入るというのも、この人における俳味なのではないか。

藤澤先生は、諸事、閃烈な人間的一情景を愛された。それを座談で楽しむとき、ゴシップでなくて、高雅で、きいていて当方に清らかな快感がおこった。文学とはそういうものではないか。

（『藤澤桓夫句集』序文一九九一年六月十二日編集工房ノア刊）

弔辞――藤澤桓夫《たけお》先生を悼む

弔辞などというものは、生ける者の傲りであります。先生が世におられる、おられないというのは、仮りのことであって、空という絶対の場では、先生と私どもは、おなじ場所にいて、なんのちがいもないということであります。たった一つ、会えない、という小さなこと、こればかりは、どうするわけにも参りませぬ。

しかし、先生はここにおられます。あまねく満ちみちておられます。その先生にむかって、独りごとを申しあげます。それが、いうなれば、弔辞であります。

先生の風姿を拝しえたのは、私の二十のとき、大阪駅西口から入った山陽線のプラット・フォームでありました。私ども（というのは、陸軍上等兵の階級章をつけた戦友の石濱恒夫君と私のことです）は、満州へゆくための一時休暇の帰りで、先生は、先生の大好きな石濱純太郎先生らとともに、見送りにきていらっしゃいました。

それよりすこし前、朝日新聞に連載された先生の作品『新雪』が、都市的感覚にみちた日本における最初の小説として、世間を魅了しておりました。そのなかに、石濱純太郎先生がモデルと思われる老学者が、色紙に、おとぎの国の文字のようなものを書くくだりがありました。私が、大阪外語の志願票のなかで、モンゴル語科の上に○をつけた動機の九〇%は、そのくだりの描寫による影響であります。

先生にじかに面晤《めんご》をえますのは、それから九年後の昭和二十八年のことであります。

私事でありますが、六年間京都支局にいて、大学の先生とか、お坊さん、あるいは画家がうけもちでありましたが、大阪で文芸を担当するようになり、はじめて先生にお会いできたのでありますが、そのときのあざやかな驚きは、いまもつづいています。あかるくて透明な知性、瞬時も休むことのない頭脳、私心のなさ、かがやくようなエスプリ、私はそれまで作家というものを見たことがなかったために、文学者というものはこのように魅力的なものであるか、と思いましたが、その後、多くの作家を知り、また滑稽なことに自分自身までが作家になってしまってから思いますのに——万感をこめて思いますのに——あれは、藤澤先生ただお一人の個性、魅力だったと思い知らされるのであります。まことに、その印象は、魅力という以上に、光りという感じでありました。

先生は、江戸期の東畡《とうがい》、明治期の南岳《なんがく》、大正・昭和期の黄坡《こうは》といったように、箱根以西を代表する名儒の家に生れながら、漢学から遠い場所にご自分を確立されたのは、そのするどい感受性によるものだったでしょう。

あるとき、芥川龍之介の話をされました。お若いころ澄江堂を訪れられたと思いますが、そのとき、芥川龍之介が、漢詩の中で〝青〟という文字が出ている一詩を引き、〝自分は眩しくて眼が痛くて、とてもあの詩に目を当てていることができない〟といわれたといいますが、これは芥川の逸話というよりも、藤澤先生そのものの感受性をあらわす話だと思います。

新感覚派文学運動は、心のうごきを光に代えて過剰なほどに象徴性を表現する運動であると思いますが、藤澤先生の感覚にこれほど適合した文学形式はなかったろうと思うのであります。文学史上の先生の存在は、この感覚によって不滅であると存じます。

日本に都市感覚が出現するのは、大正末年からだと思いますが、その後の藤澤先生の文学は、日本における最初の都市感覚の文学でありました。ひとびとは、先生の作品を通して、都市というものを、あふれるほどに感じました。この一つだけでも、大いなる偉業というべきでありましたろう。

先生は、人間研究者という意味で、たぐいまれなモラリストでもありました。さきの芥川龍之介のエピソードでもわかりますように、芥川におけるたった一つの結節点をおさえることによって、芥川龍之介のすべてを想像させる名手でありました。

それも、人の欠点を指摘するのではなく、人の長所の結節点を、一瞬で抑えるところがありました。

先生が大好きだった横光利一という人も、そういう人だったと思いますが、先生の妙は、横光さんを越えて、その結節点からユーモアをさえ感じさせました。咳唾珠を成す、というふるいことばを、先生の座談を伺っていて、何度思いだしたかわかりません。数行語れば、数行の短編がうまれるといったぐあいで、いつのまにか、部屋のなかに光が満ちているといった感じでありました。

先生のお話を伺っていてふしぎに思いましたのは、その言語でありました。私どもが生れる前の大阪の中学生の中学生ことばだったということであります。中学生ことばのまま、八十四年の生涯を通されたという一事だけでも、反俗的であります。先生は、天性、俗物を嫌っているかのようでありましたが、そのことは、決して〝おじさん〟になることのないこの言葉づかいによってでも知ることができます。

まことに高雅なものでありました。行儀のいい青春のまま生涯を送られたというだけでも、数世紀にわたって、藤澤桓夫という知性以外に、たれを見出すことができるでしょう。この一事だけでも、私ども同郷の者は、未来にわたって先生の名を語りつぐべきであると思います。

先生は、存在そのものが光でありました。私どもは、先生が大好きだったこのお家のなかに、御家族、御縁者ともどもに相集うて、先生の魂のひびきを感じつづけております。くりかえし申しますが、先生は大いなる虚空そのものにおなりになって——私どももまた、その虚空の一部として、かけらとして——この座に参じております。今後もまた、私どもは、先生の光に照らされてゆきますことを、身の内がふるえる思いとともに、つよく感じております。

浄らかな虚空を感じつつ

平成元年六月十四日

司馬遼太郎

(『藤澤桓夫弔辞集』一九八九年七月藤澤典子私刊)

人間として

近所の友

自分の信念で生きるというのは、刃物の上を素足でわたるようなものです。自分の体の平衡は自分の渾身《こんしん》でとらねばなりません。平衡がくずれれば、蹠《あしうら》を刃物が裂くのです。

多くの人達がそのようにして生きてきましたが、鄭貴文氏の生涯もまた、そういうものでした。

信念というのは、余分なものを削りすててゆくものです。鉄棒が、刃のようになってしまい、ついにはカミソリの刃のようなそぎたちになってしまいます。右もよからず左も悪《あ》しとなれば、当然刃が薄くなりまさるでしょう。

生きてゆくには、その信念に、自分の体重をかけざるをえないのです。鄭貴文氏は、安易な道をゆかず、そのように、ただ一人の道をゆきました。息を詰めるようにして、生涯、その上をわたりきりました。

このような事情は、血縁のかたや、僑胞の友人たちは、よくご存じと思います。私は日本人ですから、氏における事情はほとんど知りません。知らないように、つとめてもいます。知っているのは、一個の信念を立脚点にしている人の風貌だけでした。会うつど、風貌を見て、みごとなものだと思いました。こういう生き方が、韓国・朝鮮人のいうモッ（mŏt）というものだろうか、と思ったりしました。『朝鮮を知る事典』（平凡社）のその項によると、モッは、

> 朝鮮における美意識・価値観を表す語。明確な定義はなく、人によって異なる。芸術の諸分野における理想的概念としてもとらえられる。日本の「いき」「わび」やフランスの「エスプリ」などと同様、固有文化を象徴する語。（後略）

と、説明されています。

鄭貴文氏の文学においても、モッがよく感じられます。とくに初期の作品にそのことが感じられます。

人間はたれであれ、その作品というのは、その生涯ということになります。鄭貴文氏におけるモッは何であったかということを考えるのは、残された私どもの義務であると思います。

（鄭貴文『日本のなかの朝鮮民芸美』一九八七年三月二十九日朝鮮文化社刊）

並みはずれた愛――柩の前で

近藤紘一君、生死というのは仮りの姿でしかありません。私は、死が、私どもと君を隔てたとは思っていません。君は永遠というきわまりのない世界に入って、私ども卑小なる地上の者どものまわりに、満ち満ちています。

しかし、ただ一つの不満は、君にもう会えないということです。君は、われわれのまわりに遍く存在していながら、私どもは、類いまれな精神をもった君を、もはや、五感で感ずることができないのです。

君との想い出の中に、一九七三年、昭和四十八年四月のサイゴンの熱い陽射しがあります。

あの、フライパンの上に人間たちを載せたようなかりそめの国の中で、君が、ピアノ線のようにはりつめた緊張を持続しつつ、市場を歩き、戦場を歩き、いつも斧のように鋭い貌をしていたことを終生わすれることができません。おそらくそういう君に毎日接していたこの席の古森義久氏や友田錫氏も同様の思いでありましょう。

　君はすぐれた新聞記者でありましたが、しかし新聞記者がもつあのちっぽけな競争心や、おぞましい雷同性を、君はできるだけ少く持つようにつとめていました。雷同性にいたっては、天性これを持たなかったのではないかと思います。競争心、功名心、そして雷同性というこの卑しむべき三つの悪しき、そして必要とされる職業上の徳目を持たずして、しかも君は、記念碑的な、あるいは英雄的な記者として存在していました。それは、稀有なことでした。

　君はすぐれた叡智のほかに、並みはずれて量の多い愛というものを、生まれつきのものとして持っておりました。他人の傷みを十倍ほどにも感じてしまうという君の尋常ならなさに、私はしばしば荘厳な思いを持ちました。そこにいる人々が、見ず知らずのエスキモー人であれ、ベトナム人であれ、何人であれ、かれらがけなげに生きているということそのものに、つまりは存在そのものに、あるいは生そのものに、鋭い傷みとあふれるような愛と、駈けよってつい抱きおこして自分の身ぐるみを与えてしまいたいという並みはずれた惻隠の情というものを、君は多量にもっていました。それは、生きることが苦しいほどの量でありました。

君の卓越した知性と、君の文学的才能からくるユーモアの感覚が、その愛を統御していなかったとしたら、愛という内圧は、精神というボイラーの殻を、ボディを、こわしていたかもしれません。天はまれに、愛の多量な人を生みます。むかしユダヤの地のナザレの村にうまれたイエスという若者も、そういう人であったと思います。

私どもは、ずるく生きているのです。もともと普通なみの愛は、決して精神の内部で、内圧として高まろうとはしないのです。世間という外気圧に対しずるく調和させて、プラス・マイナスゼロになって生きています。天が選んで、あるいは天が気まぐれに造ってしまった愛多き——その意味では千万人に一人の——精神は、愛の絶えざる内圧の高さに自らが苦しみ、憤り、ついには肉体の細胞の平均的なリズムを破って、みずからの肉体を食いやぶってしまう。私は君の死を、また君の生前の健康状態のわるさを、つねに君の中にある愛と結びつけて理解し、悲しみ、しかしながら、凡俗にとっては手の施しようのないものだと思って、見、眺めてきました。

君は、私にとって、尊敬する以外に、どうしてやりようもない存在でした。イエスが十字架にかかるのを、手をこまぬいて見つめていざるをえなかった当時のひとびとを、私はこの祭場で、自分たちとして思いださざるをえないのです。

近藤君、私はすでに、君が一九七三年のサイゴンで、斧のように鋭い顔をして歩いていた、と述べました。

この鋭さは、何だろう、と私は考えこみました。それがやがて、愛の尖端が斧の刃の形になっているのだ、と知ったとき、私には大きなよろこびでした。この世にこんな人がいたのだ、という、そういうよろこびでした。君には理解して貰えないほどの大きなよろこびでした。同時に、こういう大きな愛の水甕を持った人は、生きるのにつらいだろうな、と傷ましく思いました。

このように、私は君を右のように理解できたおかげで、以後、君の書くあらゆるものを、そういう目で読むことができるようになりました。

たとえば、君が出版社から頼まれるままに、翻訳したアメリカのピカレスク小説がありますが、さまざまな色のガラスの破片のようなコトバにいたるまで、息づいた言語の、みごとな日本語に移し替えられていました。ピカレスクにさえ、君の愛の形を変えた砕片のむれが、言語としていきいきと跳びはねていました。そのときの印象は、才能という以上に大きな何物かを感じたのです。私の君への尊敬心は、君の書きものを読むつど、深まりました。

同時に、私は、かつて、君と同じ会社にいたことを誇らしく思いました。君という存在によって、私は自分の過去の十三年間を名誉に思うようになったのです。こういう錯覚じみた言い方が、自然にできるのは、われながら滑稽なほどでありますが。

近藤君、君というのは、そういう錯覚の名誉を私に感じさせるふしぎな存在でした。君はすぐれた才能をもっていましたが、くりかえすように、君自身は才能以上の存在でした。近藤君、君はジャーナリストとしてその意味において不世出の人でした。世界を人間の場としてとらえました。だれもが出来そうで、しかしながら、めったにそれをなしえた人を見ないのが、世界を人間の場としてとらえるという、ごく平凡なことなのです。君以外の人でそれができた人が何人あるのか、すぐさま想いだすのが困難です。

何年か前、君と、大阪の高層ビルの高層階の食堂で食事をしました。私は、たまたまカムラン湾がソ連の軍事基地になったらしい、というと、君は激しい音とともにナイフを落とし、

「何のために、あれだけのベトナム人が死んだんです」

と叫びました。あとはおだやかになり、失礼しました、と詫びました。

なんという愛でしょう。

以下はつまらない想い出です。

君のサイゴンにおけるオフィスの棚の上に、お飾りのようにして、四〇ミリの機関砲の不発弾が一個おかれていました。駄菓子のような色に塗られていて、ふと小型のペンギンに見えたりもしました。少年の感受性を多量に残していた君はこの物体を、思想抜きで、つまり砲弾であることは抜きにして、オブジェとして可愛がっているようでした。

そういうあたりまで、君の感受性の世界でした。荒々しい砲弾までが、君のそばにいると、独特の世界をつくりあげるモチーフの一つになっていました。

ただ、信管が抜かれていないのです。いつどういうはずみで爆発するかわからず、見かねて、捨ててしまえよ、と繰りかえし忠告しましたが、君は笑ってとり合いませんでした。

「いつか君の体をすっ飛ばすぞ」

とおどしましたが、君は、いいんですよ、と言いつづけました。時限爆弾とまではいいませんが、いつ爆発するかわからない物のそばにいるというのは、君の内圧の高い精神にとっては、むしろ慰めになったのかもしれません。

君は、緊張の高い生活をつづけました。バンコックの支局長時代は、体温が七度まであがり、それが平熱として固定しました。おそらく、疲労にもよる変調でした。ボーン賞をもらった「私は生き残った」という連載の取材による疲労だということは、私にはよくわかっていました。七度に昇ってしまった高い平熱は、君の肉体を休めることなく、炎をもやしつづけるようにして、内側から食いつぶして行きはじめたのだと思います。

その時期、バンコックからの電話で、「体が、なんともいえず疲れている。つらい」ということばを、君の口からはじめてききました。

東南アジアでの永い期間の君の活動は、日本のジャーナリズムに大きな刺激をあたえ、多くの賞讃が君に集まりましたが、そのぶん、君の健康は消耗をかさねはじめました。君にとっての休息は、むしろ、小説を書くことでした。「仏陀を買う」というのは、独特な文体で書かれた作品で、将来、日本の文学に大きなものを加えるだろうという予感を、私どもに虹のように抱かせた作品でありました。

君の病床でのことは、たえず、誰かが私どもに報らせてくれました。友田錫、相川二元、太田治子の諸氏でありました。亡くなられる数日前まで病室に通ってくる文藝春秋の新井信氏を相手に、こんど出る作品集の手を入れるしごとをつづけていたときいています。

文学においては、君は、新しい開花を万人に予感させつつ、花を十分に見せてくれることなしに、我々を残して天に去ってしまったのです。

たれを惜しむといっても、近藤紘一君、大きな才能を抱きながら、地を蹴って昇天してしまった君を惜しみます。才能とのかねあいにおいて、そんな贅沢な人は、私の生涯の中で、君以外にないのです。

今後の私どもは、君が残した精神のリズムを忘れずに生きてゆくしかないのです。

同時にこれは、私どもの大きな遺産だと思っています。君の精神とその仕事、さらには君の一顰《いっぴん》一笑《いっしょう》から片言隻句《へんげんせっく》まで憶えつづけてゆくことが、私ども、君によって友人の仲間に入れて貰った者の、大きな財産だと思います。

近藤紘一君　ありがとう

無限の感謝をこめつつ

昭和六十一年一月二十九日

新宿・南蔵院の霊前にて

司馬遼太郎

（近藤紘一『目撃者　近藤紘一全軌跡1971〜1986』序文一九八七年一月三十日文藝春秋刊）

信平さん記

池島信平さんは、その風貌のように、ゴムマリのように弾んだ心を持っていた。どこの駅からだったか、ともかくもアムステルダムゆきの列車に乗りこむと、デッキにいた若いドイツ系の顔つきの男女に、いきなり、

「はねむぅん？」

と、声をかけた。それだけのことだが、相手がうなずいて笑顔になると、信平さんがかがやくように笑みくずれたのは印象的だった。私のあたまに池島氏コレスポンダンスということばがうかんだ。このことは昭和四十七年のヨーロッパ講演旅行に同行したときの記憶だが、期間中、毎日この精神の発光体のような人柄を見ているだけで楽しかった。

パリでは、アメリカ式のホテルにとまった。いまは法政大学の助教授になっている長部《おさべ》重康《しげやす》氏が、そのころソルボンヌでフランス経済史を専攻していて、旧知の私を訪ねてきてくれた。たまたま私はあかるい軽食堂で朝食をとっていたのだが、そこへ信平さんもやっ

てきて、三人同席になった。

「この人、池島さんにとって西洋史の後輩です」

と、紹介すると、信平さんはただそれだけでこの青年に大吐言《おおごと》をあびせはじめた。この当時、長部氏は髪を長くして綿《めん》のベージュ色の上衣を着ていて、どうみても苦労知らずの〝全共闘〟の坊ちゃんふうだった。古い話だから〝全共闘〟という用語解釈をしておかねばならない。当時、熱病の猖獗《しょうけつ》していた学園紛争闘士に対する通称だった。

信平さんはとしのせいか、この騒動好みの社会現象を過度に心配していて、敗戦後、積木のようなきわどさながらせっかく築かれはじめた社会をこわすものだとあやぶんでいた。

「現実認識の聡明さとたれもが納得できる地《じ》についた論理をもたなくちゃだめだよ。ただ騒いでいるばかりじゃないか」

長部氏はパリで毎日ふるい文献をながめて暮しているわけで、安田講堂に籠城しているわけではなかったのに、信平さんのイメージでは長部氏がヘルメットをかぶって角材をもっているようにみえたのだろう。ひとしきり浴びせ了《お》えてから、

「これも何かの縁だよ、君」

と、長部氏をなぐさめた。むろん自分の理不尽に気づいていて、

「西洋史は世帯がせまくて、兵隊のように先輩・後輩でやってきているからな、あきらめ

ろよ」

これも、池島式対応現象だったと私はおもっている。

これよりさき、昭和四十年ごろ、三重県を一緒に旅行したことがある。伊勢松阪の宿で早く目がさめたため朝風呂に入りに行った。大きな湯ぶねの真中に信平さんの笑顔がうかんでいた。

当時さほど親しくなかったので、共通の話題などはなく、ごくお座なりの話柄として、雑誌社の経営者としての菊池寛の偉さについてきいてみた。

「大きな袋をつくっておいてくれたことですね」

この表現がおもしろかった。

国語解釈していうと、「中央公論」や「世界」に健康法のはなしやプロ野球における管理の限界といった企画は入りにくいのである。菊池さんがつくった袋は、政治・経済だけでなく、およそ人間の現象にして印刷するに足る内容ならすべて入る。ふつう雑誌というものは性格規定から出発しており〝おもしろくて有意義な企画ではあるが、うちの雑誌にはむかない〟という選択の規制がたえず働いており、わるくするとそのために内容が衰弱するものなのである。

大きな袋という表現は、このひとが上司だった菊池寛に対するみごとな対応からうまれたもので、しつこくいえば、菊池寛をひとことでとらえているとともに、信平さん自身をもあらわしている。天賦のカンのよさや人懐っこさ、あるいは正直さといった資質が、みじかい菊池寛評のなかにすべて出ているのである。

信平さんは、菊池寛が好きだった。若いころ歴史読物の代作もしたようであり、それだけ愛され、認められもしていた。

「一生のしごととして、菊池寛伝を書こうと思っています」

と、この朝風呂の湯気のなかでいった。げんに、私どもと別れたあと、信平さんは菊池寛が好きだった蒲郡《がまごおり》に寄ったはずだったが、伝記のほうはついに書かずじまいだった。伝記を書くなどという陰※気なしごとをやるには、このひとはあかるすぎた。

信平さんが菊池・文藝春秋社の最初の試験採用生として入社したことはよく知られている。しかし本心は大学に残って学者になりたかったようで、この悔いに似たものは終生このひとにつきまとった。学者に対する尊敬心はつよく、東京っ子だから露わにみせなかったが、度はずれたものだった。

入社以来、このひとは文章が書けたために、そのほうのしごとばかりしていて、文壇の担当になったのは初期のわずかな期間だけだった。ただ二人だけの作家をうけもったことがある。佐々木味津三（だったか三上於菟吉？）と坂口安吾であった。かれらの生活ぶりをみて、とても常人だとはおもえず、

「僕は文士奇人説というのをもっているんです」

と、ロンドンのホテルでいった。こればかりは信平さんの勝手な思い込みだとおもって、どの作家も、創作の充実期にはごく平凡な生活感覚でもって暮してきたようです、と反論をのべた。信平さんのこういう、やや小憎ったらしさに近い表現には、文学にかかわる出版社にいながら若いころ書き手として忙殺され、作家に数多く接する機会をもたなかった職業上の悔いからきているると私は思ったりした。

信平さんの青春のしこりは、学者と作家の比較までゆくのである。比較できない対象が、信平さんの履歴や環境それに資質の場においてはらくらくと比較できた。結論として、学者を優位に置きたい気分があったようで、それはそれでいい感じの文脈だった。ヨーロッパの往路、薄暗い機内で、このひとは情熱的に自分の卒業論文について語った。ドイツ語のにおいをとどめた古い英語の文献を読んでゆくときの興奮はいまでもわすれられない、といった語調には、文学的なひびきさえ感じられた。

「おやじは、早起きでしたよ」

厳君《げんくん》はよく知られているように越後から出てきて本郷で牧場をひらいた市井の成功者である。稼業柄早起きであるのは当然だったが、この人らしく単に高血圧だったんです、と体質論でとらえていた。戦前、早起きは道徳のなかまに入っていて、寝起きのわるい人はそれを低血圧体質とみず、なまけものとされていた。母堂は、はなはだしく低血圧だった。

「朝、起きろ、といっておふくろの枕を蹴るんですよ。子供たちはみなおふくろの味方でした。蹴った当人が早死して、蹴られたほうは長生きしているんです。そんなもんですな」

そんなもんですな、というあたりに、池島さんの歴史観の気分がうかがえる。単に高血圧体質である人物に無用の倫理的解釈を加えたがる戦前の歴史観にこのひとはうんざりしていたし、また戦後の世をさわがした異常に政治好きのひとびとについても、

「左翼も右翼もおなじテンペラメントの表裏じゃないですか」

語気つよく言った。

池島さんは、たえず目と頭と神経が活動していた。ヨーロッパでは各地で、一所帯《ひとしょたい》の家財道具ほどのみやげものを買い、船便で送りつづけた。オランダではついに百年前のラシ

ャ服まで買った。それを店頭で着てみせて、店員をよろこばせた。

この底曳き船のような買物のしかたは、厳君に似た働き者を思わせた。早死はあるいは厳君からの体質遺伝であったかもしれない。


社葬がおわるころ、夫人のあいさつがスピーカーからきこえてきた。横にいた安岡章太郎が、私の腕をつかんだ。

「池島信平の文体とそっくりだ」

気味わるいほど話し方の呼吸や精神のリズムが似ていた。信平さんは、残すに足るもっとも大切なものを夫人にのこした。

もともと個人の好みとしては他人に影響力をもちたいなどというような田舎くさいことを考えたことのないひとだったが、しかし死後、当人の見当を超えてさまざまな人にその影響をのこしてしまった。このことは、このひとの後輩の同人たちが全員気づいていることらしく、またたれもがそれを誇りにもしているらしい。

※「陰気な」という言葉は高度な意味につかっている。伝記は文学の諸分野でもとくに高い精神と精密な知的作業を必要とする。しかし実際には反故《ほご》の中にうずもれて——私自身

にも似たような体験があってそうおもうのだが——地虫に化《な》ってしまったような陰鬱な感情に襲われることがしばしばある。ひとにも会いたくなくなってしまい、さらには、牢獄にいるような感じがしばしばする。そういう意味である。

ついでながら付記したい。この稿は、面晤《めんご》を得ることなくおわっている池島夫人から、ひとを介してたのまれたために書いた。そういうことがなくとも、池島信平というひとについては、語りたい思いが多量にある。つねにフェアで、つねにたかだかとした爽やかさを保って生きためずらしい人だった。

本来ならゲラを読んでからあとがきを書くべきだのに、逆だった。ゲラは手もとにあったが、それにひきずられないよう、書き了えてから拝読させてもらった。ちょっと名状しがたいようなありがたさが胸にみちた。著者塩澤実信氏に感謝したい。

（塩澤実信『雑誌記者　池島信平』跋文一九八四年十一月三十日文藝春秋刊）

鮮于煇《ソヌヒ》さんのこと

冒頭から、些事をのべる。

漢字の音のことである。私は漢字は――日本とか、中国とか、韓国とかというふうな――地域ごとの音だとおもっている。だから、原則として、他の漢字使用国の地名や人名についても、日本では日本音でとなえねばならない。それが、相手に対しても、正しい態度だとおもっている。


ただ、鮮于煇《ソヌヒ》という名ばかりは、日本音で発音すると、口中の回転がうまくゆかない。

「日本式の音だと、栓抜きになります」

この人が十四歳のとし、当時、京城とよばれたソウルの師範学校に入ったとき、日本人生徒がこの名をよびにくがって、そうよんだ連中がいた、という。その話を、この人が、自己を一瞬掻き消すというユーモアの原則に従って明るく語ると、その程度の話柄でも、一座に微笑がひろがる。

その鮮于煇さんが、ある朝、にわかに生者の列から消えてしまった。新聞で知った。一九八六年六月十三日の朝刊で、その訃報を見た。死はその前日で、旅先の釜山の旅館で就寝中、午前五時、脳出血のため、六十四年の生涯をとじた、という。読みつつ、顔があげられなくなった。

その日、無為にすごした。記憶のなかのこの人の風貌がいよいよあかるくなり、日常の仕事に対《むか》うことにたえられなくなったのである。

死亡欄は、「毎日新聞」がいちばんくわしかった。見出しまでついていて「韓国言論界の長老　政府批判姿勢貫く」とあった。「毎日」は、この人が所属していた「朝鮮日報」との縁が古く、知己・知人が多かったせいにちがいない。

その記事を、半ばぐらいから引用する。(三カ所、勝手に改行した)

韓国言論界の長老で、作家としても五十余編の小説などを残した。一九四四年京城師範本科卒業後、四六年朝鮮日報社入り。朝鮮戦争に従軍して五九年大佐で予備役。再び言論活動に戻って六二年同社論説委員、六四、六七年の二度にわたって編集局長、七一年主筆。八〇年から八六年まで論説顧問を続け今年二月末で退社。今夏開館する独立記念館の初代館長に内定していた。

作家としては「花火」「旗のない旗手」「望郷」などを発表し東仁文学賞、平北文化賞などを受けている。

六四年、編集局長在職時に言論統制を目的とした「言論倫理委法」に対して先頭に立って反対し、また同年十一月には、南北朝鮮の国連同時加入問題についての記事で中央情報部（ＫＣＩＡ）に連行され、一週間拘束。現職編集局長に対する連行は初めてで、同紙は社説で激しく抗議した。

また七三年、金大中氏ら致（註・拉致）事件が発生した際、真相解明を求める政府批判の論説を掲げ、硬骨漢ぶりを見せた。しかし自身は「中庸」を信念として一切の勲章や政府からの要職のすすめを拒絶、最後まで〝一介の言論人・作家〟として生きる道を貫いた。（永守良孝ソウル特派員）

右の文中にある「……七三年、金大中ら致事件」の時代は、韓国は暗かった。

ここで、以下のことをさしはさみたい。あくまでも私の個人的な心構えについてだが、外国の政治的現象についてはそのことが日本に直接――侵略などといったような――害をあたえることでないかぎり、あれこれ批判すべきでないと思っている。（むろん、このことは他に強制できることではない。なにしろそう思っている私自身が、その種の文章を読むのが大好きなのである）

私は、その国の政治現象はその国の歴史的結果であって、歴史を知りぬいた上で、できれば愛をもってそれを見る以外にないと思っている。

ただこの文章では、私の個人的な禁忌をゆるめねばならない。ともかくも、金大中事件前後――あるいは朴正熙政権後期の――言論封圧の事態はひどかった。

私事だが、七三年の二年前、観光ヴィザを持ってはじめて韓国へゆき、金海の金海金姓の祠堂の前で、マリン・スノーのように無数の柳絮《りゅうじょ》が真昼の光のなかを動いているのを見、浦島が竜宮城にやってきたときはこういう思いだったろうかと感じ入ったりしたが、しかしたえず〝特務〟（KCIA）には警戒した。

このくだり、長くなるようだが、ふれざるをえない。ともかくも、私のような非政治的な市民など尾行されることはありえないと思いつつも、しかし心理的にはたえず圧迫感を感じていた。たとえばソウルのホテルにとまったときも、盗聴器が仕掛けられているのではないか——平素、被害妄想をもたないたちなのだが——と、いまから思えば滑稽なことながら、おもったりした。

それから二年後に、金大中事件がおこった。

韓国・朝鮮は歴史の古い国だが、近代国家としてはあたらしい。新興国家の権力というものは、近代的秩序の古い国からみればとほうもない試行錯誤をする。

七三年八月八日の真昼におこった金大中事件もそうだった。金大中氏はかつて大統領候補に立って現職の朴正熙大統領をきわどいところまで追いあげたあと、日米間を往来して反朴運動をおこなっていた。前記の日、かれは東京のホテル・グランドパレスに宿泊中、怪漢たちに拉致され、あやうく殺されかけた。のち現場の指紋などから、犯行が韓国公権力のものとわかり、韓国に対する国際世論は極度に悪化した。

この犯行をやったひとびとは、頭から日本に主権があるなどは無視していた。新興国家の野放図さといっていい。かれらは日本から金大中氏をつれ出し、海路、密出国した。この時期、ＫＣＩＡは、西ドイツにおいても似たような事件をおこして、西ドイツ政府のつよい反発をひきおこした。

ＫＣＩＡは外国においてさえ右のようにふるまう執行機関だったから、国内で、自国民に対しては、どのようにふるまうこともできた。とくに朴政権の独裁権力は七二年にしいた戒厳令によって病的に肥大しており、その形相《ぎょうそう》は、日本という対岸でながめている私でさえ、おびえを感じるほどだった。当時、私は、国民そのものを銃器でおどしているハイジャッカーたちに似ている、と思った。（といって私は、朴正熙その人がのこしたセマウル運動その他の政治的業績を低く評価するものではない。ただこの権力は長期化しすぎ、正常さをうしなった）

密告が流行し、ＫＣＩＡは新聞社内にまで出入りした。自由な言論は消滅した。右の金大中事件という、世界じゅうをおどろかした怪事件が発生しても、ソウルだけは沈黙していた。新聞はだまりこくって日常的な紙面をつくりつづけていた。

その沈黙が、外国からみれば異常だった。

ある朝、急変した。

ちょうど一カ月続いたソウルの〝異常な沈黙〟が七日付の有力紙「朝鮮日報」社説で破られた。

と、昭和四十八年（一九七三）九月八日付の「毎日新聞」が大きく報じた。記事は「朝鮮日報」社説の論旨を要約しているだけでなく、その筆者（署名入りだった）とその執筆から降版までのいきさつを報じていた。

執筆者は、鮮于煇さんだった。かれがとくに署名入りで書いたのは、他の人を巻きぞえにしたくないという配慮からだということは、「毎日」の記事によってよくわかった。当然、最悪の場合、獄死・拷問による死が覚悟されてのことであったろう。

（この人は、死ぬ）

朝の食卓でおもった。

他国の情勢についての記憶など忘れやすい。私も、金大中事件のことなど半ばわすれてしまっている。あの事件の前後、韓国情勢を新聞で読んで感じつづけていたぶきみさも、いまは記憶のかけらを掻きあつめることができる程度である。

ただ、鮮于煇さんが死ぬだろうという悲しみだけが、記憶のボトルの底にこびりついてのこっている。

ついでながら、記事の下のほうに、整理部記者がいうところの〝五分丸《ごぶまる》〟の顔写真があしらわれていた。鮮于煇さんの顔だった。それが、私には死亡欄の写真のような感じがした。

新聞の整理というのは、感情の表現でもある。この場合、整理者の感動と悲しみが、おそらくにじみ出て私にそう感じさせたのにちがいない。その人は（見たこともない人だが）「沈黙破った〝記者魂〟」という大きな横見出しをつけていた。大時代な表現ながら、このソウル発のナマ原稿を読んだ整理者の正直な感情のふるえが出ているように思われた。（ついでながら、同日付の「毎日新聞」には、社説全文の訳が掲載されている）

この時期、鮮于煇さんは五十一歳で、二度目の編集局長をつとめたあと、主筆の職にあった。

べつの機会に消息通からきいた話では、この日も夜にいたるまでKCIAが編集局内をうろうろし、各版のゲラ刷りなどを見ていたらしい。ともかくもそういうぐあいの情勢下だった。

朝刊というのは、日に幾種類も編集・発送される。離島とか遠い地方に送られる版は午後も早い時間に締切られる。第一版からはじまり、逐次、締切時間をへて、最終版（当時の「朝鮮日報」の場合は第十版。ソウル市の市内と郊外への配達分）が締切られるのは、深夜である。

この日、鮮于煇主筆は、最終版が降版されるまで社内にいた。はなしによると、この夜、KCIAは、最終版のゲラ刷りを見おわると、出て行ったらしい。主筆はそれを待っていた。

細おもてで長身の、そして平素無口な主筆は、降版の寸前の工場へ降りて行った。組みおわった紙面から社説をはずさせ、自分が書いたばかりの社説原稿とさしかえた。この間、活字をひろわせ、みずから組み、校閲も一人でやった。校閲部員にやらせたりすると、その人もひっぱられるおそれがあったのである。

当時のKCIAに、見さかいなどはなかった。鮮于煇さんは六四年、現職の編集局長のときにKCIAに連行され、一週間拘束されたことがある。なまなかな拘束内容でなかったと想像されるが、当人はその後もその内容について語ることがなかった。

鮮于煇さんは、最終版を積んだトラックが出てゆくのを見送ったあと、家にもどり、風呂に入った。下着もあたらしいものをつけた。拘束される身仕度をしたのである。


朝刊をみて、ソウルじゅうが湧いた。

といって、社説だから、衝撃的な事実が書かれていたわけではない。事実など、一ミリほども書かれていなかった。ただ、政府に対し、

——ちゃんと事実を発表しなさい。

と、ゆるやかに委曲をつくしてさとしているだけのことなのである。

それだけで、ソウルじゅうの人達によってこの社説がひっぱりだこで読まれ、そのぶんだけ（影響をあたえたぶんだけ）〝教唆〟の罪も重くなる。ソウルの市民たちは、論旨以上に、筆者の覚悟に感動したのである。その覚悟が、いわばニュースであった。当時の韓国の空気がどういうものであったか、このことでも察することができる。

鮮于煇氏が覚悟したように、中央情報部によばれた。

しかし逮捕も拘束もされなかった。もし手荒にやれば、市民のさわぎが大きくなるということを、当局も判断したのである。この決死ともいうべき社説事件で、言論に対するしめつけがゆるやかになったらしい。

私が鮮于煇氏とはじめて会ったのは、たしかこの九月の社説事件の年の春だったか、前年だったか、があいまいになっている。

突如——といってもあらかじめ人を介しての電話はあったが——氏が拙宅にたずねてきてくれたのである。

べつだんの用件はなかった。

残念なことに、この初対面での会話は、初対面であることの程度を出なかった。

「鮮于とは、めずらしい姓ですね」

ばかなことをいってしまった。

中国でも朝鮮でも、二字姓（複姓という）はすくない。

ここで、ひまばなしをしておく。

鮮于という姓は、歴史的中国にもまれに存在するが、姓の由来は朝鮮とはちがっているらしい。朝鮮では、どうもおごそかな由来をもっている。（もっともどの姓の場合も、朝鮮ではものものしい由来をもっていて、その一族の誇りの源泉になっている）

数ある姓のなかでも、鮮于氏はその祖が箕子《きし》から出ているということで、もっともデラックスである。日本でいえば伝説の神武天皇ということになる。

箕子は、はるかな古代、中国の殷の末期に、殷の王族のひとりだったという。周の武王（ほぼ紀元前十一世紀）が殷をほろぼして、中国史上、最初の封建制をしいたとき、殷王室につながる箕子を朝鮮王に封じた。（真顔でいえば、その時代、朝鮮が周の版図だったかということは、きわめてうたがわしい）

箕子伝説は、古代中国人がつくったという説もある。歴史の中の中国人が朝鮮をその視野に入れるのは殷のような超古代ではなく、存外あたらしくて、紀元後らしい。後漢のころのかれらが、山東の東方の海上にうかぶ朝鮮の山々をもってまぼろしの理想郷としたらしい。その気分が、かれらに箕子伝説をつくらせたといわれる。

ただ、高麗朝や李朝になって儒教がさかんになると、朝鮮の側でこの伝説が歓迎された。朝鮮儒者たちからみれば、すでに中華（中央の文明）の風がはるかにふるい時代に朝鮮に入っていたということは、よろこびであった。かれらの間で箕子を追慕する風が濃厚になった。（ただし、この追慕現象も、近代に入って消えた。すでに古朝鮮の王朝が自民族によって成立していたとされるようになった）

箕子追慕時代のいつごろにできたのか、北朝鮮の平壌に崇仁殿という箕子をまつる祠堂もできた。その監（神職）を、代々鮮于氏がつとめたといわれるから、この一族が古くから箕子の子孫であることを世間でみとめられていたらしい。

以上のことは、私がのちに調べただけのことで、鮮于煇さんはなにもいっていない。初対面のときも、この話題には鮮于氏は乗らず、めずらしいですねという私の話しかけに対して、ただ、

「ええ」

と、うなずいたきりだった。

韓国人における姓氏はアイデンティティの基本なのである、そのことについての自尊の感情はほとんど宗教的でさえありつづけている。ただ他国人には通じにくい。

このため、ふつう自分の姓氏についての伝承と栄光を他国人に語ることの徒労をかれらは避ける。が、鮮于煇さんの場合、そういうことでさえなく、姓氏のレベルに固執している伝統について、よほど離れた場所からの批判に似た気分をもっているかのようだった。ただその批判の気分についてすら口に出さないのである。

後年、互いにやや親しむようになってから、私は朝鮮儒教の伝統についての話題から転じ、右の話題をもう一度出してみた。鮮于家の族譜には何人のご先祖が書かれていますか、と質問したのである。そのとき、このひとは乗り気のない表情で三百何人です、とたしかそんなふうにいった。この数字の記憶には私は自信がないが、ともかくもそのとき、天皇の系譜（一二四代とされる）よりはるかに多いと思った記憶だけは持っている。それ以上に驚いたことは、

「父はその名をぜんぶ暗誦させようとしたのです」

鮮于煇さんは長男だから当然おぼえるべきだったろうが、このひとはおぼえようとはしなかった。

「弟はぜんぶおぼえました」

驚いたというのは、このことである。私は戦前に教育をうけた。小学校のとき歴代の天皇一二四人の名を機械的に暗記するということがあったが、私は上から三、四人を歌のよ

うにおぼえただけで、あとはおぼえることができなかったことを、ふと思いだした。

鮮于煇さんとは、初対面の年から、その後ながい空白があった。再会したのは、十年後の一九八二年だった。

私どもは座談会のために東京でおちあい、次回の同趣旨の座談会がソウルでおこなわれたから、ひきつづき会った。(座談会は両度とも読売新聞社主宰のものである。その後、同社の刊行で本になった。『日韓理解への道』『日韓ソウルの友情』)

その後、会うことが、繁くなった。

このひととの往来は、私の生涯の幸福のひとつだったと思っている。

初対面のときの印象に、話をもどす。

書生っぽいくせにごく自然な高雅さをもった人で、英国の小説に出てくる退役の大佐《コーネル》といった感じの印象だった。

現実に、この人が予備大佐であることも、あとで知った。

職業軍人ではない。この人は、日本が朝鮮半島から去ったあと、ほどなく朝鮮日報社に入ったから、根っからの新聞記者なのである。独立後、五年後の一九五〇年六月に南北戦争がおこり、従軍し、その能力によって大佐になっただけで、かれの本来の志向ではなかった。英国では大佐というのはときに名誉称号でもあるらしいのだが、ともかくもうまれつきそういう風韻をもった人だった。

色白で小気味のいいほどに面長の輪郭線と端正な目鼻だちをもっていた。背が高く、贅肉のない細身で、手足がながく、きちっとした服装がよく似合う人だった。以下、余談めくが、私は、歴史的存在としての女真人に年少のころから関心をもちつづけている。その言語も民族もいまはこの地上からほとんど姿を消したといっていいが、つよい愛情を感じてきた。

鮮于煇さんについての最初の印象は、風韻においてどうみてもコーネルだったが、容貌、体形からいえば、稀少なほどに女真貴族の典型に似ていた。

といって、私が現実に知っている女真人の末裔はただ三人で、あとは文献や写真、肖像画を通して私が勝手につくりあげているイメージなのである。鮮于煇さんは清朝の雍正帝の肖像画にそっくりだし、乾隆帝にも似ていなくはない。また現代中国の物故作家で、女真人を祖にもつ老舎ともどこか似ている。老舎はごつい顔で、鮮于煇さんのように秀麗な容貌ではないが、目もとが似ている。これは、私の老舎好きがそうさせるのかもしれない。

もっとも、韓国・朝鮮人に、あなたは女真人に似ているなどは禁句と心得るべきで、この国では倭奴《ウェノム》もわるいやつらだが、それに劣らず女真人《オランケ》もわるいやつらなのである。ともかくもさまざまな歴史的事情から、女真人は野蛮人の代表とされてきた。私は東アジアで女真人ほど魅力のある民族はいないと思っているし、それに中国における征服王朝ながら、かれら女真人がつくった清は、康熙・雍正・乾隆という、聡明で学識が高く、さらには創造力に富んだ、おそらく中国史上、最大の皇帝を三人も出しているのである。（もっとも、近代中国は征服王朝を否定するところから出発したために、いまなお清朝は肯定されず、三人の皇帝についても公然たる評価はなされていない。女真人は、朝鮮だけでなく、中国にあっても、いまなお嫌悪もしくは黙殺されている）

鮮于煇《ソヌヒ》さんのこと

鮮于煇さんについて語るべき事柄が、ここでは時代順ではない。

一足とびに、最後に会ったことから、話す。

去年（一九八五）、日本に来たついでに、たずねてきてくれた。

「そろそろ新聞社を引退します」

といい、あとはどこか田舎をみつけてそこに住み、本を読むくらしをしたい、といった。

本ということだったから、私は自分の書斎と書庫に案内した。

もしほしい本があれば、あとで古本屋などにさがしてもらって同じものを送ります、と提案してみたのだが、歴史の本など自分には猫に小判です、といって心を動かさなかった。

この人は韓国においてもっともすぐれた短編小説の書き手の一人だが、その主題は現代にかぎられていた。

ただ、韓国・朝鮮についての書架の前で、ただ一冊の本の背文字を見つめた。

「これは、私の故郷です」

そこにあったのは、

『平安北道史』(平安北道編纂)

という本だった。朝鮮・韓国人のいうところの〝日帝時代〟の本で、しかも当時の官が修した平安北道史なのである。史料に即しきっているため、こんにちでもこの本の価値はさほどに減じていない。

鮮于煇さんの表情はさほどにはずんではいなかったが、私は自分の提案の手前、むりやり送らせてもらうことにした。

この挿話は、単にこの人が、平安北道定州の人だということを書くために挿入したにすぎない。

いまは、そこは朝鮮民主主義人民共和国になっている。帰ろうにも、そこへゆくことができない故郷なのである。このことについての感情は、私のような外国人が立ち入るべきことではない。

この地を離れたのは十四歳のときで、京城師範の普通科に入ったときだった。

入学した新入生百名のうち、当時内地人と呼ばれた日本人学生が八十名で、半島人と言われた朝鮮人（即ち韓国人……ああ全くややこしい）学生は二十名に過ぎなかった。（塚本勲氏訳の『遺書』より）

私は、さきに女真人について書いたのは、平安北道と、鴨緑江をへだてて地を接してきた歴史的女真人とのかかわりにふれたかったのだが、よく考えてみると、鮮于煇さんとなんのかかわりもない。私が鮮于煇さんに、勝手なロマンティシズムを付加するのは、女真地域にちかい北方うまれということも多少あるために、つい述べることが弛んできてしまった。

それに、作家としての鮮于煇さんを論ずるほどに、私は朝鮮の現代文学や文壇にあかるくない。そのことも謹まねばならない。

私は、いつもナショナリズムについて考えている。村意識というものである。

この世で、村意識《ナショナリズム》をもたない人をみたことがない。時と場合によってその感情の対象が村であったり、母校であったり、国家であったり、すこし変化してひいきの球団であったりする。

その感情を昇華させて――酒でいえば醸造酒を蒸留酒にして――あらためて自国を愛しつくすというのが知性であるとすれば、鮮于煇さんはそれをなしえためずらしい精神ではないかと思えてくるのである。この昇華作用を経なければ他国を理解することもできず、他国人に友情を感ずることもできない。さらにいえば、自国のために独り難に殉ずるということもできないのである。

鮮于煇さんは、そういう人だった。

だからこそ、この人の諸作品にしばしば登場する〝日帝時代〟の憤りと体験をいまなお蓄積しつつも、蒸留化された部分でもって、いまの日本と日本人を、多少の愛とユーモアをもって、正確に見つづけることができたのにちがいない。

以下の文章は、二十年ほど前のものだが、日本についての先見性にみちている。おそらく将来も腐ることがなかろうと思えるのだが、こういう視力は、前記の精神と無縁ではあるまい。

巨視的な目と明確な原則を

鮮于煇

日本は、運命的にこれからもっとアジア諸国とかかわりあうようになるだろうが、かかわればかかわるほど、感謝されるよりはきらわれ、憎まれるはずだ。持つ国と、持たざる国の関係はえてしてそういうものだからである。(われわれは早く持つ国になって憎まれてみたい)

だから、そういうことに気を遣わず、巨視的な目と、はっきりした原則で毅然(きぜん)として一貫性を通すべきだ。原則なしで腹のさぐり合いをしながら、駆引ばかりの関係が一番悪いのではないか。

アジアの平和をめざす経済協力がその主題になると思うが、それにしてもいままでの日本の反戦世論は、戦争の革命化にアクセントが強く、革命の戦争化を軽く見すぎるきらいがあるのは気になる。これからはむしろ後者の危険が強まるのではないか。

どうせ日本のようにうまくやれないのだから、自由なんか考えずに、能率的でさえあればどんな体制でも結構ではないか、というすすめほど侮辱としてとられるものはない。そういうすすめは、日本の場合、一種の近親憎悪的感情が働くので、西欧のそれよりもっと恨まれやすい。アジア諸国の人心の機微をもっと研究してかからないと、平和のための折角の努力も裏目に出るおそれさえあると思う。

問題は、協力を受ける立場の国にもある——といういいかたは、「持たざるものの甘え」とか「弱者のずるさ」という類だ。それが解決されないと、米国とのまずい関係の二番せんじになりかねない。日本がまじめに、はっきりした信念を持ってアジア諸国と取組むならば、過去のかかわりあいや、観光客や経済人の行儀の問題など、とるにたらない末節的なものではないだろうか。

（朝鮮日報主筆）

（昭和四十八年一月一日付「読売新聞」）

ともかくも、私どもは鮮于煇さんをうしなった。

この〝私ども〟を、どう言いかえてもいい。世界とでも言いたい。すくなくとも韓国人たちは、李氏儒教がきたえた節目の士《ソンビ》をうしなったのである。これを日本人たちと言いかえてもよく、その場合、真の知日人をうしなったという、重大なことになってしまう。

私個人でいえば、身辺に光が減じてしまった。すくなくとも気品というものが、本来殉難者的な気質もしくは精神とかかわりがあるということをさとらせてくれた数すくない友人に、もう会うことができなくなった。

（「世界」一九八六年十二月号）

弔　辞――山村雄一先生を悼む

人間の死がなぜ荘厳なのか、山村雄一先生に亡くなられてはじめて悟らされた思いがしています。人は、死とともに、哲学になってしまうということを、であります。

いま先生は、虚空にあられます。その御生涯が、あたかも結晶体になったがごとく、私どもの頭上に、奕奕《えきえき》として輝やきわたっていることを感じます。

先生の巨大さは、その才能における生来の矛盾にあったことを、思わざるをえません。経験を重んじながら――まことに、海綿のように経験を吸いこみ得る御性格であられました――しかしながら一方において、仮説を重んじ、無数の経験のなかから純粋な法則性を見出しうる御性格であられました。

山村先生は、その心優しさを母君から承《う》けつがれたように拝されます。その母君から医学を学ぶように勧められ、医学部に在学中、その教課を十分に吸収されつつも、当時の医学が、多分に経験の累積、もしくは経験則であって、十全な意味における科学ではないことに不満を抱かれました。

その疑問は、まことに高貴としか言いようのないほどの知的矛盾の感覚でありました。いうまでもないことながら、生化学というものが十分に成熟していない時代のことであります。

医学生時代、医学部の売店で、英国の学者が著わした『免疫化学』という本を見つけられたことも、山村的矛盾感覚の好もしい風景の一つでありました。

その本の内容はともかく、題名そのものが、山村的矛盾感覚にとってじつに刺激的でありました。当時、むろん、免疫というコトバはすでに医学用語であり、それだけに経験的で、科学というよりも、実相的とよぶほうが正確というべき概念でありましたが、そういう概念に対して、化学という、科学そのもののコトバが付せられていることに、若い日の山村先生は、あざやかな印象をもたれたのです。この瞬間こそ、のちの偉大な学問的生涯への出発であったかと思われるのであります。

山村先生が医学部を出て、理学部の化学の赤堀四郎先生の研究室に身をよせられたことは、ご自身感じておられた医学についての矛盾に対し、みずから克服すべく足を踏み入れられた最初の一歩というべきものでありましたろう。

でありながらも、山村先生は、一つの人格に二人ないし三人の人が存在するかのように、実際的でありました。

忘れがたい例があります。

先生の刀根山時代は敗戦直後に属し、日本じゅうが窮乏でおおわれておりました。結核患者の治療にあたって、患者の栄養状態が極度にわるかったため、先生はポケット・マネーでもって食品を買っては薬とともに与えつづけられたときいています。

もう一つは、空気感染ということでありました。この通俗的なコトバが本当であるかどうかを確かめるために、吸塵器でもって病室の空気を吸いとってみられたところ、一個の結核菌もいないことを見たしかめられました。試みに床を吸塵されたところ、無数に存在した、ということであります。菌は、微量な水滴にくるまり、患者の咳とともに吐きだされて床の上に落ちる、ということでありました。まことに卑近すぎるほどのこの見たしかめ方にも、先生の旺盛な仮説をたてる能力と、実証性がよくあらわれているように思われました。

わずか二年間のこの刀根山時代、研ぎすまされた科学者であられたもう一人の山村先生は、この臨床勤務の間に、生命の流れについての壮大な仮説をうちたてられ、実証されたのであります。のちに、そう称ばれる「生化学」への出発でありました。結核菌の菌の体の中のリポ蛋白質が、人間の生体におこるアレルギーを通じていわゆる〝結核空洞〟をつくるというものであり、この説明と証明は、世界の医学界をおどろかせました。

おそらくこのとき、先生は、生命という大いなる存在が、免疫アレルギーという実質と形態をもって、轟々と循環するなにごとかであることに、打ち慄えるような感動をもって悟られたのでありましょう。知的に透明化された感情のゆたかさこそ、山村先生の特質の一つでありました。

一個の結核菌を生化学《バイオケミストリー》としてとらえた場所から、山村先生は、赤堀先生仕込みの厳密さを足どりとして、すこしずつ生命という体系の中に分け入られたのが、先生における「免疫アレルギー学の研究」であったと理解しております。

またその間、先生は臨床医であるという立場を片時も忘れることなく、ついには「遺伝子工学的手法による近代的な臨床免疫学」という大いなる道を拓かれ、さらには大河のごとき学問の流れを後世にむかって流されたのです。

先生の履歴のなかに、海軍が存在しております。

尊父は商船士官であられましたから、先生が海軍軍医として南太平洋の戦場にその生命を曝しておられたことは、父子双方にとって本望であられたようでありました。あるとき、一時帰宅され、やがて休暇の日が満ち、御自宅の玄関で、

「では、行って参ります」

といわれたとき、父君は、〝君はすでに船乗りである。船乗りの家は海しかない。ただ今から帰ります、と言え〟とおっしゃったそうで、先生はこのやりとりを、生涯の光として感じておられました。

先生は、高度に倫理的な御性格でありました。同時に、高度なほど、無宗教でありました。

科学が宗教に代ることは決してありませんが、しかしながら、高度に哲学的、倫理的性

格にあっては、科学は悠然として宗教の代りをなすものであります。

とくに先生においてそうでありました。とりわけ、他者に対する犠牲の精神というものについては、先生のご人格は、異常なほどの発光性を持っていました。そのように、「高貴なるもの」

へのあこがれこそ、海軍時代の先生の心の支えであり、心そのものでありました。先生の任地は、第一線の激戦地が多く、そのなかで、先生は、若い海軍士官などのなかに、多くの高貴なものを見出され、そのことが先生の終生を支えたともいえそうであります。

むろん、先生は戦争肯定者ではありません。ただ昭和十七年から三年有半の従軍中、数多くの高貴なものを見られた結果が、先生における生命への畏敬、さらには人間へのつよい信頼につながっていると思うのであります。


先生は、なんと大きく思想的存在であったことでありましょう。

その思想は、ご自身の安心立命のためだけのものではなく、他者を容れるためのものでありました。又、大きな磁場のように、他者の心を昂揚させるものでありました。先生の門下から、大学教授だけで、四十余名という多数の研究者を生むことになったのは、まさにこの思想によるものでありました。

ただ一人の存在が、このように大きな作用をこの世に及ぼし、この世に多くのものを残したことにあらためて驚かざるをえません。

「スマートであれ」

というのが、先生の二十代からのモットーであられました。

スマートというのは、おそらく数学の数式のように、たれがみても理解でき、かつそのもの自体がうつくしく、さらには、たれに対しても説明ができるという心の態度のことでありましょう。

先生にあっては、つねに結晶体を見るように論理の整合が遂げられており、でありながら、結晶前の流動体に見るような人格的勢いがありました。その勢いは、ひとことでいって、可能性へのあこがれというべきものでありました。つねにきらめき、たかだかとして、その存在は詩でさえありました。

そのすべてが、いま虚空にあります。

そのものは、翳もなく輝やいています。先生は、消えることのない光になられたのです。

平成二年七月二十八日

司馬遼太郎

（大阪大学旧講堂における告別式にて）

（「千里眼」第三十一号一九九〇年九月二十五日刊）

モンゴル語の生ける辞書——棈松《あべまつ》先生を悼む

私は、九十を超えられた棈松源一先生に万一のことがあるとは思わず、「先生がいつまでもお元気だから、自分などはまだ小僧だ」と、自分のおろかな若さを決めこんでいた。いま訃《ふ》報《ほう》をきき、先生冗談じゃありません、と身勝手な叫びをあげている。

一九七三年、むかし私どもが〝外蒙〟とよんでいたモンゴル人民共和国（いまは〝人民〟の二字が除かれた）に先生のお供をして出かけ、ウランバートル・ホテルで泊まった。同行者の部屋の水道が湯しか出ないというので係を呼び、〝この水道はウス（水）を忘れたらしいな〟というと、係が大笑いした。つまり、通じた。

私の場合、学校を仮卒業にして兵役についた。兵役をはさみ、戦後をはさみ、そのながい歳月をはさんで、大阪の天王寺区上本町八丁目の小さな学校で棈松教授から教わったモンゴル語が、解凍された菌のようによみがえってきたのが、おかしかったのである。

いま大阪外国語大学とよばれているこの学校は、大正末年、西洋語系列が重視されている東京外語に対し、東洋語系列を重んじて作られた。

　精松先生はその第一期の卒業生であった。当時、東洋学の石浜純太郎博士が、東大漢文学科を卒業して、あらためてこの学校に入学し、若い精松先生たちと机をならべて、中国文化圏の周辺のアルタイ語（モンゴル語や固有満州語）を学ばれた。石浜博士の独自の東洋学の学風は、歴世の在学生たちの心の支えになっていた。

　精松先生は、東洋学などよりも、ひたすらにモンゴル語学に専念された。そのおかげで、日本におけるモンゴル語研究の灯台のようになられた。

　先生は、薩摩隼人《はやと》であられた。そのせいで、モンゴル語の抑揚や単語の高低、強弱が、薩摩弁にかすかに似ていた。口のわるいモンゴル人の教授が、

「精松先生のは、鹿児島モンゴル語」

　と、うつむいて笑った。私どもはあわせて薩摩弁をならったようなもので、後年、本紙に『翔ぶが如く』を連載した私はノートをつくって、薩摩語を学習した。いちいち発音して、しきりに先生のことをおもった。

　いまはモンゴル語学は、語学研究や教授法においてむかしとは隔世の進歩をとげているが、私どものころは、開校後二十年を経ているのに、まだ辞書がなかった。

　精松先生その人が、生ける辞書だった。先生に頼りすぎることの不便さをなんとかする

ため、棈松先生の語彙《ごい》をあつめて、私製の〝日蒙辞典〟をつくった在校生がいた。私どもより七期前の人で、ガリ版刷りの〝辞書〟を後進の私どもは重宝した。

この〝手作り辞書〟の製作者が、前記のモンゴル旅行のときにウランバートルに駐劄《ちゅうさつ》していた代理大使崎山喜三郎氏だった。

「崎山さんの〝辞書〟には、私どももたすかりました」

と、ご当人にいうと、棈松先生はめずらしくこわい顔をされて、訂正された。「あれは辞書ではありません。単語帳です」と。

前記の旅行（一九七三）のころ、先生はすでに現役でなく名誉教授であられたが、文部省から研究費が出ている辞書の編纂《へんさん》のために大きなテープレコーダーをさげて、草原へ出かけられた。発音の採集のためだった。

先生はお若いころ〝内蒙〟のことばを学ばれた。しかし戦後、ウランバートル（外蒙）の発音を習得しなおされた。

モンゴル語の文字は、私どものころは十三世紀に制定された固有の文字（大きくはアラビア文字と同系）を習ったが、一九四一年、モンゴル人民共和国にあっては、ソ連から強要されてキリル文字（ロシア文字。源流はギリシャ文字）をつかうようになった。私どもが去ってからの先生は、キリル文字で学生に教えられた。

が、最近、モンゴル共和国は固有文字にもどった。先生は一身にして三世を経られたことになる。

私は、若いころの辞書への飢えから、戦後、各国から出たあらゆるモンゴル辞典を集めてよろこぶようになった。そのくせひくとなると、つい面倒になって、京都府の木津川のほとりの先生宅まで電話をかけて聞くことが多かった。先生にすればいい面《つら》の皮だった。若いころ教えたというだけで、七十近くなった劣等生をいつまでも教えねばならなかったのである。

「先生、モンゴル語のアルタン（黄金）は、アルタイ山脈のアルタイと関係がありますか」

「あります。理由は、こうです」

「ところで、固有満州語で金はなんといいますか」

「アイシンです」

「ああ、愛新覚羅のアイシンは、金なんですね」

道理で、清朝の皇族（愛新覚羅氏）が臣籍降下すると、金という姓になったはずであった。このことをいうと、「そんなことは、あなたが考えることです」

私は楠松先生は、もったいなくも古屋敷の井戸のように永遠に生きて、いつも水を飲ませてくださる方だと勝手に思い込んでいた。

大いなる語学者の死というよりも、私的には、すねかじりの不出来な息子が、いつまでも甘かった親をうしなったような気持ちでいる。

(「毎日新聞」東京版一九九三年三月四日付夕刊)

鴨居《かもい》玲《れい》の芸術

Rey Camoy

などというサインは、ヘボン式のローマ字表記ではない。ふと、このひとは異種にてやあらむ、と謡曲ふうにつぶやきたくなる思いがするのである。姉君の羊子《ようこ》さんにしても、他のひとびととは、どうも勝手がちがって、こちらがとまどってしまう。

私は玲さんをながく知らず、羊子さんのほうを早くから知っていた。彼女は私のことを、フクサンなどとよんで、親しんでくれた。

二十年ほど前、写真家の井上博道の結婚式で、テーブルをともにしたとき、「フクサンどうして日本のことなんかを書いているの」と唐突にいうので、しばらくなにをいっているのか、解《げ》せなかった。

羊子さんのほうは、どんな人の前に出ても、自分だけの表情を——勝手な顔つきを——保っている。その点、心優しい人柄でありながら、いつも手前勝手なぶっきら棒を通しているのである。たいていの日本人は、いわばマナーとして相手によってお面をとりかえるように表情をとりかえる。

「どうして」

と、彼女がテーブルのむこうから問いかけたのは、私が、日本の歴史に主題をおいた小説を書いていることについてらしかった。愛をこめていえば、こんなことに不審をもつようなひとは、精神の配線がどこか他のひととちがっているのである。

＊

玲さんとはじめて会ったのは、かれの四十歳のとし、昭和四十三年だったように記憶している。

その日、わざわざ拙宅に訪ねてきてくれた。

私の前にすわったこのひとは、私とは五つしかちがわないのに、青年としか言いようがないほど表情も心もみずみずしく、すくなくとも、人の世にまみれた濁りとかたけだけしさとかがなかった。

あやうく、

「あなたが、鴨居玲さんですか」

と、念を押したくなったほどに、風貌に異彩があった。

「そうです」

と、もどってきたのは——あたりまえのことだが——ふつうの日本語だった。もしかれが日本語さえつかわなければ、私はどこか遠いヨーロッパの小さな公国のひとと相対座しているつもりになったかも知れない。

＊

この姉弟の父君は毎日新聞のえらい記者で、詩人で、豪酒家だったという。

やがて玲さんの年譜によって、この一族の生地が、肥前（長崎県）の平戸島であることを知った。年譜に、

昭和三年（一九二八）二月三日、長崎県北松浦郡田平《たびら》村小崎免《こざきめん》四〇五—一にうまる。

父の名は悠、母は茂代《もよ》。……父方の家系は平戸藩松浦家の藩士だった。


大意、そう書かれている。

江戸初期まで、平戸ほど国際的な土地はなかった。その島主松浦氏の家系は古く、源平のころすでに存在していた。

室町・戦国のころは全島をあげて私貿易基地をなし、いわば松浦家は倭寇の大親玉だった。水田がほとんどないから、米穀よりも貿易の利益で兵を養っていたのである。松浦の武士たちは、馬に乗るよりも船に乗った。かれらの世界は平戸島というよりも、東シナ海から南海にかけての広大なものだった。

明末、中国のことばで、

「海獠《ハイリャオ》」

ということばがあった。主として中国福建省に根城をおく武装貿易商のことで、獠というのは多分に異民族のにおいをこめている。福建人でありながらその航海術はイスラムの影響をうけ、ときに回《ホエ》とよばれるイスラム教徒などもいて、割礼をうけている者もすくなくなかった。

日本の天文十年（一五四一）平戸にやってきた王直（?〜一五五七）などは、海獠の最たるものであったろう。かれは松浦家とむすび、明の亡命者と倭寇をつかって、明の沿岸に出没した。「徽王」などという王号を私称していたといわれる。

鄭芝龍（一六〇四〜六一）などは、そういう海獠系譜でも末期に属する人物だった。かれは平戸松浦家の客分として重く遇され、その宏壮、かつ砦のような屋敷跡がいま平戸にのこっている。ニコラスという洗礼名をもつ芝龍と、平戸藩士の娘とのあいだにうまれた鄭成功については有名である。

平戸貿易史にとってそれらは、後期の人物で、前期はポルトガル人との交渉が濃厚であった。ついで、オランダ人、イギリス人と交渉がふかくなり、両国とも平戸に商館をおいた。

*

ともかく平戸は、鎖国令までのあいだ、はるかに極東の地まで大航海時代の波しぶきを、日本列島の尖端で浴びつづけた島で、当然ながら、日本の他の地域と内面の組成がちがっているはずであった。さらには雑居地ではなく、松浦という日本最古の大名によって統御されていたため、有形あるいは目にみえぬ文化もよく残された。その最たる遺産は、混血であったろう。

鴨居玲さんやその姉君の風趣がどこかちがうことに、平戸をむすびつけたくなるのは、単なる私の趣味である。本気でおもっているわけではない。

絵について語らねばならない。

*

私は、三十代から小説を書きはじめた。

それまでは、大阪で新聞社につとめていた。末期のころは美術をうけもったのだが、当時の画壇になにやらふしぎな気分をもちつづけたまま、退職した。

どうもそのころの私は、絵を見る記者でなく、むしろ絵画理論や、造形の形態の流行さらには画家たちを通して日本人を見たがる記者のようだった。

このことは、敗戦の日に感じた昭和前期の日本への疑問とかさなっているものらしく、こういう癖《へき》は生涯ぬけそうにない。ここでわざわざいうべきことではないかもしれないが、文化の独創ということで江戸期の日本は誇るべきものだったし、あたらしい文明の受容という点で明治の日本もりっぱだった。しかしその後、どうかなったような気がしてならない。絵画の面でいえば、明治二十年代に官立の美術学校ができて以来、洋画のほうで幾人の独創者が出たのだろう。

ひょっとすると、琴や三味線の諸芸と同様どこかに家元が存在するような錯覚を、日本の洋画壇はもちつづけたのではないかとさえおもえたりもする。絵を描くというのは、頭から個性の表現なのである。

ところが、日本は明治後、一時にヨーロッパ文明のすべてをうけいれたために、まず型の丸暗記からはじめざるをえなかった。

美術もまたその圏外ではなかった。

官展は、どうしても一段階づつ導入が遅れた。遅れれば〝古い〟とされた。

新規に、個人として新傾向を受容した連中は、官展の〝古さ〟をののしった。大正三年、最初の油彩の在野美術団体である二科会がつくられたが、それによって個性が解放されたわけでなく、大かたは、

〝新傾向〟

というにすぎず、模倣団体であるという点では官展と大差なかったのではあるまいか。

第一次大戦で日本は、史上空前に外貨をあつめた。パリへ私費留学する画学生がふえた。一九二五年にフォービスムをパリから持ちかえった里見勝蔵も、またパリでシュールレアリスムを見つけて一九三一年にもちかえった福沢一郎も、その個性より新流儀の導入者として記憶された。くりかえすが、衣裳の導入であって、近代らしい精神がそこに興った(個性で描くという風がおこった)ということではなさそうである。

政治の面でも同様だった。ナチズムが流行すると、軍人などがその傾向にかぶれ、みずからをうしなった。

＊

——美術の見どころのこつは、フォルムがあたらしいかどうかだな。

と、前任者が私にいってきかせたのをおぼえている。

当時、抽象絵画ばやりになっていて、それがあたらしい時代の〝正義〟になっていた。具象絵画のようなものは、賊としてこれを倒さねばならぬという勢いだった。世間は、圧倒的に社会主義論調の時代になっており「反動」という陰湿な流行語は、昭和十年代の「非国民」とおなじ語感をもつ威力語としてつかわれていた。公募展に関するかぎり、個性が全き意味で解放される時代はまだ来ていなかった。

（ここまで書いたとき、疲れたのでテレビをつけた。オートバイの話題が、映し出された。日本のメーカーがイタリアで工場をつくり、その新機種を五百台にかぎって日本に逆輸入したところ、たちまちうりきれたという。その社の東京の販売担当者が〝この創案《コンセプト》はバッチリでした。お客さんたちはあたらしい個性をまちこがれていたんです〟と喋っていた。個性という言葉のつかいかたが、すりかえられていまなお、販売や宣伝の言いまわし《レトリック》としてつかわれているのである）

＊

容易に鴨居玲が出て来ないことに不満をもたれるかもしれないが、いままでのべてきたすべてのことばは、このすぐれた独創家についての説明なのである。

また私事になるが、美術記者のころ、他の社ながら、ただ一人だけ友人ができた。森島瑛だった。記者でありながら物を創る感覚をもったひとだった。

このひとはやがて新聞社をやめて、鴨居羊子さんの下着デザインの研究と制作を協《たす》けるしごとをするようになった。鴨居羊子さんの激越なほどの天分は、森島瑛というおだやかな創作者を相談相手にすることによって、みごとに開花したといっていい。

＊

昭和四十年の初夏だったか、私はすでに小説を書くしごとをしていたが、ちょうど大阪のミナミに用があったついでに、かれらのオフィスを訪ねたことがある。そのあたりはいまは変わったろうが、繁華街が近いわりには人通りのすくなく、小ぶりな事務所がならんでいて、気分のいい一角だった。

「君にみせたいものがある」

と、森島瑛はいって、一人の画家の手になるたくさんの作品写真をみせてくれた。

このときはじめて鴨居玲という画家とその作品を知ったのである。年譜によると、このひとの三十七歳のときだった。

「このひとは、自殺しようとしているんだ」

と、森島瑛はそういっただけで、最初は名前をいわなかった。私は、日本人ではないと思いながら見つづけた。その絵は、当時のいかなる流派からも独立していたからである。ともかくも、自分が描きたくてたまらない絵を、無我夢中で描いているといった作品だった。

なによりも、その描写のすばらしさと、卑しさのなさにおどろいた。

ついでながら、絵画は三パーセントばかりの卑しさを混入させることでしばしば大きな効果をかちえるようである。モナリザに、微笑を加えることは作者の主題だったのか、サービスだったのか、よくわからないことである。

もっとも、文学性を否定して絵画を幾何学に近づけようとしたセザンヌにはそういうことはない。また天成の文学者でありながら絵画の中にそのことが滲み出るのを我慢しぬいたゴッホにもそれがなかった。

森島瑛からわたされた鴨居玲の作品写真は、ゴッホのようにつよい文学的資質を感じさせながら、ゴッホもそうであったように、ふくらんでゆく文学性という堤防の穴を懸命に身をあててふさいでいるといった緊張感がみなぎっていた。

鴨居作品には、すでに、酔っぱらいが出ていた。

ここには、すでに人間を飾っている属性というものはない。若さという自然があたえた恵みもなく、社会があたえた尊厳もなく、また生物として当然そなわっているはずの固有の威厳すらない。

ただ生きている、という最後の生命の数滴がすばらしい描写力によってえがかれているのである。

その描写によって、老人の属性は容易に想像できる。アジア人でも北欧人でもなく、ラテン系であるらしかった。

*

おそらく人間を干物寸前にまで追いつめてなおなにごとかが残るのは、この人にとってラテン系であるようだった。他に依存するな、自律的であれ、と訓育されつづけているプロテスタント系よりも、教会に依存し、罪ごと肉体を楽しむことを知っているラテン系にこそこの人は自分のすべてをたたきこむことができたのにちがいない。作品のなかの老人は、もはや楽しむべき肉体も衰えて皮袋だけになりはてているのだが、それでもなお最後に自分を戦慄させる友として酒をのみつづけている。人間としての威厳の最後のかけらが、酒によって鼓舞されているのである。

＊

以下は、冗談である。この酔っぱらいの横に、彼とは別方向にゆくらしい他家の犬をそえたらどうなるだろう。貴族の飼い犬で、純血種である。憎々しいほどに若く、気品もあって、昂然とくびをあげている。もしそういう犬を添えれば、その犬が第二のイメージになって、観る者の想像をたすける。高価な犬とうらぶれたよっぱらい。あるいは、若さをうしなえば、人は犬よりも哀れなものになるという隠喩。

さきに三パーセントの卑しさといったが、それは画面の創り手が観る者へのサービスのために、隠喩性《メタファ》を発信するモノ（たとえば犬）を添えるという操作をさす。

鴨居玲は、そういう操作をはじめからしないのである。

第一、かれの意識には、観客さえ居そうにない。かれは天然に、あるいはかれに絵をかかせる何かの慄えによって絵を描いているだけのようであり、すくなくとも画壇という大向うや、観客の意向などを意識していない。観客があるとすれば、古代の舞踊が神前からおこったように、神もしくは空《くう》を前にして描いているだけではあるまいか。それにしても、なんと卓越した描写力であることか。

*

私は森島瑛にむかってこの絵をほめながら、言い足りなさにあがく思いがした。横に、姉君の鴨居羊子さんがいた。

私が、名誉にも、鴨居玲の履歴のなかで、多少意味ありげな存在になることができたのは、以上のことだけである。

当時、鴨居玲は外国にいた。

ブラジルからボリビア、ペルーといったラテンとモンゴロイドの混血世界を放浪しながら、そのはてに自殺するつもりだったという。その意味のことを姉君に書き送ってきていた。

かれは、前述の日本的なものから追いだされたといっていい。当時、かれが属していた画壇は声高《こわだか》な抽象画礼讃と、具象画への罵倒にみちていた。かれはそういう議論に追いつめられ、自分の営みがむなしくなり、いったんは日本をすて、つぎに異国での自殺をおもった。

私は作品写真を見おわってから、鴨居玲という名をきかされた。

いまはあらゆる様式が出つくしたために、もはや画家たちは流行という依拠すべき権威がなくなり、なにをやってもいい時代になっている。鴨居玲を考えるとき、その三十代までは、絵画における「正義」が跋扈《ばっこ》していて、〝不正義〟狩りをやっていた時代だったことをおもいあわせねばならない。

＊

かれは隠者ではなかったから、画壇意識がなかったとはいわない。ただ、悲鳴をあげつづけるかたちでの意識だった。なんといわれようとも、これだけが自分なんです、と叫びつづけていなければならなかった。

その叫びが、極度にかれを自閉的にしていたかもしれない。

かれはしばしば教会を描いた。その教会が、異様である。いつも曠野のなかに立っている。つねに人気《ひとけ》がなく、なによりもおどろかされるのは、窓がないことである。自画像そのものではあるまいか。

また、ボロをまとった酔漢もかれ以外のなにものでもない。

さらには、盛りをすぎて下半身をたるませた裸婦も、このひとである。かれ自身が、女に化《な》っている。自分である以上は醜悪でなければならず、そのことのしるしとして下肢の肉を削ぎ、下腹に悲哀を表現している。

いまを盛りの裸婦も、えがかれている。しかし彼女自身、盛りであることに気がつかず口をあけて痴呆のように放心している。

かれには、自画像が多い。そのなかのかれは、いつも口をあけて、はげしく疲れを吐きだしているのである。その口から蒸気のように小さな悲鳴をあげつづけることで、やっと生きていることを証拠だてているのである。かれは、他者を一度も描いたことがないのではないか。

自分をシチュー鍋で煮つめきってしまえば人間一般の不変性というものが出てくるのではないかと思いつづけてきたのが、かれの制作のすべてだったようにおもわれてならない。私は『夢候《ゆめそうろう》』という作品集のなかでの坂崎乙郎氏の解説を共感とともに読んだ。そのなかでいちばん気に入ったくだりを借用する。

ここまでくると、鴨居玲がレンブラントからエゴン・シーレに至る「自画像の画家」であるのは明らかだし、自己を見守る不屈なまでの客観性が日本でただ一人とよんでもよい本質的な制作者たらしめている理由にゆきあたる。

日本でただ一人とよんでもよい本質的な制作者。

このくだりを何度読んでも涙がこぼれてしまう。

煮つめきるということは、結局は自分の体をすこしづつすこしづつ破壊してゆくことにちがいない。鴨居玲は、真の意味で自分自身を抽象化——空《くう》に昇華——させつづけた。当然、一作ごとに自己破壊がともなう。肉体のほうはたまったものではなかった。かれは心臓をすこしづつ破壊させてゆき、ついに停止させてしまった。

かれの全作品は、その生命そのものなのである。

（「鴨居玲展」図録一九八七年九月十四日刊）

二十年を共にして——須田剋太《こくた》画伯のことども

私は、須田さんの永眠を、モンゴル高原の首都のホテルの一室でききました。

このことは、因縁というべきものでありましたろう。

じつは、この草原の国には、十七年前、須田さんと同行したのです。私にとってもわすれがたい旅でした。私どもが、首都のウラン・バートルから、南ゴビの草原まで小さな飛行機で行ったとき、須田さんが、半ば朽ちたタラップを降りつつ、草原を見はるかしたのをおぼえています。

「パリよりもすごい」

とつぶやかれたのは、おかしくもあり、感動的でもありました。私としてはお誘いした甲斐があったと思い、心満ちた気分でした。

それにしても、なんと奇妙な比較でしたろう。

パリという都市は、人間の叡智と建築上の営みのすえの人工美なのです。それに対し、モンゴル高原は、巨大な空虚です。空と草しかないのです。比較というのは科学的な操作なのですが、須田さんの頭脳では無造作に異物をとりあわせて成立するようでした。

二律背反とまで行かないにせよ、なんだか変で、それでいて張りのあるイメージなのです。例をあげると、子規の〝柿くへば鐘が鳴るなり法隆寺〟のような張りであります。相異なる事物（この場合、柿と鐘）が、平然と一ツ世界に同居しますと、ときに磁力のように、たがいにはねのけたり、吸着したりします。そのことによってふしぎな音や光を発したりもします。芸術的効果というべきものであります。

須田さんの絵画（とくに『街道をゆく』の装画）は、ほとんど無作為にしてそのようでありました。

須田さんご自身、このことを意識されてもいたらしく、あるとき、

「絵画（造形）は、二律背反でなければいけません」

とおっしゃったことがあります。たしかにそうで、そうでなければ画面の緊張というのは生み出されません。緊張とは、造形上の矛盾を、二つの相反する力が、克服しようとして漲《みなぎ》ってくる場合のことを言います。

それにしても、人工で詰まったパリと、非人工の美ともいうべきモンゴル草原をとっさ

に同じ括弧のなかに入れて比較する須田さんのおかしさには、どうやら来歴がありそうです。

いま私の手もとに、須田さんの「略歴」があります。

明治三十九年（一九〇六）うまれながら、この人は昭和の年号になって青春をむかえました。上野の美術学校（東京芸大）の受験を何度もしくじったりして挫折の連続だったようでした。

当時の美校には、合格のための型というものがあったようで、須田さんの描くものは、当初からそういう鋳型にはまるようなものではなかったようです。略歴に、「本郷の川端画学校に通う」とある川端画学校とは、美校へ入るための予備校でした。美校には四度うけて四度しくじりました。

あとは浦和に住み、ひとり絵を描きはじめました。そのころから須田さんは、絵画というものは物を説明するものではなく、本質というか、しんのようなものをえぐりだすものだということを考えておられたような気がします。でなければ、大きな牛肉を、鈎《フック》でつりさげている当時の須田さんのモチーフといったようなことを思いつくはずがありません。当時、そんな絵をかいておられたそうです。

そのころ、日展系の重鎮だった寺内万治郎氏が浦和市針谷に居をさだめられて、須田さんの評判をきき、アトリエまで来られてその絵に感心され、ぜひ光風会（官展系）に入るようにすすめた、ときいています。

昭和十四年、三十三歳、第三回新文展（当時の官展の呼称）で「読書する男」が、特選になります。

以下の話は、その頃のことでしょうか、私には年代がわかりません。

近在の金持ちが須田さんを有望とみて、パリに留学しないか、金は私が出してあげるが、ともちかけたといいます。須田さんが「いや私はパリには行かない、そんな金があるなら妙義山《みょうぎさん》にやってくれないか」

これは二律背反というより風馬牛《ふうばぎゅう》のように思います。

この話を、私は何度もききました。きくたびに大笑いしました。たれが、パリと妙義山を同列にならべるでしょう。しかし、当の須田さんは大まじめで、私が笑うたびにきょとんとしていました。

ともかくも、妙義山というのは群馬県の山で、須田さんのうまれた熊谷在の吹上《ふきあげ》から西北にあって直線にして六〇キロほどのところにあります。わざわざ、パリに留学するかわりに、と持ちださなくても、こどもが遠足に行ってその日に帰ってくるようなところです。実際、略歴に、「一九四一年（昭和十六年）三十五歳、浦和を出て群馬県妙義山にこもる」とあります。中世人のようではありませんか。

私は妙義山に登ったことはありませんが、写真などのおかげで、はげしい浸食作用でできた奇峰や、奇岩怪石が樹林からつき出している景観に記憶があります。奇峰は天空に突《とっ》兀《こつ》としていて、生命の原初性を想像させます。

幼児から最晩年まで須田さんは、自分は虚弱であると思っていました。自分をそのように規定し、その水位から、世情や森羅万象のすべてを観、感じ、絶えず、そうであればこそ自己をふるいたたせているようでありました。これも須田さんにおける二律背反でしたろう。たとえば、浦和時代、ひとがおそろしがるヘビを捕って、一度ならずそれを食ってみたいというのも、自己を克服するためだった、と話されたことと思いあわせたくなります。

須田さんには、妙義山の奇峰が男らしいものにみえたのかもしれません。

ともかくもこの山ごもりには須田さんの生涯につきまとった非俗とか出離とかといった

陰翳がすでにはじまっていたことを思わせます。

あるいは非俗さというよりも原始性というべきでしょうか。なにやら稲作文明が渡来する前の縄文人への先祖返りのような感じも、須田さんにはあったような感じもします。

晩年、ずいぶん、造形思想として縄文好きでしたが、須田さんご自身の頭骨が、縄文人的でした。

そうとでも思わねば理解しにくいところが、須田さんの発想にはありました。

さて、モンゴルゆきでのことです。私どもは新潟空港からの定期便に乗り、ハバロフスクにゆくべく、ソ連領沿海州の上空にさしかかりました。

眼下で、大河が極度に蛇行しているのです。土地に高低がすくないために、河水が、いづれに流れるべきか困《こう》じはてたあげくの蛇行で、私にすればああアムール川の本流だか支流だかが見えるな、という程度の感慨でしたが、須田さんは窓から顔をひるがえして、

「シバさん光琳です、光琳しか描けなかった水の模様です」

「あれはアムールです」

そんな名など、須田さんにはどうでもよくて、太古以来、水が大地に刻《こく》してきた自然の作用のうつくしさをこの人は倦くことなく見ていたのです。

このとき私は、この人は原始の画家だと思い、同時に、スペイン北部のアルタミラの大

洞窟の岩の壁に、バイソンやらシカ、ウマ、イノシシなどを、現実感あふれる描法で描いた旧石器時代の天才を連想したりしました。こんな無垢な人は、教育によってはとてもつくれるものではなく、神の何かの意思によってこの世に稀なる人として送り出されてきたのではないかと思ったりもしました。

須田さんにおける〝パリ〟をつづけます。

おそらく、須田さんは画壇に出てから、ご自分よりも五、六歳以上としうえのひとびとでパリに留学した人の多いことにおどろかれたはずです。第一次大戦の日本の好景気が戦後もつづき、円が高く、フランやマルクはずいぶん安く、絵をならうために東京へ出るよりもちょっとむりながらパリにゆくということが流行った時代だったのです。

ごく何でもない画家で、存外なパリ留学の経験者がいました。これは想像ですけれども——そんな人たちが、パリ時代の思い出などを語るとき、片隅で須田さんは、妙義山に行ったのはまずかったかなと一瞬でも思うときがあったかと思われるのです。むろんつぎの瞬間には、なに妙義山のほうがよかったと自分に言いきかせ、それやこれやをかさねるうちに、パリへの憎悪が育ったかと思えるのです。しかしながら同時にあのときゆくべきだったかと悔んだりもして、ついには須田さんにおけるパリという記号は、尋常ならざる怪記号として育ったのではなかったのでしょうか。

それが、木製のタラップを降りながら「パリよりもすごい」ということになったのではないでしょうか。

須田さんには、ふしぎなところがありました。

このふしぎさが、日中戦争も太平洋戦争も、この人の頭上を通りぬけさせたのかと思ったりしています。

須田さんは、およそ走るという動作をとりませんでした。須田さんの健康の調整をしていた整体術の上野さんにきくと、股関節亜脱臼によるものではありますまいか、ということでした。赤ちゃんのとき、おむつの仕方によっては、むかしはよく亜脱臼をおこしてそのまま固まってしまったということだそうです。

もしそうであったのなら、そのおかげで徴兵検査もまぬがれ、兵隊にもとられずにすんだのかもしれません。ともかくも須田さんは急峻でも平然とのぼっていましたし、どこまで歩いても筋肉が疲れるということがなかったようでしたから、ご自身、自分が股関節亜脱臼であるなどは、生涯気づきもされていなかったでしょう。やや内輪の歩き方でした。モンゴルの草原では、ゆっくりと同じ速度であるいて倦《う》みもせず、どこか砂漠の舟といわれるラクダの歩き方のようでした。

須田さんは、世界や日本社会に対してときどき鋭い批判をくだされるのですが、ぜんたいとしては世に疎《うと》い人でした。

「浦和時代は、何年でしたか」

家内がきいたとき、

「十九年でした」

と須田さんが答えました。これには、小生も声をのみました。ただし、なにがあって十九年も浦和にいたのでしょうなどと反問する気にもなれませんでした。反問したところで、「ともかく居たんです」とこの人は答えるだけだったでしょう。

いわば、石のように動かないところがありました。たとえば須田さんは、四十一歳までのあいだに三度も官展において特選をもらいました。三十三歳のときの「読書する男」に、三十六歳のときの「神将」。これは当時評判になった作品です。それに四十一歳のときの「ピンクのターバン」。特選を二度とればめしが食えるといわれていた時代でした。

浦和時代、町に道具屋さんがあって、骨董などをならべていました。そこの主人が変な言葉をつかうので、須田さんは気味わるく思っていました。それが京都弁であることに気づかなかったのです。江戸時代なら須田さんのような人もいたでしょうが、昭和ヒトケタのころですから、この世に京都弁が存在することに気づかないほうが稀少価値だったでしよう。

そういう須田さんという石を浦和から動かしたのは、どうやら太平洋戦争（昭和十六年～二十年）であったようで、軍需景気で大もうけしている社長さんが、戦時下の須田さんの孤立（？）をあわれみ、会社の寮の番人にしてくれたのです。その寮が京都の八瀬にありました。

そんなわけで、使いの人が浦和から須田さんをつれて京都駅で降りたのです。そのとき須田さんは、フォームで京都の人が話しているのをきいて、「ああ、あの道具屋さんのことばは京都のことばだったのか」と気づいたそうで、まことに好もしい迂遠さでした。

京都からやがて奈良へうつりました。大和の国中《くんなか》の盆地にある天香具山《あまのかぐやま》や畝傍山《うねびやま》、耳成山《みみなしやま》といった大和三山を須田さんはみて、「あれは造った山ですか」と人にきいたといいますから、なにやらきわだったのどかさでありました。そのような時期、名古屋の杉本健吉画伯が奈良に仮寓していて、仮寓者同士、終生の友人になりました。

終戦直後のころ、京都は焼けのこった町でもあり、学問と芸術の伝統がつづいてもいましたから、この町で大小のサロンのようなものがありました。

戦後の京都の画壇はじつに活発でした。京大の美学の井島勉教授もそのなかでのひとつの存在で、井島さんをかこむ画家の定例の会があり、須田さんは杉本さんにつれられて井島サロンに臨時に顔を出したそうです。その席で、須田さんのその後を変えた長谷川三郎氏（一九〇六～五七）に出会うことになるのです。

長谷川さんは、戦後画壇の沸騰のなかで、一つの沸点をつくりあげた人でした。とくに理論的な面においてでありました。

このひとは自由美術協会（一九三七年創立）の創始者のひとりでもあり、その理論的なささえをなしたひとでもありました。ついでながら、自由美術協会の創立会員のなかには他に山口薫や村井正誠、瑛九《えいきゅう》などがいて、きらびやかなものでありました。一九三七年（昭和十二年）の創立だけに、思い切った前衛主義と抽象絵画主義をかかげるこの団体には当局からの圧力がかかって、たとえば団体名の〝自由〟という呼称をひっこめたりしましたが、昭和二十一年（一九四六）もとの呼称にもどりました。

長谷川さんは、山口県長府のうまれで、旧制甲南高校から東大の美学・美術史学科を出、一九二九年（昭和四年）から三年間、欧米に遊学した、というまことにめぐまれた境涯をもったひとでした。滞仏中の一九三〇年、サロン・ドートンヌに入選しました。

ついでながら、長谷川さんは須田さんに会ってのち、一九五二年（昭和二十七年）に渡米し、ニューヨークで個展をひらいたり、カリフォルニア美術大学やサンフランシスコの東洋文化研究所で講義するといったふうに、画家という以上に学究的な人でした。

須田さんが、右の井島サロン——路地奥にあったそうです——で出会ったときは、長谷川三郎はまだ疎開先の滋賀県長浜にいたころだったとおもいます。須田さんは一座の人々に紹介されたり、なにごとかを発言したりしていました。人々は須田さんを重んじていました。なんといってもこの時期の須田さんを重からしめていたのは、官展（日展）での特選三回というものでした。

長谷川三郎は終始無口だったそうですが、あるしおに、

「須田君、きみは特選三回が得意なようだが、日展の絵なんて、絵じゃないよ」と、全否定してしまったのです。長谷川三郎の理論からいえばそうなりましょうが、こういうように論ずる絵画論というのは〝マージャンからみれば碁将棋なんて勝負事じゃないよ〟というのとおなじで、なんの意味ももちません。

しかし戦後すぐの世情というのはマルキシズムの旺盛な復活とおなじように、世の中にも芸術にも、すっぱり割り切れたり、それが絶対善で他は絶対悪である、といったようなな気分がありました。須田さんといえどもこの風潮のなかで孤立しうるものではありませんでした。

長谷川さんは、時流を背負って発剌としていました。ただ、その物言いに対し、杉本健吉さんは須田さんのために向っ腹をたて、「須田君、帰ろう」といってひったてて出ました。須田さんは表通りまで出たとき、

「杉本君、ボクはいまの長谷川三郎の話が気になるんだ。ひとりで帰ってくれないか」

といってひっかえし、あらためて長谷川の弁をきいたそうです。

須田さんはそういう理論好きなところが、終生ありました。

たとえばセザンヌ（一八三九〜一九〇六）の理論も大好きでした。セザンヌは数学がよくできたひとでしたから、自然（人体や山など）をながめていても、その形を幾何学的に還元してしまうというくせをもっていました。またそのくせを理論にしたりしました。有名なエミール・ベルナールあての手紙に、「自然を、円筒、球、円錐によって処理する」とあるのがそうです。そういうセザンヌ的分析法は、その後の絵画史を変え、立体派《キュビズム》を生む結果になり、やがては抽象絵画へと系譜がおよんでゆくことになるのです。

——セザンヌの理論に、なんのくるいもありません。そうでしょう？——

晩年の須田さんは、よく言っていました。

私は、セザンヌの理論に疑問をもっていました。セザンヌの理論だけでなく、理論は芸術を形づくる一作用であっても芸術の本来のものはそんな無機質のものからできあがらな

い、と思っていました。芸術のもとは、平凡だが情緒《エモーション》と情操《センチメント》からできあがっていて、二次的に形を整理してゆくものが、造形的慣習とか造形理論だといまもおもっています。

しかし、須田さんの前で、そんな失礼な意見を言ったことはありません。さきにのべたように、芸術論などは議論すべきものでなく、マージャン、マージャン、碁将棋は碁将棋だとおもっていましたので、私にとってはどちらでもよいことでした。須田さんのような創作者が、それによって鼓舞されればそれでいいことだと思っていただけでした。

須田さんの理論好きについて、もうすこしふれます。須田さんは、熊谷中学校（当然ながら旧制）時代、結核によって長期休学するまでは、学級一の成績だったときいています。須田さんの理論好きをそのことにこじつける気はありませんが、ともかくも、ほとんど事件ともいっていい長谷川三郎との邂逅のあと、長谷川の滋賀県の家に行ったりして、ほとんど一つの瓶子《へいし》から他の瓶子に水がそそがれるようにして、長谷川の理想と理論が、須田さんに移されたのです。長谷川は、

「道元だって、きみ、抽象だよ」

といったことから須田さんは、『正法眼蔵《しょうぼうげんぞう》』を読むことになります。

須田さんの後半生をささえた道元への傾倒は、このときからはじまるのです。道元は、

たしかに抽象です。欲望を捨て、心を透明にし、いわば精神を抽象化することによって、さとりの境地がひらけるというものでありましょう。

むろん、そういう悟りをひらけるのは何百万人に一人の天才であって、たれもが、生きものらしい欲望にみちた生身《なまみ》を抽象化できるというものではありませんが。

ここであらためて言っておかねばなりませんが、須田さんは、悟りをひらくために道元に傾斜したのではなく、そこから造形理論をひきだすためにそのようにしたのです。まことに道元研究においても須田さんは類のない道を歩んだというべきでした。

むろん、この間、光風会を脱し、十年にわたる官展での履歴を一擲してしまっています。是非はともかく、須田剋太を考える上で、容易ならざる決断と行動だと思います。

そのあと、在野団体である国画会に入り、とくに昭和三十年代まで十余年ほどのあいだ、日本の抽象絵画の世界で独自の境地をひらき、不滅ともいうべき足跡をのこすのです。いわば、道元からひきだしてゆく観念が光とともに造形化されてゆく火山活動のような時期でありました。すばらしいということに尽きるかと思います。

私が、須田剋太という人を見たのは、この火山活動の時期で、昭和三十年前後の国画会大阪展の会場においてでありました。黒と白を構造的につかった大きな絵の前に立っていた須田さんは、頭がくろぐろとしたオカッパで（髪は終生豊かで黒かったですね）、服装はデトロイトの自動車組立工のようでした。ジーンズが流行でなかった時代でした。

私は、その服装が須田さんの極度の不器用による私的なお仕着せであることを知らず、ひどくモダンな人のように思え、すくなくともその風体のために近づくことを遠慮した記憶があります。しかしながら、風貌は一見して忘れがたいものでした。

「週刊朝日」の『街道をゆく』というのは、もう二十年もつづいています。当初は、べつに重要な動機があって書きはじめたものではありませんでした。

『世に棲む日日』という小説の連載がおわりかけたころ、編集部から人がやってきて、この連載がおわってても紀行かなにかを書いてもらえませんか、ということでした。その使者が小川さんという旧知のひとだったり、それやこれやで、その日の気分で承知してしまいました。ただ、一年でやめるつもりでした。

装画はどうしましょう、という話のとき、小川さんに次いで担当だった橋本申一さんに、どなたか候補のお名前をあげてください、というと、須田剋太さんはどうでしょう、といわれたのです。ああいいですね、と即座にきめました。橋本さんが使者に立って西宮の須田家にゆき、承知してもらいました。

最初は、近江の朽木《くつき》街道ということにしました。昭和四十五年（一九七〇）の秋でした。須田さんとは、一つ車でゆきました。後部座席に、私が右、須田さんが左にすわりました。須田さんは、大津から坂本付近にさしかかると、すぎゆく山々を車中でスケッチしはじめました。

むろん景色は一瞬で過ぎます。その一瞬後には、須田さんの膝の上で、いま過ぎた山の骨ができあがっているのです。風景の骨をすばやくとりだすという、視覚的訓練はおそらく道元的抽象画によってできあがったものだったのでしょう。

それにしても、須田さんにおける具象画は昭和二十四年（一九四九）でおわっているのです。二十年も具象画とご無沙汰していて大丈夫だろうかとおもったのですが、ごく自然にあたらしい世界に入られたようでした。

「原画は、こんなに大きいんです」

と最初の絵ができあがって早々、橋本申一さんがやってきて、閉口した表情で言いました。

だいいち凸版として使う絵は、印刷されたときの面積とほぼおなじ大きさで描くとうまくゆきます。伸縮の度合いがすくないからです。

また黒の濃淡で描くと、凸版効果がうまくゆきます。というより、黒の濃淡ときまったものなのです。

ところが、須田さんの原画は、色で描かれているのです。色は印刷には出ないのですから、色彩をつかうのは、いわばむだです。

しかしながら愚直なほどに自己に忠実なこの人は、自分を納得させるために色面で構成したのです。

くりかえしますが、印刷ではモノクロームでしか出ないのです。写真でいえば、カラーフィルムで撮って黒白で焼くようなものでした。

このやり方が、十七年間、千数百点、すこしも変わりませんでした。おどろくべきことでした。

『街道をゆく』の須田さんの絵は、そのようにして、須田絵画のなかでもとくべつなものでした。えのぐは、フランスでいうグワッシュ（gouache）というものがつかわれています。水とアラビアゴム、蜜などを加えた濃厚で不透明な水彩絵具です。最初から最後までそうでした。用紙は固く、ご自分でつくられたのかどうか、ふつうのケント紙を三枚ほどあわせたくらいの厚紙です。

凸版でのできばえはまことにいい感じでした。昭和二十四年までの具象画とはまったくちがった新境地というべきもので、一点ごと惚れぼれしましたし、毎号雑誌をみるのが楽しみでした。

須田さんは旅をしているうちに、

「しばさん、これ、やめないでおきましょう」

と言いはじめたのです。これとは、『街道をゆく』のことです。私《わっち》はこのおかげですっかり健康になりました。などといって上機嫌でした。

はじめたころ須田さんは六十五歳でした。私は十七歳も下で、また四十代でしたから、須田さんがずいぶん年長に感じられましたし、いずれお弱りになるだろうと思い、そうですね、といいかげんにうなずいた記憶があります。

そんなわけで、あのようにながい歳月をご一緒するはめになってしまったのです。その間、風邪ひとつおひきにならなかったように思います。

「並外れてお丈夫ですね」

といいますと、目の色をかえて、虚弱なんです、とっくに死んでいてもいいほど弱いんです、といわれたりしました。

五十代のころ、胃のために救急車ではこばれて入院した、ということが、虚弱の証拠のひとつだということでした。このことは、ご自分を――すでに触れたように――弱者の位置にすえて動かそうとされなかったふしぎな自己認識とかかわりがあります。

五十代のころの入院については、夫人の静さん（須田さんは昭和二十五年、四十四歳のときはじめて結婚された）のおっしゃるところでは、到来物のマンジュウを三十何個もたべて、みなが泣いて（？）とめたにもかかわらず、最後の一個をつかみ、口に入れ、その直後、救急車で運ばれて入院したということだそうです。急性胃潰瘍でした。むろん、過食ですから、内科的になおりました。

旅にあっても、元来小食の小生の倍は食べつつ、「私《わっち》は小食で」とくりかえし言いました。

中華料理と西洋料理が大好きで、中国に行ったときや、フランスからスペインへ、ピレネー山脈を越える旅をしたときは、あきらかに小生の三倍はたべておられました。そのあたり、まことに天然自然の〝二律背反〟であられたような情景でした。

二律背反といえば、『街道をゆく』の原画の構成は、どれもが求心的な緊張を感じさせるものでありました。そのような構成は、官展時代の作品にはみられなかったように思います。これも、抽象画の鍛練からうまれたものでありましたろう。

ただ、声をひそめていうのですが、『街道をゆく』以後、ふたたび精力的に再開された油彩の具象画には、さほどには構成的緊張が——あくまでも私の勝手な印象ですが——なかったように思えます。

くりかえしますが、私の節穴《ふしあな》の目で見てのことですからあてになりません。ただ、ときどき須田さんに、須田さんは、グワッシュのほうがいいですね、などと申しました。

須田さんもそう思われつつも、そう思いたくなかったのでしょう。なにしろ油彩をもって絵画制作の本道とされてきた方ですから、「いずれ、油絵具を水のようにつかいこなすように私《わっち》はなります」

と力《りき》まれたりしました。そのころ八十歳くらいのときだったと思います。

六十年、油絵を描いてきた人が、そのようにいわれることに感じ入りました。

須田さんとモンゴルに行ったのは、この人が六十七歳の八月でした。

ウランバートルのホテルで須田剋太画伯の訃報をきいたとき、私は自分があと数週間で須田さんの当時のとしに達することに気づきました。

涙がこみあげてくるのをおさえて、かたわらにいた亜細亜大学のモンゴル学の教授である鯉淵信一氏に、鯉淵さん、あのときの須田さんのどんなお姿を覚えていますか、とききました。鯉淵さんは当時、大学を出て、留学生としてここにきていました。

「ホテルの玄関前の石段に横ずわりになられて街のスケッチをしておられるのをおぼえています」

その当時、鯉淵さんはこのホテルにあった大使館で働いていました。そのときの代理大使は私の先輩の崎山さんで、私どもが訃報をきいた部屋は、崎山さん御夫妻が私室につかっておられた部屋でした。

すべて須田さんにとって御縁ふかき場所でした。その日、私どもはそのまま通夜をしました。

（「須田剋太『街道をゆく』とその周辺」図録一九九〇年十月十日刊）

井伏さんのこと

私は大阪に住んでいるため、いつまで経っても、日本の首都の地理がわからない。点としてはわかっても、それを関係地理となると茫漠としている。そのかぼそい地理知識のなかで、一点くっきりしているのは、青山斎場なのである。ここで、幾人かの先輩の死を送るはめになった。

斎場には、簡素な平屋建ての控え室がある。そこでは湯茶が出る。腰掛けは、金属パイプの折りたたみ式のイスで、たれもが居心地わるげにすわっている。遺族はしかるべき部屋にしずまり、故人に親炙した若い人達は何らかの手伝いをしていて、こういう場所にはすわらない。

結局、故人の血縁者でもなく、部下とか門人とかという俗縁の気味も深くなく、いわば、生前故人の清談の相手で、しかも風の中で立ちつづけることに自信がないという人達が、この部屋にすわることになるらしい。私はその資格の有無よりも、脚の力が弱いという理由を自分でつけて、いつもこの部屋に入りこんでいた。かぞえると、三度になる。

三度とも、井伏さんがおられた。三度目には、井伏さんのほうがたまりかね、微妙に体をよじらせて、

「あなたとは、いつもここで会いますね」

と、いわれた。斎場の控え室でだけ会う男などというと、私も井伏文学の登場人物になったような気がしないでもない。

井伏さんの場合、滑稽感というより、人間一般に対する愛情と同根のもので、肉が厚く、その上、山陽道のあかるい陽射しでできた無数の毛根が張っている。このことは、代々村びとの世話をして、その暮らしの些事にいたるまで自分のことのように案じてきた井伏家の家風と無縁ではあるまい。「『槌ツァ』と『九郎治ツァン』は喧嘩して」を読むと、そういう消息を感じる。

些事こそ人事で、人事とは、作用と反作用でできあがっているものだろう。友人の死という作用のなかで、控え室で、大阪からきた男と、用もなく向きあっているのである。そういうとき、井伏さんはへんに愛を感じるらしく、同時に物理的な二律背反がはじけて井伏さんのことばになるらしい。

この巻の「さざなみ軍記」も「ジョン万次郎漂流記」も、そういう目でもう一度読みた

いとおもっている。

素朴なことをいうようだが、文学という言語の秩序体系は、つづめてしまえば作者における心の高さに帰してしまう。私ども読者はその自然な高さについ魅き入れられて読みすすむものらしい。

ただし、井伏さんの作品の厄介さは、ご自身にとって本然の高さが、不用意に出てしまうことを怖れて、たんねんに消しゴムで消し込まれていることである。

そのくせ、どの作品のどのくだりをとらえても、巧緻に二律背反が連鎖していることに気づかされる。ただ、作者の配慮によって容易に露顕しない。

右のようなことよりも、私事を書くつもりだった。

私にとって井伏さんは山頂の見えがたいような存在で、年譜をみると、私がうまれた年に井伏さんはすでに二十五歳になっていて、のちの「山椒魚」の祖形である「幽閉」を書いておられるのである。

昭和初年の大阪は夜店がさかんだった。小学六年生ごろから中学三年まで中毒のように夜店を歩きまわった。どの夜店にもかならず本屋というものがあって、ゴザの上に古雑誌をならべ、裸電球で照らしていた。そういう店で「ユーモアクラブ」という、半同人制らしい商業雑誌をみつけ、井伏鱒二という名を知った。この邂逅は、芥川龍之介の「杜子春」の中の少年が仙人に会うようなはなしだと自分ではおもっている。

はじめて読んだその文章は、かつての筑摩書房の全集にもなく、記憶を確認することができないが、川釣りの随筆だった。

その後、その雑誌のべつの号のものを何冊も買った。井伏さんの釣りの随筆を読みたかったのである。べつに私は釣りが好きだったからではない。釣りとはじかの関係はないが、私は偏食者で魚がにが手だったし、いまなお釣りというものをしたことがない。そのくせ、井伏さんの釣りの随筆の欄をひらくとドキドキした。毎度載っているわけではなく、たいていは佐藤垢石のものが載っていた。

話が、のちのことになる。昭和三十年ごろ『中央公論』に今東光氏の「闘鶏」という小説が載った。犀利な描写がおもしろかったが、しかし私の脳裡にはすでにいっぴきのシャモがくろぐろと入りこんでいて、あとから入ってきた東光さんのシャモは、片すみに遠慮してしまった。

私のなかに棲みついているシャモは、どうやら前掲の夜店の古雑誌からやってきたもののようだった。このことは後年になるが、筑摩の全集が出たとき、さがしてみたことがある。あきらかに昭和十三年発表の「岩田君のクロ」（この自選全集の第一巻に収録）の中のシャモこそが、私の中のシャモだった。

その後、井伏さんのものは、長いものは単行本という便利なものがあるものの、みじかいものについては、気をつけて探すという癖が夜店の古雑誌以来、身についた。

そのくせ、筑摩から全集が出たときは、広告が目につかず、河盛好蔵氏から教えてもらってはじめて本屋へ行った。


井伏さんそのひとには、ながく面晤を得なかった。

ただ、電話のお声は聴いた。

昭和四十年代だったかとおもうが、前置きとして多少のいきさつを言っておかねばならない。

戦国のころ、丹波の上林《かんばやし》庄から出た家系の者が、京に出て商人とも郷士ともつかず、一種の器量人として声望があった。姓を上林といった。

豊臣期に家康に重宝され、関ヶ原前後は家康のために公家《くげ》工作をしたりした。久徳《きゅうとく》とか竹庵といった人達が傑出し、なかには武将なみの気骨をもった人もいたりした。

江戸期、上林家は両家にわかれ、両家とも、代官格で、幕府の御茶師になった。その職務は京都郊外の宇治で将軍の茶園を管理し、また製茶をし、さらには茶を壺に詰めて毎年江戸へ送ることだった。新茶のときは、それを選ぶべくとくに江戸城からお茶坊主がやってきて東海道をくだってゆく。

井伏さんは、そのことに関心をもたれ、文藝春秋の上林吾郎氏に電話をされたらしい。ところが、上林さんが回答を私に託したため、結局、私は井伏さんと通話をするはめになった。

初対面ですらなく、はじめて電話でこのひと話をするなど、心悸がおだやかでなかった。

内気な井伏さんもその御様子で、たがいに受話器の振動盤のふるえが高くなり、結局、凄惨な格闘になった。私は幕府が編纂した『寛政重修諸家譜《かんせいちょうしゅうしょかふ》』の第七輯をひざの上に置き、町議会の小心な課長のようにあやまりのないように答弁したのだが、後半、井伏さんの応答がだんだん小さくなってきた。おそらく親しい仲なら、

——いや、私の知りたいのはそういうことじゃないんだ。

と、簡単に話の腰を折ってしまえるところを我慢しておられる様子だったし、私のほうも、なにを井伏さんが知りたいのかわからず、もだえた。

「茶壺に追われてトッピンシャンという古い童謡《わらべうた》がありますね。それは、その……」

と、これは井伏さんである。

「……つまり、転ぶ」

これも、井伏さんである。

読者のためにいうと、将軍の茶壺ということで、それをかつぐお茶坊主たちが大威張りしたのである。沿道、うっかり土下座しぞこねた者は不敬の罪をまぬがれず、ときに泡を食ってころんだりする。童謡はそれを皮肉っている。

そのことは、むろん井伏さんは先刻ご承知のうえでのお電話だった。が、主題は別趣のところにあるらしく、最後に、井伏さんはたまりかねたようにして質問された。

——その茶壺は、古備前《こびぜん》かなにかでしょうか。

つまり骨董的な美術品か、と問われたのである。私はやっと井伏さんの関心がそのただ一点にしかないということを知った。

が、残念なことに宇治の上林家では壺は毎年、あたらしく焼く。なぜなら、ある時期の当主に不都合があったとき、茶壺を焼く窯もこわされた、ということがあるから想像がつくのである。

「ああ、そんなことでしたか……」

井伏さんの声が、そのまま萎えて通話がおわった。私は熟れた桃の実《み》にでもふれたような気がした。茶壺が古いか新しいか、といういわば実の中のひと筋の繊維にすぎないものを得るのに、井伏さんは桃の実一つを手に入れ、しかも、右の例のようにしばしば実ごと捨ててしまわれるようなのである。

青山斎場で、三度もさしむかいになるようなはめになったのは、その後のことだった。何度目の控え室でのことだったか、私の中でにわかに欲が出た。そのころ「ひとびとの跫音」というものを書いていて、登場人物の一人の実父のことを知りたかったのである。徳田耕作という、戦時中に病死した沖縄出身の画家のことであった。この人は、昭和ヒトケタのころ、中央線阿佐ヶ谷の駅前で飲み屋をひらいていて、井伏さんの古い文章のなかで、その名もその店も出てくる。私が知りたかったのは、駅前のどのあたりだったかということだった。

私にすればよほどの決意のすえである。

「すぐ近くでした」

井伏さんは言い、やがて頬に光った気のようなものがあらわれて、

「にわか雨のときに、ひとっ走りでゆける距離でした」

さらに、

「時代は、十銭ストアが流行ったころでした。あなたは十銭ストアのころを知っていますか」

といわれた。私はおぼえている。

「そのころです。あの店では肴は何でも一皿十銭でした。耕作さんは、東京高等工芸出の画家だけあって、器は凝ったものでした」

それだけである。

井伏さんのものを読んでいるような気分になって、身が斎場にあることをわすれた。

（『井伏鱒二自選全集』第二巻月報一九八五年十一月二十日新潮社刊）

虹滅《こうめつ》の文学——足立巻一氏を悼む

足立巻一《あだちけんいち》は、つねに若かった。

そのせいかいつまでもひとびとにやさしい目を向けているひとだと私などは不覚にも思いこんでいた。であるのに不意に正面の祭壇に横たわられてしまうと、こちらまで石になったような思いがした。そのくせこの不老の詩人は手まわしよく自分の戒名まで用意していた。「釈亭川」というわずか三文字の名である。清雅なものであった。

戒名における院号や院殿号は江戸時代の大名に擬した売買用の戒名で、日本の仏教界の俗風を象徴している。むかしはふつう戒名はこのようで、二字に釈迦の弟子という意味から、釈という一字がつく。とくに浄土真宗はそうであった。足立家は、その門徒である。

しかしながら葬儀は、故人がすきだった須磨寺でおこなわれた。須磨寺は真言密教で、霊前に、空海が秘経としていた理趣経が唱誦された。

亭川の亭は、不遇で天性俗世をわたる能力を欠いた祖父君敬亭（漢学者）からとっている。川《せん》の字は、父君の号である菰川《こせん》からとった。菰川は、巻一の出生と入れかわるように死んだ。

「亭川とは薄命だった祖父と父をしのぶためのものだ、と父は申しておりました」

と、祭壇の下で、私の私語に対し、長男の明氏がこたえてくれた。

帰宅して氏の名作『虹滅記《こうめつき》』（朝日新聞社）を読むと、亭川の号は、氏の幼児のころ祖父敬亭が孫のためにつけたものだということを知った。敬亭は窮迫のなかで巻一を養い、ある日、銭湯で、おさない孫の見ている前で頓死した。敬亭も菰川も、英才を抱きつつ虹のようにはかなかった。『虹滅記』は、そういう虹たちのあとをたんねんに追跡して、無名人を通じて明治期の人と世の息吹きを描いたものである。

私は昭和二十四、五年ごろ、氏と記者クラブが一緒だったために、十歳もとし下でありながら、君《くん》よばわりした。

「なにかないか」

と、この人は記者クラブのドアから顔をのぞかせて、室内にいる私に問う。「なにもない」というと「そうか」と入りもせずにどこかへゆくのである。かれは当時焼跡の大阪にあった知的でユニークな紙面の夕刊紙の記者で、一人で京都じゅうをうけもっていた。しかしいまから思うと、そのころ鶴見俊輔氏らと『思想の科学』をやっていて、自他の見叩《みたた》き方といえるようなふしぎな精神の鍛冶《たんや》に入っていたようである。

これは私一個の好悪だが、どうにも自己愛の臭気にだけは耐えがたい。また自己の身体や精神に快感をもつ自己色情《ナルシシズム》にはやりきれぬおもいがする。でありつつも、文学や絵画は、そういうものが醱酵の種子になっているのである。おそらくすぐれた作品は、いい蒸留酒がもとの植物の香気だけをのこすように、自己愛が変質しきって昇華してしまったものにちがいない。

しかしその前に、人間そのものが自己愛離れしなければならないだろう。この点、三十余年のつきあいの中での足立巻一はみごとなものであった。一瞬もかれからその種の臭気を嗅《か》いだことがない。そのくせ、若いころ国文法に熱中した〝自己〟を種子にして『やちまた』(河出書房新社)という評伝文学の新境地をひらき、さらには自分が属した小さな夕刊紙の生涯を『夕刊流星号』として長詩にした。

かれの大作は、すべて六十代からはじまり、歳をかさねて作品に生命力があふれるようになった。明治後、こういうひとは絶無だと思ううちに、死んだ。七十二だった。その瞬間まで、なまなかな青年よりもわかわかしかった。

ひつぎにむかって、空海が好んだ経が誦《ず》せられている。空海は人間の自己愛を大肯定してその上での昇華こそ即身成仏であるとしたが、敬亭と菰川という二人の虹滅者を一個の戒名にひきずりこんだ釈亭川こそ、文学のありようとしてそれらの読経《どきょう》につつまれるにふさわしい成道《じょうどう》の人だったのではないか。

（「産経新聞」大阪版一九八五年八月十九日付朝刊）

中島さんの「友達好き」

いわゆるシルクロードに、私が最初に行ったのは、一九七七年八月のことで、いまでは生涯の思い出になっている。

中国領西域に、日本人が中国政府から招待されていった最初のことではなかったろうか。この協会の前会長である故中島健蔵氏のおかげであった。あるいは、白土吾夫氏をキャップとする事務局の多年の労のおかげだったともいえる。

仄聞するところでは、中国政府（当面の組織でいうと中国人民対外友好協会）が、その労にむくいるために、「どこでもいい、あなたのゆきたいところへ案内したい」という旨のことを、中島さんに申し出たという。ひょっとすると、当面の話し相手は、廖承志さんか、孫平化さんだったか、あるいは両氏こもごものことだったかもしれない。このあたりの記憶は、白土吾夫氏において正確なはずだが、私はあえて小さな誤りをおそれず、当時、中島さんや白土さんからじかにきいたままの記憶をもとに書いておく。というのは、申し出があったときの中島さんの返答が、なんともいえず気に入っているからである。

「ぼくはどこへも行きたくないんだよ。北京で、こうやって、君らと話をして酒を飲んでいるのが大好きなんだ」

ついでながら、中島健蔵氏の言葉づかいはつねに友達ことばで、ほとんど敬語が入らない。

礼を失するなどは、中島さんには、当てはまらないのである。儀礼がきらいで、上下関係がきらいで、気に入った相手は、みな親友にしてしまうという、ごく自然に脱世間してしまっている人で、人柄の香気がそれを無礼として相手にうけとらせなかった。

「ぼくは、こうして話をしていればいいんだ」

ということばも、やがて誰かが書くかもしれない中島健蔵論の重要な核になるだろう。

中島さんというのは、一人っ子であったせいか、友達を求めるためにこの世にうまれてきたような人で、『歎異抄』でいうところの「よき人」をみつけては、これと一座を組んで酒を飲むということに、無上のたのしみを見出していた。

その才能は、多彩だった。仏文学者であり、文芸評論家であり、音楽評論家であり、鉱物学者であり、また細菌学者として日本細菌学会の会員でさえあった。(日本細菌学会総会の特別講演の講演要旨を私は読んだことがある)。まことに、へんなひとだったというほかない。

フランス語(文科丙類)のない旧制高校に学びながら独学でフランス語を勉強し、仏文科に入り、のち講師になったというのも、フランス文学が好きだったというほかに、当時、仏文をやっている人達に、このひとは人間的魅力を感じていたせいだったのではないかと私は思っている。(傍証的に、そのことにちなむ人名を幾人かあげることができる)。

中島さんは、にごったやつがきらいだった。一時期、そういうやつは箒《ほうき》で掃き出してしまえ、という会をやったりしていたが、やがて白土吾夫氏とともに、この協会をやるようになった。

当時、中国は革命をやったばかりで、中島さんは革命家でも何でもない人ながら、中国には中島さんの大好きな「いいやつ」があふれていた。友達ずきの中島さんにとって、後半生は、そういう「いいやつ」と話しこむという、無上の悦楽と好日がつづいた。

この協会の基礎というのは、そういうあたりにあるのではないか。

冒頭のはなしが尻きれトンボになったが、そういうことが契機で、第一回西域旅行が実現した。

「じゃ、友達をつれて行っていいか」と中島さんがいい、井上靖、東山魁夷、宮川寅雄、藤堂明保、團伊玖磨の諸氏が同行することになった。また、友達というにははるかに齢下で、縁の薄かった私も、そういう人達の驥尾《きび》に付した。

（「日中文化交流」第三九八号一九八六年三月二十三日刊）

不滅について

花岡さんには、昭和二―四年ごろ、西本願寺宗務所という、木造洋館の中でお目にかかったのが、はじめての印象でした。

当時、宗務所は、下足厳禁だったような記憶があります。花岡さんは、靴を両手でぶらさげて、大きな笑顔をたやさずに、飄々とした感じでした。

いまは故人になった青木幸次郎という具眼の人物が、本願寺刊行の『ブディスト・マガジン』（のちの『大乗』）の編集長で、この人が、大の花岡ファンでした。

青木は私より十歳上のくせに、私とは同年のような物言いでつきあってくれた友人でした。親友でありました。かれは、国立（内務省立）だったころの神宮皇学館の出身ながら、真のリベラリストでありましたし、その半面、自分の美意識については、まことに頑固でした。西本願寺に編集者として勤めつつ、真宗のことはあまり知らず、むしろ禅宗が好きという、小うるさいところがありました。

そういうかれの美意識から、この人も故人になりましたが、宗務所の鹿苑宇宙《しかぞのうちゅう》さんが大すきで、そとからくる人としては、花岡大学さんが大すきでした。青木は、このご両所に、どこか、かれ自身が固定化していた寒山《かんざん》・拾得《じっとく》にかさねあわせているところがありました。

「花岡さんは、いいだろう？」

と、同意をもとめる語調に、なにか、かれの大すきな円空仏を観賞しているような感じがありました。

いちど、吉野の花岡さんのお寺へゆこうと青木がいいだしたころには、私は花岡さんの作品のファンになっていました。しかしその作品は、およそ寒山・拾得といったものではなく、近代文学の憂愁と象徴主義的な手法、さらには新感覚派のにおいをおもわせる描写がちりばめられていて、しかもえがかれる人間（少年）も善悪未分、もしくは善悪を越えたなまな心をもったひとびとでした。外見的印象とその内面の所産である作品がこれほどちがった文学者もめずらしいと思ったことでしたが、それが花岡さんの深さと大きさであると思ったりしておりました。いまでも、その気持に変りはありません。

当日は、青木が激しい歯痛のためにゆけなくなり、小生と家内だけが参上しました。ご自坊での花岡さんは、どこまで語りあっても、飄々とした寒山・拾得でありました。まことに楽しくうれしい一夜でありました。ご自坊の裏の小庭の塀ごしに、水田がみえて、そ

のむこうに、墓山がみえました。花岡夫人が、

「ここからあの墓まで何丁かなんですが、ここにいて、やがてむこうにゆくというのが人生なんですね」

　人生が単純な景色になってしまっていて、毎日それを見つづけて生きてゆくのだという意味のことをおっしゃったのが、私どもの宗祖のことばのように心に響いたのを、いまでもおぼえています。

　花岡さんはその時、

「私の中にいる一人の少年だけが読者です。その読者のためにのみ書いているのです」

といわれました。

「そういう少年が、現実にいるでしょうか」

と問いますと、

「いると思って書いているのです」

とおっしゃったのです。まことに心に刻まれるようなことばでありました。

　この一夜は、昭和二十九年ごろだったかと思います。それから三十余年がたちました。

　その間、『まゆーら』を愛読しました。送られてくるたびに、『まゆーら』を読むために拙宅にやってくる少年がいました。

かれが最初に花岡文学の読者になったときは小学四年でしたが、中学一年になったいまでも、新刊をまちかねるようにして、電話でたしかめて、拙宅にやってくるのです。上村剛という少年で、私にとって甥にあたります。

花岡さんのいう〝少年〟は、現実にいたのです。しかも、私のごく手近なところにいたことに、ときに驚いたり、ときに息をわすれるような思いで、考えこまされたりしています。

花岡文学が、ほろびざるものだということは、この一事を語るだけで十分だと思います。

（『月下游林　追悼　花岡大学』一九八九年一月三十日探究社刊）

遊戯自在《ゆげじざい》　富士正晴

富士正晴は、いまの世にいる。だから、その個性はなまなかには理解されにくい。自由でありすぎ、平等でありすぎ、しかも世間には迷惑のかからぬようにして、自分を郊外の一室に閉じこめている。みずから檻に入った虎のようなものである。しかも野を駈ける夢を、自分で禁じているように見ようとはせず、また夢死はしないものの、酔生をよろこんでいる。

「桑原が――」

などと、九つも先輩の桑原武夫氏をよびすてにし、故貝塚茂樹氏や故吉川幸次郎氏に対しても同様であった。たれに対しても敬語を用いず、このあたり日本社会に育ったのがふしぎなような個性である。

といって、自負心がつよすぎるわけではない。むしろ敗者（じつに高貴な）として自分を限定している。このへんは、絶対者である阿弥陀如来を語ってみずからを愚禿とした親鸞の気息に相通っている。

ただ天然に階層意識《クラス》が欠如しているのである。かれらの偉大さについては、卓越した感覚で知りぬいており、他者の精神・学識への比類ない計量能力のもちぬしでもある。いま挙げたひとたちだけでなく、今西錦司氏や松田道雄氏などをふくめて、おそらくこの人々は、その同窓の後輩である富士正晴に対し、得がたき知己を感じているのではあるまいか。あるとし、一年、半日も檻から出なかった。村道を歩いてタバコ屋へ一、二度行ったきりだったらしい。

きわめてまれなことだが、ひとがかれを京都まで運ぶことがあった。

京都へゆくと、平素、会うことのすくない知己に会い、人に酔うあまり、全身の毛穴がひらいたように愉快を感じ、大酒してしまうのである。そのあげく、泊めてもらった家で、幼児のように粗相をする。二度ばかりあったらしい。

そのうちの一軒は、貝塚家だった。富士正晴は同家の当主もすきだが、美代夫人もすきで、はちきれるような敬意をもっている。つまりは、精神の愉快がきわまって全身がゆるんでしまうというふうであるらしい。

そのあとは、また檻の中に、数年、蟄居する。まことに異人である。

家にいても、楽しからぬわけではない。古いわら屋根の農家に住むいたちやねずみ、へびのたぐいの生態を見ることで、われわれの想像外のよろこびを感じているらしい。かれはねずみを人一倍愛している。ねずみに対しても、かれらの自由をゆるし、かれらと平等の目でつきあっている。

「あんな賢いやつはおらん」

と、まじめに考えたりする。

若いころはすぐれた詩や小説を幾編も書いた。

老来、それをやめた。

なぜやめたかは、当人にきくべきことだが、つまりは書くという能動的な（もしくは攻撃的な）ことより、読むという受動的なことのほうが、このひとの心をよろこばせるようになったのかもしれない。

いったん受身という寝ころびの姿勢をとってしまえば、古今東西の著作物にくるまれることになる。無限の愉快がそこにある。

ともかくも、心を愉しませることが、この人にとって生きることなのである。しかも文章で表現された精神の作業（つまり、書くことと読むこと）以外、見むきもしない。

もう一つ、この人にとって世界がある。

絵である。そのつながりとして、書もある。このひとはその半生のきわめて早い時期に、このひとだけの形象の書を確立した。

同時に、絵画を通して、自分の心のかたちと、詩と理想を表現しようとした。ただし、初期においては、みずから愉しむだけであった。

ところが、二十年ばかり前だったか、多田道太郎氏らがこのひとの絵を溺愛し、むりやりに多作させて、友人たちの主催で展覧会をひらいた。当人が会場にきたかどうか、来なかったような気がする。

その後、美術商のあいだで、このひとの絵を乞うひとがふえた。かれらは、このひとに紙をあたえ、えのぐをあたえて描かせた。筆墨にあかるい貝塚茂樹夫人などは、中国製のいい筆をあたえたりもした。

そのようにして、すこしづつ世上に作品がひろがった。

人間は本来浅智恵の動物である。絵画を見れば、バカのように分類をし、あるいは概念化したがる。富士絵画が古今のナニに属するか、などとみる心をわずらわせる。

私なども浅智恵の底を振って考えてみたが、まったくわからない。アンリ・ルッソーの日本版かとも思う。

あるいは、中国や日本でいう文人画であるとする。この概念化は、もっともらしくきこえる。

とすれば、古今のたれの範疇に入るか、という分類作業になるが、仮りにいえば、明末清初の八大山人とか、同時代の石濤にかさねれば、いよいよもっともらしい。

私はこの二人が大すきである。とくに八大山人にとってはみじかいものを書いたことがあるから、つねに富士正晴と重ねて考えるくせができている。性格も、似すぎるほどである。

しかし、生来のものとして富士正晴は、自分を他人に分類されることを好まないし、分類できもしない。かれの詩や小説自体、時代から独立したもので、分類しようもないのである。第一、ナマの富士正晴を、どう分類できるか。

私など、浅智恵の万策つきたあげく、この絵画世界を、

「遊戯《ゆげ》」

という仏教語で言いあらわす以外ないと心得るようになっている。中村元氏の『仏教語大辞典』のその項目をひくと、「菩薩の自由自在な活動」ということになっている。それを第一語義として、その何番目かの語義に、こんなのがある。

「心のままに無礙《むげじざい》自在であること。ゆきき。遊化とも書く」

このまま富士正晴の絵にあてはめたい。

無礙自在は、形があって、しかもとどまるところがない。作者としては絵筆さえもたね

ば無礙にとどめなく旋回して消えるところを、一瞬のシャッターでとどめたのが、この作品たちである。

こういう画家は、いまの日本にはいない。ごく一般的にいって画家には画壇への意識がある。あるいは射倖心もあり、あって当然なのだが、富士正晴にはいっさいそういうものがないのである。しいて分類すれば、中川一政とおなじ光芒をもつ人といえるかもしれない。しかし、そう分類することが、どちらに失礼であるか、私にはわからない。

まず、観る者自身が無礙になって観るしかない。その点が、両者似ているかと思われる。無礙は中川一政にもあてはまるからである。

(「Art'87」第一二〇号一九八七年八月十四日刊)

非考証・蕪村　毛　馬

私は、蕪村に愛が感じられてならない。

好きになったのは、旧制中学のころの国語教科書に載っていた「春風馬堤曲」からで、「馬堤というのは、毛馬《けま》村の淀川堤である」と、壇上の先生がいったのが、うれしかった。理由は、そのあたりに父の知人の家があり、遠い世の景色をうかべることができた。

毛馬村は、「曲」のなかの娘が奉公しているであろう船場から北北東へわずか一里ばかりの野にある。いまは市中（大阪市都島区）にある。

当時、私が風景として想像したのは、草むす堤防下のひくい田園であった。春霞のなかにひろがり、山は遠い。

古代以来、くりかえしていた淀川の氾濫がひろげた野で、広潤すぎてとりとめがなく、堤ひとすじが景観の変化になっている。

早春の堤は、タンポポによって万灯会《まんどうえ》のようになる。蕪村がときに〝蒲公〟（ふつうは蒲公英か蒲公草）と表記して好んだ野の花である。延享二年の「北寿老仙をいたむ」のなかで、

蒲公《たんぽぽ》の黄に薺《なづな》のしろう咲《さき》たる
見る人ぞなき

とあり、また「春風馬堤曲」に、

たんぽゝ花咲《さけ》り三々五々五々は黄に
三々は白し記得《きとく》す去年此路よりす

憐ミとる蒲公《たんぽぽ》茎短《みじかう》して乳を浥《アマセリ》

などとあって、蕪村の故郷への思いは、花でいえば蒲公英に凝縮しているのではないか。蕪村は、生涯故郷に帰らなかった。それだけに幼時への懐旧の情がつよかったにちがい

ない。

かれは享保元年（一七一六）、摂津国東成郡《ひがしなりごおり》毛馬村の裕福な（とおもえる）農家にうまれた。早くに家産をうしない、十八、九のころ故郷を出て江戸へくだり、以後、居所を転々とした。

安永六年（一七七七）、六十をすぎての句に、有名な、

五月雨《さみだれ》や大河《たいが》を前に家二軒

があるが、この句にふさわしい景観は、毛馬村付近のほかはなさそうである。野はひろびろとしている。大河が水かさを増して、遠景の家二軒が、心もとなげに雨の中でけむっている。当時、淀川の堤でもっとも危険な箇所が中流の枚方《ひらかた》と下流の毛馬だったことをおもうと、幼時のおびえが、句になってよみがえったのにちがいない。

げんに明治十八年、淀川が決潰して大洪水になった。明治末年、毛馬村から淀川の分流（新淀川）が開削され、さらには水量の調節のため、毛馬の渡しのあったあたりに、毛馬閘門《こうもん》が設けられた。以後、景観がかわった。

が、私が少年のころから想像してきたのは、あくまでも蕪村のころの毛馬付近の野であ

る。

安永三年（五十九歳）の、

菜の花や月ハ東に日ハ西に

も、やはり故郷の野がいちばん適《あ》う。堤上に立てば月は東の生駒山系にのぼり、日は西のかたはるか一ノ谷の雲間に沈む。両岸の野は菜の花の黄があるのみである。

「春風馬堤曲」は、右の〝五月雨や〟とおなじ安永六年の作で、死の六年前の句である。前年の句に「ぼたん切《きっ》て気のおとろひしゆふべ哉」があるように、日常、老いのなかにあった。このころ、懇意の人に送った手紙に、「馬堤ハ毛馬塘也。則余が故園也」といい、「曲」のなかにも故園ということばをつかっているのが、痛ましいばかりである。

郷里でも故里でもなく、ことさらに故園という。この言葉づかいが、ふるさとが懐旧のなかのみにあるという蕪村の境涯にふさわしい。杜甫のいう「故園今若何」という故園である。

「春風馬堤曲」にあっては、その長堤の上を、「春情まなび得たり浪花風流《なにわフリ》」という〝あだ者〟（書簡）としての娘を歩かせる。

娘は、母の待つ故園をめざしつつも、ときに堤をおりて芳草を摘《つ》み、いばらにすそを裂いて白い股を傷つけたりする。郷愁が、老人としての回春のエロスにむすびついている。

蕪村の詩情は、なんとも非禁欲で、しかもあでやかというほかない。

(『蕪村全集』第一巻月報一九九二年五月二十五日講談社刊)

非考証・蕪村　雪

文人画（南画）は、いうまでもなく、中国がおこりである。士大夫が、胸中の理想を展開するという、世界の絵画のなかでも特異な分野である。

以下、蕪村の胸中の世界にふれる。とくに雪景が晩年のかれの理想境をあらわすうえで別趣なものがあったのではないかという、私の勝手な思いこみをのべたい。

蕪村の雪景には、高貴な単純さがある。積雪のためにただささえ万物が瑣末さをうしなっている。

蕪村はさらに墨を色面化することによって積雪の形象だけをうかびあがらせるのである。くりかえすが、蕪村は色面によって形象を表出している。そのあたり、色面で形象をあらわす西洋画をふとおもわせる。

四幅対の「四季山水図」の冬の幅は、こまかく曲折した樹幹と樹枝が、積雪の一相としてとらえられている。多少の線を援用しつつも、ここにおいても墨の色面によって多様に曲折した積雪がうかびあがっているのである。こういう白は、〝去俗〟した者だけが見る夢の中の色に相違ない。

白といえば、雪こそあつかっていないが、淡い墨色の色面に、ゆったりと欠けた空白の表現が蕪村によってなされている。例として、半月の白をあげたい。

月を描くのに線が用いられず、そこだけが紙の地の白として無造作にのこされていて、しかも形をととのえていないのである。そのくせ、銹びた銀のかがやきをもつ。

これこそ漢語でいう月魄《げっぱく》であり、和語でいう月代《つきしろ》（月白《つきしろ》）であり、月という以上に月の精であるにちがいない。

その月は、蕪村の「峨嵋《がび》露頂図」という作品の左手にかかってかがやいている。

峨眉山は、中国四川省の成都の西南の峨眉県にある山で、二つの峰がむかいあって、蛾の触角のように美しいといわれる。

むろん、蕪村は現実の峨眉山を知らないが、舶来された詩文によっていきいきと想像した。たとえば李白に「峨眉山月歌」という詩があり、この詩は「峨眉山月　半輪の秋」という句からはじまる。蕪村の峨眉山は頂上の山巓《さんてん》のみをえがき、雄渾かとおもえば豊闊であり、やがてそういう気勢《きお》った感想も消え、地上と天上という二元だけが眼前にのこる。

蕪村の峨眉山は現世を象徴し、空をゆく月の精は、あの世であるかのようである。

雪にもどす。

私の管見だからあてにはならないが、中国の詩や文人画で、雪景がえがかれて成功しているものはすくないようである。

むろん、四季の自然美を「雪月花」の三語で象徴したのは白居易で、杭州や蘇州の刺史だったころの風流の友らを長安でしのんだ、「雪月花の時　最も君を憶ふ」からこのことばはきている。

日本の風雅もこの三要素を大切にするが、このうち雪についてのみふれると、自然条件として、降雪・積雪ともに中国と日本とは異っている。

日本のほうは、湿った牡丹雪が音もなくふりつもるのである。越後では暮らしの嘆きになり、京では季節のおどろきになる。

蕪村の晩年の傑作に、

「夜色楼台雪万家図」

がある。

墨を基調とし、墨の濃淡が色彩以上の力をもって、夜の雪景をえがいているのである。景観は、かれが住む洛中である。雪夜の空は深く、しかも一色の闇ではなく、雪を生みつづける天の気動を感じさせる。

東山らしい峰々は白く、波頭のように起伏している。くりかえすがその白は単なる虚ではなく、万物を生むという太虚の白である。

山麓はあわく、中有《ちゅうう》のように淡い。

この時期の蕪村は病むことが多く、しきりに死を予感しはじめていたかのようである。中有とは、人間が死んで、つぎの生をうけるまでの間、七日あるいは無限の時間・状態のことをいう。

下界は、万家の屋根の波であらわされている。屋根はことごとく白い。蕪村は、その万家のなかの一家に跼《かが》まっている。仏光寺烏丸西入ルの町家である。

外は降りしきる雪である。想念のなかの蕪村は楼台にのぼり、東山を水平に見、洛中の万戸を見る。

ここでの万家の語感には、李白の「子夜《しや》呉歌」の「長安一片の月　万戸衣《ころも》を擣《う》つの声」がひびき返っていたろう。李白は、夫を遠征にとられた妻のなげきを、万戸擣衣《とうい》の声であらわしている。

蕪村にも、なげきがある。

等《ひとし》なみに衰えてゆくといういのちの嘆きである。

画賛では、「雪万家」とある。雪が動詞になっているところがすばらしく、動詞であればこそ流転のとどろきを感じさせる。万家ニ雪フル。雪フリシキル。人はたれでもこうだというように。……

体の弱ったときなど、とくにこの絵と賛によってはげましをうける。むろん、元気なときもそうである。

（『蕪村全集』第三巻月報一九九二年十二月十日講談社刊）

『三四郎』の明治像

明治のおもしろさは、首都の東京をもって欧米文明の配電盤にしたことである。唯一の大学だった帝国大学に、外国人教師を、おそらく世界一だったかと思われる高給で傭い入れ、一方でその卒業生を海外に留学させ、やがては外国人教師と交代させるという盛大な試みをした。

本郷や、農学部のあった駒場で受容された〝文明〟を、農商務省、内務省、文部省といった配線を通じて四十余の道府県や下級の学校にくばるのである。漱石自身も文部省を通じて熊本の第五高等学校に配られ、やがて本郷の外国人教師と交代させられるべくロンドン留学を命ぜられた。もっとも漱石その人は帰国後、ほどなく右の配電盤を去ってしまうが。

漱石が『三四郎』に登場させた主人公は、熊本の第五高等学校を出て、そういう文明の配電盤にむかってゆく。

この作品の新聞連載の開始が明治四十一年（一九〇八）である。東京だけが輝やいていて、田舎はなお江戸時代をひきずっているころである。三四郎は、天竺へ文明を取りにゆく玄奘三蔵に似ている。

東京という首都にだけ〝文明〟があって、他にはないという歴史的事情の上にこの作品は成立している。たとえばマルセイユの青年がパリにゆくとか、英国の田舎の若者がロンドンへゆくということでは『三四郎』は成立しないことを思わねばならない。その点、大げさでなく、世界文明史上の奇譚というべき小説なのである。

天竺取経奇譚である『西遊記』には、シルクロードを西へゆくにつれさまざまな妖怪が出てきて主人公の心をくじこうとするが、『三四郎』では、冒頭、東行する汽車のなかにおいて早くもそれらがあらわれる。

一昨年、アメリカの日本学者のE・G・サイデンステッカー氏と大阪で一夕を共にしたとき、氏は、〝漱石がお好きだそうですが漱石のどの作品がいいと思います〟と、大きな目を据えて問われた。なにやら、テストめかしいのが、おかしかった。『三四郎』です、と答えると、幸いなことに、

「私もそう思います」

と、大声で同意してくれた。漱石の諸作品のなかで、『三四郎』は、小説を書く玄人としての能力（主題の選択、人物の描写、構成）がもっともよくあらわれている。そのことが、私の理由の一つである。

京都から、女が、三四郎の前にすわる。女は、三四郎にとって田舎娘の代表である三輪田の御光《おみつ》さんより顔立が上等にできているが、無口でつかみどころがなく、要するにえたいが知れない。

どうやら女は、漱石自身の京都観を反映しているようである。

漱石にとって東京以外は一面の田舎だが、ただ京都だけは遇しかねている。むかしの文化の配給装置ながら、寺ばかりの陰気でさびしい所だとおもっており（「京に着ける夕」など）、文化財の多い土地だというふうな敬意は表していない。漱石は、大正の和辻哲郎の『古寺巡礼』以後の日本人ではないのである。三四郎が向いあっている女は、漱石の京都観が化けて出たようでもある。

女と三四郎は、当時の鉄道事情による不可抗力のために、名古屋で下車し、駅付近の古宿で同宿するはめになる。

むろん、三四郎は道心堅固で、さまざまに工夫して、何事もなかった。明朝、駅で別れるとき、女は、「あなたは余つ程度胸のない方ですね」と、あざやかな捨てぜりふを残す。この話は門人の小宮豊隆だったかの体験が下敷きになっているそうだが、この女に、明治時代における京都という性格の所在なさと性根のたしかさがよく出ている。

やがて神主じみた男が、向いの席にすわる。最初は三四郎のこの男への評価は低かったが、話しているうちに配電盤に近そうなにおいがしてくる。

後日、この神主めいた男と東京で再会したとき、大学のとなりの――配電盤そのものではないがもっとも近く位置している――第一高等学校の名物教授であることを知る。車中、この広田先生に、三四郎は、日本は亡びる、とか、既成の観念にとらわれるな、などと教えられる。妖怪の一種にはちがいない。

大学構内で、与次郎という文科の選科生に出あう。配電盤に巣食う小さな羽虫のような存在で、文学の潮流から学内の瑣事、娘義太夫の評判にいたるまで知らぬことのない消息通ながら、誠実という人生の唯一の重心が欠けている。そのあたり、小妖怪に相違ない。

美禰子が出てくる。

この配電盤の周辺に棲息する女性は、三四郎から見れば〝文明〟の電流をうけたようにふるまい、田舎出のこの若者に華麗ないたずらをし、その心をひきよせ、いたぶるように放す。『三四郎』で創造されたこの女性については、さまざまな解説があるから、ここではふれない。

取経の行脚者である三四郎が、文学部ではじめて講義をきく。老西洋人からスコットの通った小学校の村の名を、三四郎は所在なくノートに書く。体系論が講じられるわけでもなかった。学者時代の漱石は、文学について、それを学問にするにはあまりにも不定形で体系がなさすぎることに悩んだが、このくだりにその悩みの反映があるとうけとれなくもない。

結局、三四郎はまぎれこんだ理学部の野々宮さんの実験室で、野々宮さんが光にも圧力があるという仮説を確かめようとしているのを見る。

どうもこのあたりが、文明の取経のための洞窟であるかのように——三四郎は文科生ながら——漱石の好みとして匂ってくるのである。

漱石の全風景からみると、学者時代、文学といううえたいのしれぬものを、化学のような尺度で法則化してゆけぬものかという壮大な方法を考案して苦心した。その『文学評論』や『文学論』の原風景が、スコットの小学校の村の名というとりとめなさや光の圧力の実験という確かさなどに象徴されているように思えてならない。

以上、明治の文明上の奇譚についての解説である。

（『漱石全集』第五巻月報一九九四年四月十一日岩波書店刊）

渡辺さんのお嬢さん――子規と性について

子規が好きだから、そのことを書く。このひと（一八六七～一九〇二）が、明治三十年代、説得力に富んだ美学的理論でもって、俳句・短歌という短詩型を一変させた人であることはいうまでもない。

生涯は、わずか三十五年でしかなかった。

しかも晩年の六年ほどは寝たきりの病人だった。死の五年前の明治三十年四月二十日、医師から人と話すな、といわれた。そのことさえ楽しみ、病室の壁に掛けられた旅笠に、

「対談を御断り申候、四月二十日」

と墨書した。すぐ、客よ、お前だけ話せ、と書き添えた。

「爾語《なんじかた》レ、我之《われこれ》ヲ聴カン」

さらにつけ加えて、

「我黙《われもく》ス、爾之《なんじこれ》ヲ聴ケ」

とも書き足した。子規に退屈ということはなかったらしい。

調子のいい日はよく喋った。

最晩年は体にいくつもの穴があき、膿があふれ、繃帯を代えるときなど痛みのためにしばしば号泣した。結核性の脊椎カリエスだった。

そういうあいだも、俳句の再生理論をさぐるための古俳句の分類作業をやめなかった。

一方で新聞「日本」に寄稿し、さらには写生文というあたらしい時代の散文を提唱した。そのために、「山会《やまかい》」と称する散文研究会を主宰した。作文の朗読会である。

句会も山会もすべて子規の枕頭でおこなわれた。子規一代の大事は、ほぼ晩年、死に臨んでの六、七年のあいだに遂げられたといっていい。


といって、子規に悲愴感はない。

病中の文章も俳句・短歌もじつにあかるく、運命を呪うということもなかった。

どうも、こんな境地は努力して得られたものではなく、単に性分《しょうぶん》であったらしい。このことも、後世の私たちには悲しみをともなうほどにさわやかである。むろん神仏も恃《たの》まなかった。

性欲について語る前に、子規が健啖家であったことにふれねばならない。食欲は死の月までおとろえなかった。健康なころからそうだったらしく、友人の漱石が『三四郎』のなかで、広田先生にいわせている。

子規は果物が大変好きだった。かついくらでも食える男だった。ある時大きな樽柿《たるがき》を十六食った事がある。それで何ともなかった。

その大食は、たとえば死の前年（明治三十四年）九月二十六日の病床での食事をみると（『仰臥漫録』）、朝が「ぬく飯四わん、あみ佃煮、はぜ佃煮、なら漬」とあって、小食の私などは気が遠くなる。

しかもその日、食後に繃帯をとりかえてから「牛乳一合、餅菓子一個半、菓子パン、塩せんべい」を摂《と》り、昼は「まぐろのさしみ、胡桃《くるみ》、なら漬、みそ汁、梨《なし》一つ」で、さらにおやつに、「葡萄、おはぎ二つ、菓子パン、塩せんべい」を食べ、渋茶を飲んだ。

おやつが済むと、ほどなくたのしみの夕食である。

「キャベツ巻一皿、粥《かゆ》三わん、八《や》つ頭《がしら》、さしみの残り、なら漬、あみ佃煮、葡萄十三粒」

骨の腐るような病気をわずらいながら、最晩年にあれだけの仕事をし、しかも好奇心と表現欲と研究欲をうしなわなかったのは、この大食によるものらしい。

死が近づくにつれて、医師からもらうモルヒネも効《き》かなくなった。そんななかでも、表を納豆売りが通れば、妹の律を走らせて買わせた。明治三十五年九月十四日のことで、五日後に死ぬのである。

その時期、両脚が腫れあがって痛んだ。子規はいう。

「足あり、仁王《におう》の足の如し。足あり、他人の足の如し。足あり、大磐石《だいばんじゃく》の如し。僅かに指頭を以てこの脚頭に触るれば天地震動、草木号叫《ごうきょう》」（『病牀六尺』）

病中の子規には気の毒だが、痛みのさなかにこんなリズミカルな文章を書いている。子規の文章は自分の苦しみに即していながら、滑稽感をうしなわない。


性欲のほうはどうだったのだろう。

子規の松山中学校入学以来の友人に柳原極堂《やなぎはらきょくどう》（一八六七〜一九五七）がいた。のちに松山での地方紙の主筆や社長をつとめ、俳句は若いころ子規に師事し、晩年、子規の顕彰につとめた人である。『友人子規』（昭和十八年、前田書房刊）という著書がある。その序文のなかで、村上霽月《せいげつ》が、「子規居士《こじ》を一番能く知つて居るのは極堂君であらう」という。そういう極堂でさえ、

「居士は一生の間に恋をし得たか何《ど》うか女を愛し得たか何うか。此点は私さへ更《さ》らに知るところがない」

と言い、ただ、こういうことがあった、と言いそえた。

……或晩居士は私の下宿をたづねて、君は吉原に遊ぶさうだね、僕を今晩その吉原へ案内して呉れ給へと言ふ。

子規のニキビ盛りのころである。この人は明治十六年（一八八三）、十七歳のときに上京し、極堂もこのころ東京に出た。

翌年、子規は大学予備門を「戯れに」受験して意外にも合格した。

九月、入学とともに、神田猿楽町五番地に下宿し、その近所に下宿した極堂と毎日のようにゆききした。右のはなしは、明治十七年、十八歳のときかとおもえる。

極堂が察するところ、子規は江戸時代の人情本や草双紙《くさぞうし》で読み、吉原に〝柳暗花明《りゅうあんかめい》、緑酒紅燈《りょくしゅこうとう》〟の風情《ふぜい》を想像していたのだろうという。

当時、大籬《おおまがき》といわれた大店には多少江戸情緒がのこっていたかもしれないが、極堂は子規の懐中の高《たか》を考えあわせて、小格子《こごうし》とよばれる中ぐらいの妓楼に案内した。格子先《さき》で客に遊女を見たてさせ、ごく直《ちよく》に遊ばせるといった店である。

翌朝居士の曰《いわ》くに、遊廓といふものは予想したやうに面白いものではないねと其《その》失望の情がまことに気の毒に感ぜられた。

……之を思ふと、居士は性欲のためにあらずして、其遊廓情味を味はんとして私に同伴を求めたものかと想はれるから、居士の女を知つてゐるか何うかは此行《このこう》に由《よ》つても矢張り疑問である。

子規は遊廓にはよほど失望したらしく、この翌年の明治十八年、十九歳の九月、のちに築地の海軍兵学校に転ずる秋山真之《さねゆき》ら数人と鎌倉まで無銭の徒歩旅行を試みたときの言動にもこのことがうかがえそうである。かれらは夜十時ごろ発ち、午前二時ごろ品川遊廓を通過した。折りから大《おお》びけで、「二階を見ればあいにくと障子の上に男女さしむかひの影ありく〵と写りをり一ツとして胸をわるくする種ならぬはなし」(『筆まか勢《せ》』第一編)と子規は書いている。

胸をわるくするなどは、なみな言い方ではない。

最初の喀血は、明治二十二年、二十三歳の五月九日夜におこった。そのころ真砂町の旧松山藩常盤《ときわ》会寄宿舎で起居していた。診断は〝肺病〟ということだった。

喀血はその後、一週間つづいた。が、六月には気分もよくなり、学年試験をうける準備もした。

七月、松山に帰省中、気管が破れ、出血し、ほぼ寝てくらした。このころから、古本屋で古い句集の写本を買ってはかれのいう〝俳句分類〟という作業をはじめた。日本文学上の画期的な年といっていい。

明治二十五年、二十六歳、上根岸に居をかまえ、国もとから母八重と妹律をむかえた。大学のほうは中退し、年末、新聞「日本」に入社した。

明治二十八年、二十九歳、日清戦争に従軍記者を志願し、帰国の船中で大喀血をした。この間、妹の律は堀田という同郷出身の陸軍士官と結婚したが、子規の容体《ようだい》の容易ならなさを知って離婚し、兄の死まで看取《みと》った。律も、ただのひとではない。

律は幼いころから兄が大好きだった。

ただ子規のほうも変っていて、律の身の立つことを思わず、平然と手足同然につかった。

律は兄の死のあと、三十代で共立女学校に入り、卒業後、その学校の裁縫教師をつとめた。脚絆《きゃはん》の縫い方を教えるときも、

「これは、兄の脚絆です」

と、教室でみせたりして、たえず兄のことを語った。律は子規を看取るためにうまれてきたような人である。

子規は女性に無感動だったわけでもなかった。

死の前年の明治三十四年、三十五歳の十月二十三日、上根岸の子規宅を男女の客が見舞いにくるというので、子規はつねになく緊張した。婦人客に応接しているあいだに排便があったらどうしようとおもったのである。

男女の来客ありし故この際に例の便通を催しては不都合いふべからざる者あるを以て余は終始安き心もなかりしが終にこらへおほせたり。

と、『仰臥漫録』のなかで、もだえたり、ほっとしたりしている。ついでながら、便は、律がとってくれる。律は、いやがりもせず、それをやる。

便をとるとき病室はにおいで満ちるが、子規は虚子や碧梧桐《へきごとう》といった日頃病床になじみのひとびとなら平然としているのに、この日の女客には、はじらいが動いたようなのである。婦人客が帰ってから、「夜九時過《すぎ》衆客皆散じて後直《ただち》に便通あり」と子規はいう。

子規がいかに安堵したかについては、その便について、「山の如し」と、まことにばかばかしい。むろんわが身のあわれさを滑稽化しての山の如しである。女性への羞恥心の裏返しといっていい。

こんな変な人でも、「恋」という題で、死の三年前、『ホトトギス』に八百屋お七の真情の可憐さについて書いたことがある。「お七の心の中を察すると実にいぢらしくていぢらしくてたまらん処《ところ》がある」と言う。

また「権助《ごんすけ》の恋」という掌編も書いた。権助が、作中の主人公の家に夜這《よば》いにきた。主人公はとがめだてをして「おれの女房は三年前に死んだし、娘は持たず」女っ気のかけらもないところになぜ夜這いにきた、というと、権助は「なんといはしつても可愛い〳〵娘ッ子があるから仕方がねェだョ」という。結局、権助の夜這いのめあては「顔の黒い、手足の白い」犬だったことが、最後のくだりでわかる。このように、子規の女ばなしは他愛もない。

そのくせ子規の文章には内臓のぬめりのようなものがあって、草花を歌ったり書いたりしても、気体になって別の化学物質になった性衝動がある。

ひとつ、話がある。

死のとしの明治三十五年、子規三十六歳の八月の下旬のことである。そのはなしは、『病牀六尺』に出ている。

「渡辺さんのお嬢さん」

という美人が、この上根岸の陋屋に訪ねてきたというのである。

若い男二人がつきそってきた。男二人は、子規にとって旧知だから、気はおけない。

お嬢さんは、初対面であった。子規は彼女について以前から評判をきいていたのだが、想像以上に品がよく、「いはば余の理想に近」いというのである。さらに「半ば夢中のやうになつて」動悸《どうき》がはげしく打った。

お嬢さんはごく真面目に無駄のない挨拶をしてそれで何となく愛嬌のある顔であつた。かういふ顔はどちらかといふと世の中の人は一般に余り善《よ》くいはない、勿論悪くいふものは一人もないが、さてそれだからといふて、これを第一流に置くものもない、それで世人からはそれほどの尊敬は受けないのであるが、余から見るとこれほどの美人=美人といふとどうしても俗に聞えるが余がいふ美人の美の字は美術の美の字、審美学の美の字と同じ意味の美の字の美人である=は先づいくらもないと思ふ。

ところが、しばらくして連れてきた二人の男は、つれなくも渡辺さんのお嬢さんに暇乞《いとまご》いをさせて帰りかけた。子規は狼狽した。「余は病床に寐て居ながら何となく気がいらつて来て」男の一人をよびもどし、意中を明かした。

男の名は、孫生《そんせい》と言い、いま一人は快生《かいせい》という。俳号だろうか。

……孫生は快く承諾してとにかくお嬢さんだけは置いて行きませうといふ。それから玄関の方へ行て何かささやいた末にお嬢さんだけは元の室へ帰つて来て今夜はここに泊ることとなつた。そのうち日が暮れる、飯を食ふ、今は夜になると例の如くに半ば苦しく半ば草臥《くたび》れてしまふ。お嬢さんと話をしようと思ふて居る内に、もう九時頃になつた。

翌日、孫生・快生から連名の手紙がきた。子規のほうは渡辺さんのお嬢さんを貰いうけたいのだが、両人のいうには、当分のあいだ根岸に泊めていただくことに異存ないものの、お譲りすることはできない、というしだいである。

子規は、執着した。

ともかくも快生に対し、恨みの返事を書き、俳句を添えた。「断腸花《だんちようか》つれなき文《ふみ》の返事かな」

手紙を出したあと、煩悶に堪えかね、また手紙を書いた。こまごまと思いのたけをのべ、「草の花つれなきものに思ひけり」という句を添えた。

私はむかし子規の『病牀六尺』のなかでこの文章を読み、女性に縁のなかった子規のためにうれしく思ったのだが、最後の一行ではぐらかされてしまった。


お嬢さんの名は南岳艸花画巻《なんがくそうかえまき》。


子規は、このとおり性欲を芸術のほうに転換してしまっていたらしい。

南岳とは江戸時代末期の画家渡辺南岳（一七六七〜一八一三）のことである。京都の人で、絵を円山応挙に学んだ。

江戸にも遊び、両都のあいだで評判がよかった。美人画や鯉の絵が得意だったが、子規のもとに運ばれたのは、草花を主題にしたものである。

それも、絵巻だった。子規の病床を訪ねた二人の来訪者のうちの一人がながながと絵巻をひろげ、一人が端から巻いて行った。

この絵巻は本所弥勒寺《みろくじ》の境内の徳上院という寺の住持丁堂（澄道とも）和尚の所有品だった。丁堂は二人にたのみ、子規に鑑定してもらうために見せたのである。

和尚は、俗な人だったらしい。

この絵巻を、当初はさほどにもおもっていなかったのだが、子規の執心《しゅうしん》を知ってにわかに態度を変え、どうしてもゆずれないと硬化した。

子規はもう、乱心したようになっている。子規の門人で、交代で看病しているグループのひとりの河東《かわひがし》碧梧桐が本所の徳上院に行って和尚とかけあった。子規の死のひと月前のことである。

碧梧桐は「自分が責任をもってお返ししますから、せめて死の日まで当人に自分のものだと思わせてやっていただけませんか」というと、和尚はしぶしぶ承知した。

子規は、そういういきさつを知らない。『病牀六尺』のあとのくだりに、余が所望したる南岳の艸花画巻は今は余の物となつて、枕元に置かれて居る。朝に夕に、日に幾度となくあけては、見るのが何よりの楽しみで、ために命の延びるやうな心地がする。

と書いていて、あわれをそそられる。

ついでながら、子規は絵巻の礼として二、三十円を用意していた。

和尚のほうは譲りわたすわけでもないので、子規の短冊を所望した。

子規は七枚の短冊を書いて、和尚に贈った。

さらにいうと、この絵巻（『四季草花絵巻』）は、その後どのような経路をたどったか、東京美術学校（東京芸大）の所蔵になっている。

子規の生涯は、簡潔だった。

かれの文体や性格から推測して、かれがもし妻子をもったとすれば、感情もくらしもいちいちそのほうに拘泥《こうでい》して、私どもが恩恵をうけている文芸改革の事業はなかったかもしれない。

子規没後、かれにとって母方の叔父である加藤恒忠が、その末子忠三郎を律の養子にすることによって、正岡家の祭祀が絶えぬようにした。

その姓を相続した故正岡忠三郎さんについては、私は『ひとびとの跫音《あしおと》』に書いた。

故人（忠三郎さん）の生前、ふしぎな話をきかせてくれた。一時期、上根岸の正岡家で看護婦さんをやとったとき（資料では看護婦をやとったという事実は見あたりにくいが）、そのひとがやめるにあたって、私はひとりでいる者である、まだ子が産める体だとおもうが、あなたのようなお人のおたねを頂戴できまいか、と申し出たというのである。この話は、忠三郎さんも〝史実〟としては信用していなかったものの、「もしそうだったら、子規居士のためによかったですね」といった。そのときの笑顔は、いまも私の記憶にのこっている。

もっとも、この話も、あるいは、〝渡辺さんのお嬢さん〟と同様、忠三郎さんがたれかにきかされた白昼夢だったかのようでもある。

子規の生涯は、以上の挿話が象徴するように執拗だった。

しかし、いかにも儚《はかな》い。執拗さと儚さの按配《あんばい》のよさが、私たちを子規に魅きつけているのかもしれない。

（「小説新潮」一九九二年九月号）

書生の兄貴

子規は、大まじめな人であった。が、どこか可笑《おか》しい。

幸い、友人の漱石が、保証してくれている。漱石は人間における、そのあたりの受信能力が鋭敏で、ひそかに子規をおかしがり、おかしい分量だけの愛を感じていた。

子規といふ奴は、よく人のものを直したり批評したがる奴であつた。僕が俳句を作つたといつて見せると、すぐ改作したり○をつけたりしてよこす。それから又漢詩を作つたといつて見せると、其を直してよこす。(高浜虚子『正岡子規』)

右は、子規の死後、漱石が虚子に語った談話である。右の引用には談話なりに起承転結があるのだが、転の部分を紹介する前に、子規と英語についてふれておかねばならない。

子規は、英語がにが手だった。おそらく当時の松山中学にはいい英語教師がいなかったせいでもあったのだろう。明治十六年、十六歳、中退を決意し「松山中学只虚名」うんぬんの漢詩をのこして上京する。ほぼ一カ年、神田の受験予備校（共立学校）で下準備をし、べつに自信はなかったが「落第の積りで戯れに」東京大学予備門を受験した。

この間《かん》のことは子規の『墨汁一滴』にある。試験場で問題がくばられてきたのを一見すると「五問程ある英文の中で自分に読めるのは殆ど無い」。わずかにわかる単語を頼りに、こじつけの訳をした。どうやら、jurist か lawyer であったろうが、ともかくそういう単語がわからないまま苦しんでいると、おなじ松山出身のとなりの男が「ホーカン」とささやいてくれた。法官のつもりだったのだろうが、子規の耳には幇間《ほうかん》ときこえ、そこでタイコモチがどうこうした、といったふうに答案を書いた。それでも合格したのだから、他の科目がよかったのにちがいない。

在学中、数学の講義も教科書も英語だった。このため、数学そのものよりも英語がわからなくて、一年落第した。またドイツ人教師による歴史の講義も英語だったから、子規はもう講義にさえ出なくなった。あれやこれやで最後まで英語がたたって、結局、文科大学国文科の第三年目に退学した。

一方、同窓の漱石は英文学を専攻し、ときに英詩もつくっていた。そこで、前記漱石の談話の〝転〟の部分になる。以下、前記漱石の談話のつづきである。

……又僕が英詩の真似をして作つて見せると、奴、判らぬ癖に、ヴェリー・グードなど、批評をしてよこす。

俳句も、そうであった。

子規が二十五歳、おなじ松山の後輩の虚子が十八歳のとき、虚子が手紙のはしに発句《はっく》（俳句）を書いておくと、子規は、頼まれもせぬのにマルをつけたり、改作したりして送りかえしてきたという。

子規の二十五歳の段階では、かれの後年の俳句論の萌芽もないときで、要するに俳句がわかっていなかった。このおかしさについて虚子は、右の『正岡子規』のなかで、「……考へて見ると、子規は俳句が判つてから師表となつたのではなく、俳句の判らぬうちから師表になつたのだ」という。

虚子はこのことによって子規を褒めもくさしもしていない。私どもとしては、子規には固有にそういうユーモラスなところがあったということを、かれをとらえる上で、まず感覚として用意しておく必要がある。

子規のもう一つのおかしみは、生涯書生だったことである。

このことは、時代と無縁ではない。

幕末は、書生の時代だった。長州の書生団が藩政を牛耳り、天下の書生を煽動し、糾合し、ついに幕府によって藩が滅ぼされそうになったところへ、ほとんど奇跡のように薩摩という諸藩最強の藩が長州書生団と攻守同盟を結んだために、起死回生を得たばかりか、うそのようなあっけなさで明治維新が成立した。

このために、明治期にもさまざまに形を変えて書生文化の余熱がのこった。（政治史の上ではこの書生文化は、昭和期の青年将校の政治化という現象にじかにつながる。決して手ばなしで評価すべきものではない）

が、子規を中心に、根岸の小さな子規の借家で成立した書生のサロンは、兄貴株の子規がよかったために、日本文化の重要な部分をうごかすもとになった。

当初の書生どもは、士として松山の旧家中《かちゅう》の子弟だった。子規も、虚子を清サンとよび、碧梧桐を秉公《へいこう》とか秉サンなどとよんでいた。かれら松山衆も、この兄貴分の在世中、

「ノボさん（升《のぼる》。子規の通称）」

とよんでいて、たがいに格別な敬語はつかわなかった。

たとえば、みずから子規の門人としていた内藤鳴雪は弘化四年（一八四七）のうまれで、

子規とは二十も年長だった。幕末においてすでに松山藩の漢学の若き代表者だったし、明治後は県の県官をつとめ、また文部省にも在籍した。明治になっても書生のあいだでは〝松山藩〟はつづいていて、旧藩主久松家の金でもって東京に常盤会《ときわかい》寄宿舎というものができており、旧藩の子弟で東京に遊学する者はここに入る。安い賄料《まかないりょう》で生活できただけでなく、学資の補助もうけることができた。学徳第一等と目《もく》せられた鳴雪は、久松家の委嘱で十年ばかりそこの監督をつとめた。

その鳴雪翁が、学生として入ってきた子規に師事してしまったのである。子規が、根岸の子規庵で病いを養うようになってからも、翁は病床をとりまいての集まりには他用がないかぎり参加し、子規の死までそのはなしをきくことをよろこんだ。

子規の名が高くなるにつれ、根岸の子規庵のつどいに松山衆以外の者もふえるようになり、書生の寄合といった空気に、べつの色あいがでてきた。たとえば元治元年（一八六四）うまれで子規より二つ上の歌人伊藤左千夫が入ると、子規に対して関東風の折目ただしい礼をとり、子規に「先生」とよんだ。俳句をやっていた津軽出身の佐藤紅緑も同様だった。

のちに高野山の管長になる和田不可得《ふかとく》は子規よりも九つ下で、哲学館在学中の学生であった。かれも子規を「先生」とよんだ。ただ不可得は兵庫県という西方の出身だけに、左千夫のように師に対して謹直ではなく、のちに「自由主義の子規居士」を書いたように、子規庵の上下のなさをよろこぶふうがあった。

> 居士を囲んでゐる時の空気は、師弟といふのではなく、友人同志といふうち解け合つたもので、高く止まられる態度が少しも無い。これは普通の人には出来ない処で、会した者は十五銭の弁当を注文して――酒を取る者等はゐなかつた――食べ乍ら教へを聞いた。（「自由主義の子規居士」）

子規の生涯は、三十五年しかなかった。

病床にある最後の七、八年で、子規は子規そのものを確立し、日本の文芸思想の基礎的な部分に徹底的な変革をあたえた。このことは子規らしい陽性の使命感から出ていて、私欲という夾雑物はほとんどみられない。欲望というのは、食欲だけであった。なみはずれた胃腸の丈夫さが、その肉体を奇跡のように維持した。

私は、若いころ、俳句・短歌がよくわからず、子規といえばその晩年の散文だけを愛した。物や事を、えぐりとった肉塊の質や目方を量るようにしてつかみつつ、その表現には虚飾や冗漫がない。措辞や文脈に生きた人間そのままの体温と膚質の湿めりを感じさせるという文章は、べつの見方でいえば、漱石の文章とともに近代日本語の第一期の完成をなしたともいえる。

そういう大仕事が、書生によってなされたということで、理非を越えたいたいたしさと、永遠の兄貴分といった人間的情趣を私どもに感じさせるのである。

「文章には、山がないといけんぞな」

と、子規が言いだしたのは、死の二年前で、幾度か喀血し、背に穴がいくつもあいて漏膿がたえまなく、激痛のために「最《も》早《はや》生存の必要なしと迄思ひつめ」(大原恒徳あての書簡)ている時期だった。

それまでの明治期のごく一般的な文章というのは、いくつかの見本を下敷にして、共有度の高い古典の修辞を挿入しつつ、いわば仏壇の彫刻のように装飾的だった。子規のいう「山」とは、筆者が言おうとするところのもの、というほどの意味で、主題《テーマ》とか動機《モチーフ》とかといった概念か、それに近い。

自分が言おうとすること——山——に考えが集中されている場合、装飾的な定型の形容詞をならべているいとまがない。さらには表現以前に事や物をよく把握し、表現するにあたっては、言語が喚起する読み手の想像力を過信せず、むしろ読み手の想像力の負担をできるだけ軽くせねばならない。つまりは、写実的でなければならない。写実こそ西洋の近代を興したものであり、写実精神の薄さこそ東洋を滞頓させたもとだ、という意味のことを子規は言う。

が、子規はこれについて多弁な説明を設けず、

「山」

という名称をいうだけで、仲間の書生たちに手わたした。また、一時期、枕頭で作文の会をひらいた。その会の名も、内容むきだしの「山会《やまかい》」とした。ふつうの教養人からみればアホらしいような会だし、会の名だが、子規におけるかれ自身の知的感覚が、鳴るようにあらわれている。

さらには、子規は自分の生存時間と競争していた。かれ自身が開創した美学をひとびとの背という背に負わせるべくいらだっていた。この切迫の感情が、山という簡切な用語になり、山会という、伝統的な雅趣を避けた即物的名称になったのにちがいない。ともかくもこの根岸における書生の寄合が、日本における堅牢な叙事文の風を興すことになる。「山」などと子規が大まじめで口にしている情景を想像すると、おかしみがわいてきて、そのつど子規への愛情が増してしまう。

（『新潮日本文学アルバム　正岡子規』一九八六年一月二十五日新潮社刊）

沈黙の五秒間——私にとっての子規

正岡子規の生涯は、三十五年しかない。

最末期の六年は、病者であった。当時、脊椎カリエスは不治で、なおる見込みがないことを、子規自身、知っていた。

明治二十九年（一八九六）子規三十歳の二月、左腰が腫れて痛く、以後、根岸の借家の六畳に寝たきりになった。三月、はじめて医者に診せ、不治の病名を告げられる。

「貴兄驚き給ふか。僕は自ら驚きたり」

と、子規は、その時期、松山に帰省中だった弟分の高浜虚子にながい手紙を書き送っている。腰の痛みはリウマチとおもっていたのが、カリエスだとわかったのである。骨が、結核菌によって腐ってゆく。やがて膿で穴があき、死ぬまで激痛をともなう。

子規は、医師の診断を現実として受け容れたさまを、軽やかなばかりの筆致でいう。

……（自分の病気が）僂麻質斯《りゆうまちす》にあらぬことは僕も略《ほぼ》假定して居たり。今更驚くべきわけもなし。たとひ地裂け山摧くとも驚かぬ覺悟を極め居たり。今更風聲鶴唳《ふうせいかくれい》に驚くべきわけもなし。然れども余は驚きたり。驚きたりとて心臟の鼓動を感ずる迄に驚きたるにはあらず。醫師に對していふべき言葉の五秒間遲れたるなり。

五秒間のあいだ、何を感じたかは子規自身、「一向に記憶せず」という。しかしそのあと、右の手紙のなかで、「大望」（注・俳句、短歌の革新）を抱きつつ死にゆく自分を、一抹のおかしみをもって——子規生来の客観性というべきものだが——のべている。別の子規が、この世の苦しみのなかの子規を見ているのである。

多少の詠歎はある。

「世間大望を抱きたるまゝにて地下に葬らるゝ者多し。されど余《わ》れ程の大望を抱きて地下に逝く者はあらじ」という。

子規が子規であることへ出発したのは、このときからといっていい。

ついでにいうと、死への恐れは、子規のすべての文章にない。

死を観念的に考えることもしなかった。

さらには、宗教にもすがらなかった。ただ死までの——大望のわりには少なすぎる——

時間だけが念頭にあった。また暮らしという現実についても、あまり考えなかった。新聞「日本」からの高からぬ給料がささえていたし、その後、病床から書き送りつづけた文章とその小さくない反響でもって、十分その給料には酬いていた。

子規は、いつも病床にある。

その現実もしくは事実についても、子規は「病牀六尺」などの新聞連載によって、読者にいわば報告した。

また、「歌よみに与ふる書」など、短詩型革新についての文章が掲げられるのも、この「日本」においてである。死の床にあって、子規は社中のたれよりもよく働く記者だった。

病床で、歌会や句会を催した。

文学における写生についても、大いに提唱した。

元来が、稟質《ひんしつ》として自然や現実の観察が好きであった。自分の生まで観察した。

子規は、絵を見ることも、描くことも好きで、絵では日本画が好きだった。

この時期の子規を驚かせたものがある。日本画の修業は、一般にお手本を模写することからはじめるのだが、洋画ではいきなり自然そのものを写生するという。子規はこのことを中村不折からきき、ひるがえって文学において頓悟した。

一世を動かした子規の写生論も、いまからおもうと、素朴というほかない。その素朴にこそ子規の真骨頂のすべてがある。また右の写生論のように、子規はかならず立論の動機という手の内を明かした。

子規は、いつも病床から小庭を見ていた。

「雞頭の十四五本もありぬべし」

死後、論議の多い句であることは、よく知られている。たしかに、これをもし和文英訳すれば何の意味ももたせることができない。

しかしつねに末期《まつご》の思いのなかにいる子規にとって、その瞬間、小庭の陽溜まりにある雞頭の一群だけがこの世だったのにちがいない。

いわば俳句論を越え、子規における前掲の沈黙の五秒間に呼応する境涯の風景だったと思えば、この一句は、子規一生のなかでもっともきらめいているように思えてくる。

（「俳句朝日」一九九五年五・六月号）

〈巻末解説〉

書くこと大好き人間ここにあり

山野《やまの》博史《ひろし》
（関西大学法学部教授）

司馬遼太郎さんは、「潮」（昭和53・5）の特別企画「私の文章作法」において、井上ひさしさん、梅棹忠夫さんら十一人の文章家とともに、編集部のもとめに応じて、「一台の荷車には一個だけ荷物を」と題する回答を寄せています。

一、自分の文体は、結局、生理のようなもののように思えるものですから、自分で説明できません。ただ、在来の古典的な日本語の欠陥であるところの首尾の不明瞭さや文意の不明晰さからすこしでもまぬがれたいと気を付けていることが、「文章を書く上で気を使っていることは何か」という御質問にやや適《あ》うのではないかと思います。

二、「自分の文章をどこで習得されたか」というのも、自分のことだけによくわからなくて返答に窮します。この質問の答えでなく、むしろ第一問にかかわる内容ですが、文章を書こうとする若い人たちに、「センテンスは荷車のようなものです」と助言することがあります。「一台の荷車には一個だけ荷物を積むようにしなさい。一個ずつ荷物を積んだ荷車を連ねてゆけばそれでいいわけで、欲ばってたくさんの荷物を一台の荷車に積んではいけません」といったりするのです。読み手は、一つのセンテンスを読むのに一つの意味しか理解――もしくは感ずること――ができないものだと思うべきです。入学試験に出題される現代文のなかで、一つのセンテンスに複数の意味を載せている文章がよくありますが、ああいうものは悪文だと思い定めるべきです。さらにいえばこのことを訓練することによって関係代名詞を持たない日本語の不自由さをどこかで解決する道がひらけるようにも思います。

ただ荷車の形は均一ではなく、大小長短が必要で、当然、荷物にも大小があり、軽重があることになります。その荷車の列のつらね方――つまり大小や長短、もしくは軽重をうまく按配することによって、文章全体に美的ななにごとかが作為でなくごく自然に出てくると思うのですが、たとえ不幸にして出なくても、悪い文章にだけは決してならないと思うのです。

三、第三問については、無意識に多くの文章の影響をうけたと思いますが、具体的には思いあたるものがありません。影響をうけたかどうかはべつとして、少年のころ、断簡零墨まで読んだのは、徳冨蘆花のものでした。二十代になって夏目漱石の文章が、やはり表現力の幅と深さにおいてもっともすぐれていることを知り、この実感はいまも変りません。翻訳文では、ステファン・ツヴァイクの文章を読んで、こういう叙述法もありうるのかと感じ入ったことがあります。ただ、以下のことはわざわざ書くと誤解されそうですが、幼少のころに漢文の素読を習わされたことが、言葉のひびきを知る上で、多少の役に立っているかもしれません。(ルビは原文のまま)

この文章は司馬さんのどの単行本にも収録されぬままになっていますが、ここに率直に語られている心構えでまめまめしく書いた文章は、その全貌をほぼ把握した感じで申せば、九五〇篇余り、四〇〇字詰原稿用紙で約八七〇〇枚に達するでしょう。

近時、この基本姿勢は若い時分からの持論だったと納得させる椿事に遭遇しました。

平成十二年十月上旬、司馬さんが寺内大吉さんらと始めた文藝雑誌「近代説話」の同人でもあった、司馬さんよりすこし年少の女性とお近づきをえる機会がありました。昭和二十年代の終りから大阪で、ある藝術雑誌の編集に従事していたこのかたの存在ははやくから知っていたので、私としては満を持しての初対面でした。司馬さんが、産経新聞文化部で文学や美術を担当する福田定一記者として、この本名でも何度か執筆している当の雑誌のバックナンバーを拝見するうちに、昭和三十年三月号に司馬さんの書きこみを発見しました。ご本人はすっかり失念していたらしいのですが、見おぼえのある万年筆の筆蹟で、この女性編集者の陶藝家訪問記の文章を添削しているではありませんか。

書きだしの自然描写について、「うまいが、少女趣味的。いわば吉田絃二郎調で、古い感傷主義文章。もっと簡潔に」と矢印で指摘し、次にくる訪問先のたたずまいにふれた記述に、「ここから始める方がよい」と助言しています。陶藝家の邸内の様子を素描した文章の閉じかたに眼をとめて、「ここで名詞止めにするのはあなたのクセ。悪くはないが、使いすぎるとハナにつく」とも。後半のほうで、人や場所に敬意をこめて書いている箇所に傍線を引いて、「敬語を使っちゃいけない」とぴしゃり。司馬さんは、若いころからずっと、文章でも実にめんどう見のよい人だったとうかがわせるに足るたのしい証拠ではないでしょうか。

小川のせせらぎがやがて大海原に注ぎこむように、ゆったりとさりげない調子で、音程をたくみに変化させ、絵具のまぜぐあいに工夫をこらし、照明をあてる角度に苦心しながら、いつどこであんなに勉強したのか、森羅万象におよんで、ネタの仕込みに精を出してうまずたゆまず、書く手を休めなかった司馬遼太郎さん。私はというと、そんな司馬さんの文章をできたてのほやほや、同時進行で読んでみたいとの一心で、司馬作品を追ってきたにすぎません。資料蒐集にあたって、司馬さんに助けや教えを乞うたことはありません。司馬さんは自作掲載資料をすべて永久保存するならわしではなかったから、資料探しの苦楽一般についてなら面白がって耳を傾けるにせよ、こと自分の書誌にまつわる事実確認なんぞに関しては、なにを問うても軽くいなされるのがおちとわきまえていたつもりです。

よくもまあ、あれやこれやと探しあてたものだとふしぎがる人がいるけれども、ひとさまの親切とおのれの勘を支えとして、地道に資料を探求するほかないわけでして、その実際は具体例を示すと理解願えるでしょう。種も仕掛けもあるはずがないじゃないですか。

「博多承天寺雑感」は、「中外日報」に載りましたが、出世作「梟のいる都城」を連載したこの新聞に注目しない法はありません。いつなんどき司馬さんの文章やゆかりの記事が載るかもしれないと気をつけていたら、でくわしたまでなのです。

この文章をめぐっては後日談があります。平成十二年八月下旬、京都市内の中外日報社編集局をたずねた際、同社が大正初期に刊行した袖珍本の仏教書をおみやげに携えていったこともあって、司馬さんのみならず、中外日報社の今昔にも話題がひろがり、歓談に興じていると、僥倖にぶつかりました。「博多承天寺雑感」の自筆原稿を司馬遼太郎記念財団に寄贈したいので、ことづかって届けてほしいとの申し出に接したのです。

あの色どりあざやかな四〇〇字詰原稿用紙七枚に、「講演速記をおことわりした代りの原稿です。

できれば、一回で載せてください、分載せずに」との添え書きが付き、編集局宛速達便の封筒に納められた完璧な一揃いがはからずも里帰りを果したのだけれど、この種のおまけ話を味わえるのも司馬さんの功徳というべきでしょう。

岡本博さんが毎日新聞の学藝畑の名編集長であって、『手掘り日本史』（昭和44・6、毎日新聞社）を演出した人であることは、同書の司馬さんのあとがき「楽屋ばなし」に詳しいのですが、それを記憶していさえすれば、新刊書店で岡本博さんの著書が眼に飛びこんでくると、のぞいてみるのがごく自然なことでしょう。『思想の体温』が司馬さんの序文で飾られているのは、そんなふうにして見つけました。くり返しになりますが、いつも同時代の一介の読者の立場で司馬作品とつきあってきただけなのです。

司馬さんが桂米朝師匠の落語にかねてから感心しているのをうわさに聞いていれば、米朝さんの著作にいつかなにかでからむことがあるにちがいないと狙いを定めておくのが、当然の心準備ではありますまいか。

「米朝さんを得た幸福」にめぐりあったときは、書店の文庫本コーナーで、ひそかにほくそ笑んだものです。『米朝ばなし』の講談社文庫版が刊行された翌春だったかに、大阪の書物愛好家がつどう会合に米朝さんが特別参加することがあり、談たまたま司馬さんの文庫解説におよび、情理かねそなえた解説文がもらえて、よろしゅうございましたね、と話しかけたら、「ほんまは、びっくりしたんですわ。すいせん文でも書いてくれるとありがたいなと思うて頼んでみたら、いきなり編集部に原稿が送られてきましてん」といたく恐縮の態だったのが忘れられません。持参していたもとの毎日新聞社版（昭和56・8）と文庫版の両方の扉にちゃっかり墨筆の署名をおねだりしたのもうれしい想い出となっています。

大阪外国語学校時代の恩師への偲び草「モンゴル語の生ける辞書」は、最初「毎日新聞」大阪版平成五年二月二十日付夕刊に載ったのですが、同紙の縮刷版（東京本社発行の朝、夕刊最終版を縮刷、編集したもの）をのぞいてみると、東京版三月四日付夕刊掲載の同じ題の文章に三箇所訂正がほどこされているのがわかるので、後者を決定稿としなければなりません。関西ぐらしの読者は、司馬さんの文章にふれる機会がよその土地のひとより多くてずいぶん得をしているかわりに、わけても新聞の場合、大阪版にのみ載ったのか、全国向けに発信されたのかをたしかめる手間を惜しんではいけません。初出紙誌から単行本へ、さらには文庫本へと、文章が再録されるたびごとに、司馬さんは誠実きわまる加筆訂正文士だったことも銘記しておきたいですね。

知友の著書への序文や跋文の執筆事情に明らかなように、司馬さんは時として義侠心を発揮して文章を書くことがあったとはいえ、書きたいときに書きたいことを書きたいように書いた文人だったと考えています。その心意気やよし、と感嘆しつつ、のんびりと、さわやかに、根気よく、司馬さんの仕事に伴走して生きる糧のひとつとしてきたことに、なにひとつ悔いはありません。

司馬遼太郎さんの文章を探索する折の心得事に限りませんが、人生なんであれ、すなおでまっすぐな執念をつらぬくのが幸運をよびこむいちばんの秘訣のような気がしてなりません。それに尽きるとしかいいようがないのです。

平成十三年二月三日　諭吉百年忌

初出紙誌、出典は各エッセイの文末に記しました。収録にあたっては、初出時に明らかな誤植があったと思われる場合をのぞいて、原文に忠実であることを心がけました。（編集部）

以下《いか》、無用《むよう》のことながら

発行日　平成十三年三月一日［第一刷］

著者　司馬遼太郎《しばりょうたろう》
発行者　寺田英視

発行所　株式会社文藝春秋
〒一〇二－八〇〇八　東京都千代田区紀尾井町三－二三
電話（〇三）三二六五－一二一一

印刷所　大日本印刷
製本所　大口製本

定価はカバーに表示してあります。
万一、落丁、乱丁の場合は送料当方負担でお取替え致します。
小社営業部宛お送りください。

ISBN4-16-357110-8

司馬遼太郎の本

酔って候

幕末の激動期に歴史の風当りを最も激しく受け、心火を酒と女と詩に託した山内容堂を初め、島津、伊達、鍋島、四賢侯の苦衷と狼狽

世に棲む日日（全三冊）

幕末、長州藩は倒幕へ暴走した。その原点に立つ吉田松陰と、師の思想を行動化した高杉晋作を中心に変革期の人物群を描く長篇小説

燃えよ剣＊（上下）

激動する時代の中でただ剣のみを信じ、史上類ない酷烈な軍事集団を創りあげ、男の美に殉じた新選組副長土方歳三の壮絶華麗な生涯

燃えよ剣＊〈新書判〉

幕末の激動期、類のない苛烈な軍事集団「新選組」を作り上げて世を震撼させ、幕府に殉じて壮絶な生涯を生きぬいた土方歳三を描く

故郷忘じがたく候

鹿児島の片田舎で薩摩焼の名器を焼き続ける高麗貴族の末裔たち。彼らの数奇な運命と望郷の念とを詩情豊かに描いた表題作ほか二篇

殉死

明治を一身に表徴する将軍乃木希典。ひたすらに死処を求めて、ついに帝に殉じた武人の心の屈折と詩魂の高揚を模索した評判の名篇

竜馬がゆく〈新装版〉（全五冊）

維新回天の立役者・坂本竜馬。ケタ外れにスケールの大きな魅力ある男を、激動の世に活写して現代によみがえらせた四千余枚の雄篇

最後の将軍 徳川慶喜〈新装版〉

「家康以来の傑物」と世評高い慶喜が、風雲急を告げる幕末の瀬戸際に打った大きな賭け「大政奉還」の思わぬ結果と悲痛な破綻を描く

文藝春秋刊（＊をのぞいて文春文庫もあり）

司馬遼太郎の本

幕末

勤王か佐幕か、攘夷か開国か？　風雲急を告げる江戸に京にあいつぐ暗殺の嵐。変転する歴史の陰に徒花の如く狂い咲く暗殺者の群像

坂の上の雲（全六冊）

坂の上の一片の雲をめざして切磋した好古・真之の秋山兄弟と正岡子規。伊予出身・三青年の哀歓を勃興期の明治を背景に描く大長篇

十一番目の志士

幕末狂騒の江戸、京、大坂、西国で、二天一流の使い手天堂晋助は、幾多の危機に見舞われながらも、ニヒルに必殺の剣をひらめかす

功名が辻（上下）

戦国時代、戦闘のからきし下手な夫を、三代の覇者交代も巧みに泳がせて、土佐の太守に仕立て上げた山内一豊夫人の爽かな内助ぶり

翔ぶが如く（全七冊）

明治新政府は発足した。が、そこには様々な危機が内在外在していた。西南戦争に至るまでの政治をダイナミックに捉え得た大河小説

義経

恩賞目当の武士と権威保持に汲々たる公家。武家時代開幕の前夜、源平公家三巴の争乱の中で、政治に疎い軍事の天才義経の歩む悲劇

夏草の賦

並外れた統率力と智力で四国全土を平定し、天下を望みながら、雄図空しく秀吉政権に屈していった長曾我部元親六十年の無念の生涯

菜の花の沖（全六冊）

江戸後期、ロシア船の出没する北辺の島々の開発に邁進し、数奇な運命をたどった北海の快男児、高田屋嘉兵衛を描いた雄大なロマン

司馬遼太郎の本

木曜島の夜会〈新装版〉

オーストラリア大陸北端に浮かぶ小さな島で明治の初期から白蝶貝の採集に従事した日本人ダイバーたちの哀歓。歴史短篇三作を併録

この国のかたち（一〜五）

歴史に造詣の深い著者が、日本の成り立ちについて該博な知識と緻密な論理を駆使して考察をめぐらし、明快な結論に導く注目の評論

この国のかたち（六）

このエッセイは月刊文藝春秋の巻頭に十年間書かれ、一二一回で著者は逝かれた。日本の未来へ警鐘を鳴らし続けた司馬氏の白鳥の歌

八人との対話

山本七平、大江健三郎、安岡章太郎、丸谷才一、永井路子、立花隆、西澤潤一、A・デーケンの錚々たる人々と日本人について語り合う